DAGBOEK VAN EEN BESCHERMENGEL

Wil je op de hoogte worden gehouden van de romans van Orlando uitgevers? Meld je dan aan voor de nieuwsbrief via onze website www.orlandouitgevers.nl.

CAROLYN JESS-COOKE

Dagboek van een beschermengel

Vertaald uit het Engels door
Elvira Veenings

ORLANDO
uitgevers

Vertaald uit het Engels door Elvira Veenings
Oorspronkelijke titel *The Guardian Angel's Journal*
Oorspronkelijke uitgever Piatkus, een imprint van Little, Brown Book Group, Londen
Omslagontwerp b'IJ Barbara
Foto omslag © Ilona Wellmann/Arcangel Images
Foto auteur © Jared Jess-Cooke
Typografie Pre Press Media Groep, Zeist
Druk- en bindwerk Ter Roye NV, België

ISBN 978 90 229 6002 8
NUR 302

Eerste druk, juni 2011
Tweede druk, juli 2012

www.orlandouitgevers.nl

Voor mijn juweeltjes
Melody, Summer en Phoenix

Engelen zijn geesten, maar zij zijn geen engelen omdat zij geesten zijn. Zij worden engelen wanneer zij gezonden worden.

Sint-Augustinus

EEN GODDELIJKE PEN

Na mijn dood werd ik beschermengel.

Nandita bracht me daar in het hiernamaals van op de hoogte, zonder inleidend babbeltje of een troostend woordje vooraf. Je weet wel, zoals de tandarts vlak voordat hij er een tand uit rukt naar je plannen voor de kerstvakantie informeert. Hier ging het anders, kan ik je vertellen. Ze zei plompverloren:

Margot is dood, kindje. Margot is dood.

Echt niet, zei ik. Ik ben niet dood.

Ze zei het nogmaals. Margot is dood. Ze bleef het maar herhalen. Ze nam mijn handen in de hare en knikte met de eerbied van een buiging. Ik weet hoe moeilijk dit is, zei ze. Ik moest vijf kinderen zonder vader achterlaten in Pakistan. Het komt allemaal goed.

Ik moest maken dat ik daar wegkwam. Om me heen kijkend zag ik dat we ons in een vallei bevonden, omzoomd door cipressen en met even verderop een meertje. Langs de oever groeiden lisdodden, waarvan de fluwelige toppen vaag deden denken aan een woud van microfoons, in afwachting van mijn antwoord. Een antwoord dat niet zou komen. Heel in de verte slingerde een smalle, grijze weg zich door de velden. Ik begon te lopen.

Niet weggaan, zei Nandita. Ik wil je aan iemand voorstellen.

Aan wie? wilde ik weten. Aan God of zo? Dit is het toppunt van absurditeit en wij planten de vlag.

Ik wil je graag voorstellen aan Ruth, zei Nandita. Ze nam me bij de hand en voerde me mee naar het meer.

Waar dan? Ik boog naar voren en tuurde naar de bomen in de verte.

Daar, zei ze. Ze wees naar de weerspiegeling in het water.

En toen duwde ze me erin.

Soms worden beschermengelen teruggezonden om op hun broertjes en zusjes, hun kinderen of andere mensen van wie ze hielden te passen. Ik keerde terug naar Margot. Ik keerde terug naar mezelf. Ik ben mijn eigen beschermengel, een schriftgeleerde van de biografie van spijt, struikelend over mijn herinneringen, meegevoerd in de tornado van een geschiedenis die ik niet kan veranderen.

Dat laatste, 'die ik niet kan veranderen', zou ik niet mogen zeggen. Zoals we allemaal weten, voorkomen beschermengelen keer op keer onze dood. Het is de plicht van iedere beschermengel om bescherming te bieden tegen elk woord, elke daad en elke consequentie die in strijd is met de vrije wil. Wij zorgen ervoor dat er geen ongelukken gebeuren. Maar verandering... dat is onze zaak. We veranderen dingen, elke seconde van elke minuut van elke dag.

Ik mag dagelijks een kijkje nemen achter de schermen om te zien welke ervaringen ik had moeten hebben en van wie ik had moeten houden, en het liefste zou ik dan een of andere goddelijke pen willen opnemen om alles te veranderen. Ik wil een script schrijven voor mezelf. Ik wil die vrouw schrijven, de vrouw die ik was, en haar alles vertellen wat ik weet. En ik wil iets van haar weten: Margot... Zeg me hoe je gestorven bent.

I

IK WORD RUTH

Ik kan me niet herinneren dat ik het water in plonsde. Ik kan me niet herinneren dat ik er aan de overkant van het meer weer uitgekropen ben. Maar tijdens die kortstondige doop in de spirituele wereld werd ik ondergedompeld in kennis. Ik kan niet precies uitleggen hoe het gebeurde, maar toen ik plotseling in een zwak verlichte gang stond, druipend op de gebarsten tegelvloer, drong het inzicht in wie ik was en wat ik hier kwam doen net zo duidelijk tot me door als zonlicht dat door de boomtakken stroomt. Ruth. Ik heet Ruth. Margot is dood.

Ik was teruggekeerd op aarde. Een avond in Belfast, Noord-Ierland. Ik kende de plek uit mijn eerste levensjaren en ik herkende de onnavolgbare klanken van de Oranjeorde-orkesten die de avondlucht vulden. Daarom wist ik dat het ergens in juli moest zijn, maar ik had geen idee welk jaar het was.

Voetstappen achter me. Ik keek schielijk om. Nandita, iriserend in de duisternis, de glans van haar witte gewaad smetteloos in het bleke licht van de straatlantaarn aan de overkant. Ze boog zich naar me toe, met een diepbezorgde uitdrukking op haar donkere gezicht.

'Er gelden vier regels,' zei ze, en ze stak vier beringde vingers op. 'Ten eerste ben je getuige van alles wat ze doet, alles wat ze voelt, alles wat ze meemaakt.'

'Je bedoelt, alles wat *ík* heb meegemaakt,' zei ik.

Ze reageerde met een handgebaar, alsof mijn uitroep een tekstballon was die ze kon wegwuiven.

'Het is geen film,' corrigeerde ze. 'Het leven dat jij je herinnert was slechts een stukje van de puzzel. Nu krijg je alles te zien. Sommige stukken kun je aanpassen. Maar je moet heel voorzichtig te werk gaan. Laat me nu eerst vertellen wat de andere regels zijn.'

Ik knikte verontschuldigend. Ze ademde diep en beheerst in.

'De tweede regel is dat je haar moet bewaken. Er zijn talloze krachten aan het werk die de keuzes die ze maakt willen beïnvloeden. Het is van essentieel belang dat je haar daartegen beschermt.'

'Momentje,' zei ik, terwijl ik mijn hand opstak. 'Wat bedoel je precies met "beïnvloeden"? Ik heb al mijn keuzes al gemaakt, weet je nog? Zo ben ik hier beland en...'

'Heb je wel goed geluisterd?'

'Ja, maar...'

'Niets staat vast, zelfs niet als je teruggaat in de tijd. Dat begrijp je nu nog niet, maar...'

Ze aarzelde, niet wetende of ik wel slim genoeg was om te begrijpen wat ze zei. Of flink genoeg om ermee om te kunnen gaan.

'Ga door,' zei ik.

'Zelfs dit moment, jij en ik... dit heeft al eens plaatsgevonden. Je bent echter niet in het verleden zoals jij je herinnert hoe een verleden aanvoelde. Tijd bestaat niet meer. Toch ben je aanwezig in het hier en nu en is je beeld van de toekomst nog vertroebeld. Daarom zul je heel veel nieuwe ervaringen opdoen en moet je zorgvuldig over de consequenties nadenken.'

Het begon me te duizelen. 'Oké,' zei ik. 'Wat is de derde regel?'

Nan wees op de vloeistof die uit mijn rug sijpelde. Mijn vleugels, zeg maar.

'De derde regel is dat je een soort dagboek bijhoudt en alles vastlegt.'

'Wil je dat ik alles opschrijf wat er gebeurt?'

'Nee, zo ingewikkeld is het niet. Als je je aan de eerste twee regels houdt, gaat de derde vanzelf. Je vleugels knappen het voor je op.'

Ik durfde niet te vragen wat de vierde regel was.

'En dan de laatste,' zei ze glimlachend. 'Hou van Margot. Hou van Margot.'

Ze kuste haar vingertoppen en drukte ze tegen mijn voorhoofd, waarop ze haar ogen sloot en een gebed prevelde in wat volgens mij Hindi was. Ik schuifelde opgelaten heen en weer en boog mijn hoofd tot ze eindelijk klaar was. Toen ze haar ogen opsloeg, waren haar donkere pupillen veranderd in helderwit licht.

'Ik kom je regelmatig opzoeken,' zei ze. 'Vergeet niet dat je een engel bent. Je hebt niets te vrezen.'

Het witte licht in haar ogen verspreidde zich over haar gezicht, haar mond en verder omlaag naar haar hals en haar armen, totdat ze in een explosie van licht verdween.

Ik keek om me heen. Ik hoorde iemand kreunen aan het einde van de gang rechts van mij. Huurappartementen. Kale bakstenen binnenmuren, hier en daar beklad met graffiti. De smalle voordeur naar de straat stond open en ik zag een batterij intercoms, bedekt met een plakkerig laagje Guinness. Er lag een dronken man met opgetrokken knieën in de portiek.

Ik bleef even staan om de omgeving in me op te nemen. Mijn eerste impuls: de straat op lopen en zo snel mogelijk wegwezen hier. Ik werd echter overvallen door de onweerstaanbare drang om dat geluid te volgen, het gekreun aan het einde van de gang. Als ik zeg 'drang', bedoel ik geen nieuwsgierigheid of het gevoel dat er iets niet klopt… Ik bedoel iets wat het midden houdt tussen de intuïtie van een moeder die bij haar dreumes gaat kijken als hij te lang stil is en nog net op tijd kan voorkomen dat hij de kat in de droger stopt, en dat gevoel diep in je onderbuik als je weet dat je de deur uit bent gegaan zonder af te sluiten, dat je op het punt staat om ontslagen te worden of dat je zwanger bent.

Ken je dat gevoel?

En dus stapte ik de gang in, liep de dronken kerel voorbij en ging de drie treetjes op naar een overloop. Weer een gang door, vijf deuren, twee aan weerszijden en één aan het eind. Allemaal zwart geschilderd. Het geluid, een zwaar, dierlijk gekreun, werd sterker. Ik deed nog een stap. Een gedempte kreet. Een naam. Het gejammer van een vrouw. Ik liep naar de deur en wachtte even.

Voor ik het wist stond ik binnen. Een woonkamer. Nergens licht, middernacht en donker. Ik zag vaag de contouren van een bank en de afgeronde hoeken van een aftands televisietoestel. Er stond een raam open, het gordijn wapperde tegen de vensterbank en het tafeltje dat ervoor stond, alsof het twijfelde of het liever buiten of binnen wilde zijn. Een aanhoudende, gekwelde gil. Hoezo hoort niemand dit, vroeg ik me af. Waarom staan de buren hier niet om zonodig de deur in te trappen? Toen begreep ik het. We waren in Oost-Belfast tijdens het marsseizoen. Iedereen was buiten aan het feesten op de maat van *The Sash*.

Op straat was een relletje ontstaan. Gillende politiesirenes. Glasgerinkel van kapot gegooide flessen. Geschreeuw, hollende voetstappen over het wegdek. Ik zocht op de tast mijn weg door de woonkamer, in de richting van de kreunende vrouw.

Een slaapkamer, verlicht door een flikkerende lamp op het nachtkastje. Afgebladderd paars behang, vocht- en schimmelplekken als roetvlokken tegen de achterwand. Een rommelig bed. Een jonge, blonde vrouw in een lang, blauw T-shirt, alleen, op haar knieën voor het bed en snakkend naar adem. Haar armen graatmager en bont en blauw, alsof ze gevochten heeft. Plotseling rechtte ze haar rug, haar ogen dichtgeknepen, haar gezicht naar het plafond geheven, met haar kaken stijf op elkaar geklemd. Hoogzwanger. Rond haar enkels en knieën lag een plas roodgekleurd vocht.

Dit meen je niet, dacht ik. Wat is hier de bedoeling van? Moet ik het kind halen? Alarm slaan? Ik ben dood. Ik kan niets doen, alleen toekijken hoe dit arme kind met haar vuisten het bed bewerkt.

Ze kreeg een moment respijt tussen de weeën door. Ze zakte naar voren en leunde met haar voorhoofd tegen het bed, met halfgeloken, weggedraaide ogen. Ik knielde naast haar neer en legde behoedzaam mijn hand op haar schouder. Geen reactie. Ze begon weer te puffen, de volgende wee zwol aan, tot ze haar rug kromde en het een volle minuut lang uitschreeuwde, waarna haar geschreeuw langzaamaan overging in opluchting en ze weer begon te puffen.

Toen ik mijn hand op haar onderarm legde, voelde de huid ruw aan. Ik keek beter. Rondom haar elleboog zaten tien paarse kringen, zo groot als stuivers. Sporen van injectienaalden. De volgende wee diende zich aan. Ze kwam hoger op haar knieën zitten en hijgde zwaar. Het T-shirt kroop omhoog tot boven haar heupen. Meer sporen van injectienaalden op haar magere, bleke dijen. Ik wierp een vluchtige blik door de kamer. Theelepeltjes en schoteltjes op het dressoir. Twee injectiespuiten onder het bed. Ze was een aan thee verslaafde diabeet of een heroïnejunkie.

De plas vocht rond haar knieën werd steeds groter. Ze knipperde aanhoudend met haar oogleden en het gekreun werd zachter in plaats van luider. Ik besefte dat ze op het punt stond het bewustzijn te verliezen. Haar hoofd zakte naar één kant, haar kleine, vochtige mond hing open. 'Hé!' riep ik hard. Geen reactie. 'Hé!' Niets.

Ik stond op en begon door de kamer te drentelen. Zo nu en dan schoot het lichaam van het meisje met een schok naar voren of naar opzij. Ze hing daar maar wat op haar knieën, met haar bleke gezicht naar mij toe gewend, haar dunne armen slap langs haar zij met haar polsen op het smerige kleed vol vlooien. Ik heb ooit een vriend gehad die zichzelf had uitgeroepen tot junkiereanimist en daar goud geld mee verdiende. Hij kon er urenlang over vertellen en deed bij mij op de bank uitgebreid verslag van alle beroemdheden die hij bij de dood had weggehaald door met de lange arm van zijn adrenalinespuit naar de hel te reiken en hen van de schoot van Satan weg te rukken. Jammer genoeg kon ik me niet herinneren wát hij dan precies deed. Ik betwijfel of mijn vriend ooit junkies heeft gered tijdens een bevalling. En al helemaal niet toen hij al dood was.

Plotseling gleed het meisje zijdelings langs het bed, met haar handen bij elkaar alsof ze geboeid waren. Het bloed sijpelde uit haar onderlijf. Ik boog me over haar heen en trok haar knieën uit elkaar. Tussen haar benen zag ik onmiskenbaar een schedeltje met donker haar. Voor het eerst voelde ik het water langs mijn rug stromen, koud en gevoelig als twee extra ledematen, alert op alles wat er in die kamer gebeurde, de geur van zweet, as en bloed, het tastbare verdriet, het steeds zwakker wordende geluid van de hartenklop van het meisje en de snelle hartslag van het kind…

Ik trok haar benen stevig naar me toe en plantte haar voeten op de vloer. Ik pakte een kussen, rukte het schoonste laken van het bed en legde het onder haar benen. Ik hurkte tussen haar dijen, legde mijn handen onder haar billen en zette mijn verstand op nul. Op elk ander moment zou ik zo hard mogelijk zijn weggerend van een scène als deze. Mijn ademhaling ging gejaagd, ik was duizelig en toch ongelooflijk geconcentreerd, op een wonderlijke manier vastbesloten om dit leventje te redden.

Ik zag de wenkbrauwen en het neusje van het kind verschijnen. Ik kwam iets overeind en drukte op de buik van het meisje. Het kussen onder haar dijen raakte doorweekt. En toen gleed de baby als een vis uit haar lijf, zo snel dat ik hem moest opvangen… het vochtige, donkere hoofdje, het verkreukelde gezichtje, het kleine, blauwe lichaampje bedekt met kalkachtige huidsmeer. Een meisje. Ik wikkelde haar in het laken en hield met één hand de dikke, blauwe navelstreng vast, wetende dat ik over een paar minuten voorzichtig zou moeten trekken om de placenta naar buiten te helpen.

De baby huilde op mijn arm, haar mondje getuit als een snavel, geopend, zoekende. Dadelijk zou ik haar aan haar moeders borst leggen, maar eerst had ik wat anders te doen. Ik moest de treurige ziel van haar moeder in dat geteisterde lijf zien te houden.

De navelstreng begon wat losser aan te voelen. Ik gaf er een kort rukje aan. Ik kon het gewicht aan de andere kant voelen. Het was net of ik zat te vissen. Nog een rukje, een lichte trilling. Kalm en kordaat trok ik het hele ding naar buiten, tot het als een dikke, bloederige massa op de vloer terechtkwam. Het was twintig jaar geleden dat ik was bevallen. Wat had de vroedvrouw ook alweer gedaan? De navelstreng dicht bij de navel doorknippen. Ik keek om me heen of ik iets scherps zag liggen en vond een keukenmes op de ladekast. Daar zou het wel mee lukken. Maar wacht, er was nog iets. De vroedvrouw had de placenta nagekeken. Ik herinnerde me dat ze ons liet zien dat hij intact was, dat er niets was achtergebleven, waarna Toby naar de eerste de beste wastafel was gehold en zijn lunch had uitgekotst.

Deze placenta was anders dan de volle, roodbruine substantie die ik me herinnerde. Deze was klein en magertjes, als een dood diertje op de weg. Het meisje bloedde nog steeds hevig. Ze haalde oppervlakkig adem en haar hartslag klonk zwak. Ik moest hulp zoeken.

Ik kwam overeind en legde de baby op het bed, maar toen ik op haar neerkeek, zag ik dat ze helemaal blauw zag. Zo blauw als een bloedvat. Haar mondje zocht nergens meer naar. Haar mooie poppengezichtje viel weg. De watervallen die als lange vleugels langs mijn rug stroomden, voelden aan alsof ze huilden, alsof elke druppel vanuit mijn diepste wezen werd vergoten. Ze vertelden me dat ze stervende was.

Ik nam de baby op en wikkelde haar in de brede plooien van mijn gewaad – wit, net als dat van Nan, alsof de hemel slechts één kleermaker had. Ze was bedroevend mager. Hooguit vijf pond, meer woog ze niet. Haar handjes, tot knuistjes gebald voor haar borst, werden losser, als bloemblaadjes die zich losmaken van de stengel. Ik boog me over haar heen, zette mijn lippen rond haar mondje en ademde stevig uit. Eenmaal. Tweemaal. Haar buikje bolde op als een piepklein luchtbed. Ik legde mijn oor op haar borst en klopte er zachtjes op. Niets. Ik probeerde het nogmaals. Eenmaal. Tweemaal. Driemaal. En dan, een intuïtief gevoel. Een instinct. Een gids. *Leg je hand op haar borst.*

Ik nam haar op, legde haar op mijn arm en spreidde mijn handpalm uit over haar borstkas. En vol verwondering voelde ik haar hartje kloppen alsof het in mijn eigen borst zat, moeizaam en haperend, ratelend als een tegenstribbelende motor, een dansend schip op de rollende golven. Er straalde een zacht licht uit mijn hand. Ik moest twee keer kijken. In de donkeroranje gloed van die naargeestige kamer stroomde er vanuit mijn hand wit licht naar de borst van het kindje.

Ik voelde haar hartje trillen, verlangend om te ontwaken. Ik kneep mijn ogen stijf dicht en dacht aan alle goede dingen die ik ooit in mijn leven had gedaan, aan alle slechte dingen die ik had gedaan, en ik dwong mezelf om berouw te voelen, een vorm van gebed, een razendsnelle evaluatie van mezelf om de beschermengel te zijn die dit kind op dit moment nodig had, om het waard te zijn om haar met de onbekende krachten die ik bezat tot leven te wekken.

Het schijnsel zwol aan, tot de kamer baadde in een zee van licht. Haar hartje struikelde over zijn tred, als een kalfje dat op ranke pootjes door het weiland dartelt. En daarna bonsde het in mijn eigen borstkas, het klopte sterk en krachtig, zo luid dat ik hardop begon te lachen en toen ik omlaag keek, zag ik haar kleine borstkas op- en neergaan, op en neer; haar lipjes kleurden roze en tuitten zich naar voren, terwijl de adem gelijkmatig in en uit haar mondje stroomde.

Het licht doofde. Ik wikkelde haar weer in het laken en legde haar op het bed. De moeder lag in een plas bloed op de vloer, met rode vegen op haar wasbleke wangen, haar blonde haar vochtig en kleverig roze. Ik zocht tussen haar zachte borsten naar een hartslag. Niets. Ik sloot mijn ogen en probeerde het licht op te roepen. Niets. Haar borst voelde koud aan. De baby huilde klaaglijk. Ze heeft honger, dacht ik. Ik schoof het T-shirt van haar moeder omhoog en hield het kind heel even tegen de borst; met haar oogjes nog steeds gesloten zocht ze naar de tepel en begon ze te drinken.

Na een paar minuten vlijde ik haar weer op het bed. Ik legde mijn handpalm op de borstkas van de moeder. Niets. 'Kom op!' schreeuwde ik. Ik zette mijn lippen op de hare en ademde in en uit, maar de lucht blies alleen haar wangen op en gleed werkloos uit haar lege mond.

'Laat haar maar,' klonk het achter me.

Ik draaide me om. Bij het raam stond een vrouw. Ook zij was in het wit. Zeker de gewoonte in deze contreien.

'Laat haar maar,' herhaalde de vrouw zachtjes. Een engel. Ze leek op de vrouw die dood op de grond lag; ze had hetzelfde dikke, boterblonde haar, dezelfde volle lippen. Vast een familielid dat haar komt halen, dacht ik.

De engel nam de vrouw in haar armen en liep met haar naar de deur, maar toen ik naar de vloer keek, lag haar lichaam er nog. De engel keek me glimlachend aan. Toen wierp ze een blik op de baby. 'Ze heet Margot,' zei ze. 'Pas goed op haar.'

'Maar...' zei ik. Er lag een wereld vol vragen in dat woord besloten.

Toen ik opkeek, was de engel verdwenen.

2

HET PLAN

Het eerste waar ik aan moest wennen was dat ik geen vleugels had. In elk geval geen vleugels met veren.

Kennelijk kwam het pas in de vierde eeuw in zwang om engelen af te schilderen als wezens met vleugels, of eigenlijk met lange, afhangende creaties die bij de schouders ontstaan en tot de voeten reiken.

Het zijn geen veren, het is water.

Door de talloze ontmoetingen met engelen in de geschiedenis is overal ter wereld het beeld ontstaan van een vogelachtig wezen met de gave om heen en weer te vliegen tussen sterfelijkheid en goddelijkheid, maar toch waren de getuigen het niet altijd eens over de vleugels. In de zestiende eeuw maakte een man in Mexico melding van *'dos ríos'*, oftewel twee rivieren, in zijn dagboek, dat stilletjes door zijn familie is verbrand toen hij eenmaal het loodje had gelegd. Een andere man, ditmaal in Servië, verspreidde het gerucht dat er twee watervallen van de schouders van zijn hemelse bezoeker stroomden. En een klein meisje in Nigeria maakte de ene tekening na de andere van een oogverblindende goddelijke boodschapper, wiens vleugels vervangen waren door stromende wateren, op weg naar de rivier die eeuwig langs de troon van God vloeide. Haar ouders waren apetrots op haar creatieve geest.

Dat meisje was goed op de hoogte. Wat ze echter niet wist, was dat de twee waterstralen die bij engelen vanuit de zesde ruggenwervel naar het heiligbeen stromen een rechtstreekse verbinding vormen – een soort navelstreng, zeg maar – tussen de engel en zijn of haar beschermeling. Binnen deze 'watervleugels' vindt een bewerkingsprocedure plaats van alle gedachten en handelingen, alsof de engel alles opneemt. Het is beter dan cameratoezicht of een webcam. Het zijn geen losse beelden met een stukje tekst. De vloeistof neemt de complete ervaring in zich op en kan elk moment van het verhaal tot in de details reproduceren – bijvoorbeeld het gevoel van de eerste keer dat je verliefd was, gekoppeld aan een netwerk van geuren, herinneringen en chemische reacties op een moment van verwaarlozing in je jeugd enzovoort. Het dagboek van een engel ligt besloten in zijn of haar vleugels. Evenals instinct, begeleiding en kennis van elk levend wezen. Op voorwaarde dat je bereid bent om te luisteren.

Ten tweede kon ik moeilijk wennen aan het idee dat ik mijn leven nu opnieuw moest beleven, ditmaal als stille getuige.

Ik zal er geen doekjes om winden. Ik heb een interessant leven geleid, maar een mooi leven was het niet. Dus je kunt je voorstellen hoe ik het vond om het nog eens dunnetjes over te moeten doen.

Ik dacht dat ik voor straf was teruggestuurd, als een soort verkapt vagevuur. Wie vindt het nou leuk om zichzelf op videobeelden te zien? Wie krijgt er niet de kriebels als hij zichzelf terughoort op het antwoordapparaat? Vermenigvuldig dat gevoel met een triljoen en dan kom je ongeveer uit bij wat ik meemaak. Spiegel, videocamera, gipsmodel... dat is niets vergeleken bij wat ik moet doen: alles meemaken wat degene doet die ik zelf ben geweest, in levenden lijve, vooral als diegene druk bezig is om je leven zwaar te verprutsen.

Ik kwam voortdurend andere engelen tegen. We gingen amper met elkaar om, totaal niet als maatjes of collega's of zo van we-zitten-in-hetzelfde-schuitje. Over het algemeen vond ik het zwaarmoedige, afstandelijke wezens, om niet te zeggen dodelijk saaie pieten, die allemaal hun beschermeling met argusogen in de gaten hielden, alsof hij of zij over de dakgoot van het Empire State Building wankelde. Ik voelde me weer net als vroeger op school, toen ik als enige een rokje droeg, terwijl alle andere meisjes een broek aanhadden. Of als de tiener die haar haar roze verfde, twintig jaar voordat het hip werd. Net als Sisyphus was ik weer helemaal terug bij af en vroeg ik me af waar ik was, waaróm ik daar was en hoe ik zo snel mogelijk weg kon komen.

Zodra de baby weer ademhaalde – zodra Margot weer ademhaalde – holde ik het appartement uit en schopte ik de dronkaard wakker die in de portiek lag. Toen hij eindelijk bij zijn positieven kwam, bleek hij een stuk jonger te zijn dan ik had gedacht. Michael Allen Dwyer. Net 21 geworden. Student scheikunde aan Queen's University (hij zou zakken als een baksteen). Hij werd meestal Mick genoemd. Al die informatie schoot door me heen zodra ik mijn voet in zijn schouder plantte. Ik wilde dat ik wist waarom dit een paar minuten daarvoor niet bij dat dode meisje had gewerkt. Wie weet had ik dan haar leven kunnen redden.

Ik kreeg het voor elkaar dat hij overeind krabbelde en fluisterde toen in zijn oor dat het meisje in appartement 4 gestorven was en dat er een baby lag. Hij sleepte zich in de richting van de overloop, haalde zijn handen door zijn haar en schudde die vreemde gedachten van zich af. Ik probeerde het nogmaals. *Appartement 4, idioot. Dood meisje. Baby. Hulp nodig. Nu.* Hij bleef stokstijf stilstaan en ik hield mijn adem in. Kan hij me horen? Ik bleef doorpraten. *Ja, goed zo, loop door, ga ernaartoe.* De lucht om hem heen was veranderd, alsof mijn woorden de geringe ruimte tussen hem en de zwaartekracht zuiverden, zijn bloedcellen binnendrongen en zijn instinct aanspoorden.

Hij zette een voet op de eerste trede en probeerde zich uit alle macht te herinneren wat hij daar deed. Toen hij de laatste twee traptreden nam, zag ik de neuronen en gliacellen om zijn hoofd zoemen als kleine bliksemflitsen, iets trager dan normaal vanwege de alcohol, maar toch bruisend van de synaptische verbindingen.

Verder mocht hij het zelf uitzoeken.. De zwarte deur stond wagenwijd open (dankzij mij). De baby (het zal toch niet waar zijn? dat ben ik toch zeker niet?) huilde inmiddels, een droevig schepseltje dat jammerde als een katje dat op het punt staat om verdronken te worden in de waterput. Dat geluid drong door tot Micks hersenen en maakte hem in één klap nuchter.

Ik stond erbij toen hij de moeder trachtte te reanimeren. Ik probeerde hem tegen te houden, maar hij bleef zeker een halfuur lang haar handen warm wrijven en tegen haar schreeuwen, totdat hij op het idee kwam om een ambulance te bellen. En ineens begreep ik het. Ze waren minnaars geweest. Dit was zijn kind. Hij was mijn vader.

Hier moet ik even iets uitleggen. Ik heb mijn ouders nooit gekend. Ze hebben me verteld dat mijn ouders waren omgekomen bij een verkeersongeval toen ik nog heel klein was, en al die verschillende mensen die tot mijn tienerjaren voor me gezorgd hebben mogen dan wel smerige criminelen van allerlei pluimage zijn geweest, maar ze hebben me wel in leven gehouden. Op het kantje af.

En dus had ik geen flauw idee wat er op dit punt van mijn bestaan te gebeuren stond en wist ik ook niet wat ik kon doen om ervoor te zorgen dat het allemaal wat beter zou aflopen. Als mijn vader gezond en wel was, waarom kwam ik dan terecht waar ik terechtkwam?

Ik ging naast de baby op het bed zitten en keek naar de man die huilend naast het dode meisje zat.

Of beter gezegd: ik ging naast mezelf op het bed zitten en keek naar mijn vader die huilend naast het lichaam van mijn moeder zat.

Hij stond af en toe op om met zijn vuist tegen iets breekbaars te meppen, trapte de injectienaalden door de kamer en trok in een aanval van razernij alle laden uit de kast en kieperde ze om.

Later hoorde ik dat ze een paar uur daarvoor ruzie hadden gehad. Hij was het huis uit gestormd en van de trap gevallen. Ze had gezegd dat het uit was. Dat had ze wel vaker gezegd.

Uiteindelijk belde iemand de politie. Een oudere agent nam

Mick bij de arm en voerde hem mee naar buiten. Dat was hoofdinspecteur Hinds, die eerder die dag de scheidingspapieren had gekregen van zijn Franse echtgenote, wat vooral te wijten was aan het hoge geldbedrag dat hij verloren had door op een paard te wedden dat struikelde bij zijn laatste sprong, en aan de kinderkamer die leeg bleef. Ondanks zijn slechte humeur had hoofdinspecteur Hinds medelijden met Mick. Op de overloop ontstond een discussie of ze hem in de boeien moesten slaan of niet. Het meisje was ontegenzeggelijk aan de drugs, bracht hoofdinspecteur Hinds tegen zijn collega in. Ze was overduidelijk tijdens de bevalling gestorven. Zijn vrouwelijke collega stond er echter op dat de jongeman volgens de regels van het boekje werd aangepakt. Dat betekende een verhoor van ruim een uur. Het betekende geen hiaten in de papierwinkel en derhalve geen strafmaatregelen van het hoofdbureau.

De papierwinkel. Het kwam door de papierwinkel dat ik van mijn vader gescheiden werd. Het kwam door de papierwinkel dat mijn prille leven de richting nam die het nam.

Hoofdinspecteur Hinds sloot zijn ogen en drukte zijn vingers tegen zijn slapen. Ik liep naar hem toe, popelend van verlangen om in zijn oor te schreeuwen wie ik was, dat Mick mijn vader was, dat hij de baby naar het ziekenhuis moest brengen. Maar hoe ik ook tekeerging, het hielp niets. En nu zag ik het, het verschil tussen Mick en hoofdinspecteur Hinds, de reden waarom ik wel tot de een en niet tot de ander wist door te dringen: de dikke laag emoties, ego en herinneringen die om Mick heen hing had een scheur vertoond, precies op het moment waarop ik tegen hem sprak, en zoals de wind de kiezels die zich in de kieren van een muur hebben vastgezet in beweging zet, waardoor de regen naar binnen sijpelt en het vocht in de steen kan dringen, zo wist ik tot Mick door te dringen. Hoofdinspecteur Hinds was echter een harde noot om te kraken, mag ik wel zeggen. Ik zou er steeds opnieuw tegenaan lopen. Sommige mensen konden me horen, andere niet. Meestal was het puur een kwestie van geluk.

Margot slaakte een luide kreet. Hoofdinspecteur Hinds liet zijn gezag gelden.

'Goed,' riep hij bars tegen de agenten in de gang. 'Jij.' Hij wees op de agent die rechts van hem stond. 'Neem de jongen mee naar het bureau voor een verhoor. En jij,' wees hij naar degene die iets verderop stond. 'Zorg dat er onmiddellijk een ambulance hiernaartoe komt.' De vrouwelijke agent keek hem afwachtend aan. Hij zuchtte. 'Bel de lijkschouwer.'

Ik bleef uit pure frustratie tegen hoofdinspecteur Hinds en zijn team tekeergaan en smeekte hun om Mick niet te arresteren. Daarna brulde ik het uit omdat niemand me kon horen, omdat ik verdorie dood was. En toen zag ik dat ze Mick in de boeien sloegen en dat hij werd weggeleid, voor altijd weg van Margot. Naast hem, in een parallelle wereld die geopend werd als een scheur in de stof van het heden, zag ik dat hij de volgende ochtend werd vrijgelaten en door zijn vader werd opgehaald, keek ik toe hoe de dagen, weken en maanden zich aaneenregen en Mick de gedachte aan Margot steeds verder uit zijn geheugen verdreef, tot ze slechts een vondeling was aan een infuus in het Ulster Ziekenhuis, met een witte sticker op het plastic wiegje: *Baby X.*

Dat was tevens het moment waarop ik mijn plan opvatte. Als het waar was wat Nan had gezegd, als niets vaststond, dan zou ik mijn hele leven veranderen: mijn opvoeding, mijn keuzes in de liefde, het moeras van armoede waarin ik me tot mijn veertigste drijvende had gehouden. En vooral de levenslange gevangenisstraf die mijn zoon boven het hoofd hing op de dag dat ik stierf. Zowaar ik hier stond, dat zou ik allemaal veranderen.

3

EEN BUITENAARDSE BRIL

Mijn verblijf op de kinderafdeling van het Ulster Ziekenhuis zou uiteindelijk een halfjaar duren; dat weet ik, omdat Margot al rechtop kon zitten toen ze ontslagen werd. Al die tijd liep ik te ijsberen door de gang of hield ik toezicht op de artsen die haar onderzochten, klein en geel als ze was en nog altijd op de couveuseafdeling, omgeven door slangetjes en buisjes.

Dokter Edwards, de kindercardioloog die Margot onder zijn hoede had, voorspelde meer dan eens dat ze de ochtend niet zou halen. En meer dan eens stak ik mijn hand in de couveuse en legde hem op haar hart, om haar terug te halen naar de aarde.

Ik wil best toegeven dat het weleens door mijn hoofd is geschoten dat ik haar misschien beter rustig kon laten doodgaan. Met alles wat ik wist over Margots jeugd was er weinig waar ik me op kon verheugen. Maar dan dacht ik weer aan de goede momenten. De ochtenden met Toby, met een mok koffie op ons gammele balkonnetje in New York. De tijd waarin ik beroerde gedichten schreef op Bondi Beach. De start van mijn eigen zaak, nadat ik K.P. Lanes had gecontracteerd. En dan dacht ik: oké meissie, we gaan er voor. We blijven gewoon leven.

In die periode ontdekte ik drie dingen.

1. Over Margot waken, haar behoeden, alles vastleggen en van haar houden betekende dat ik haar geen seconde alleen kon laten. Ik heb een paar maal gedacht dat ik best even weg kon om de buurt te verkennen of een korte vakantie te houden, ergens waar het lekker warm was. Ik kon mezelf er echter nauwelijks toe zetten het gebouw te verlaten. Ik zat aan haar vastgeklonken, en

niet alleen omdat zij mij was. Het was een vorm van plichtsgevoel zoals ik bij leven nooit had ervaren, zelfs niet als echtgenote en moeder.

2. Mijn gezichtsvermogen veranderde. Aanvankelijk dacht ik dat ik blind werd. Maar dan zag alles er ineens weer uit zoals het er altijd uit had gezien: een fluitketel is een fluitketel, een piano is van hout, met witte en zwarte toetsen enzovoort. Maar het kwam steeds vaker voor dat ik de wereld bekeek alsof ik een buitenaardse bril op mijn neus had. Dan veranderde dokter Edwards van een kloon van Cary Grant in een paspop van neon, gehuld in psychedelisch gekleurde lichtbundels die opwelden vanuit zijn hart en zich als hoelahoepen om zijn hoofd, zijn armen en zijn middel slingerden, helemaal tot aan zijn tenen. Een soort infrarood, maar dan honderdmaal vreemder. Dat was niet de enige manier waarop mijn gezichtsvermogen veranderde: soms zag ik parallelle werelden (daar kom ik zo op terug) en soms had ik ineens röntgenogen en kon ik alles zien wat er in de kamer naast de mijne gebeurde. Ik zag dingen alsof ik door een reusachtig vergrootglas keek. Op een keer zag ik dokter Edwards' longen, vol met klontjes zwarte teer, vanwege zijn voorliefde voor sigaren, maar het gekste wat me overkwam was dat ik zuster Harrisons embryo kon zien, dat net die ochtend verwekt was. Het buitelde als een misvormde pingpongbal door haar eileiders, tot het eindelijk in de fluwelige kamers van haar buik terechtkwam, als een steen in een vijver. Ik werd er zo door gebiologeerd dat ik zuster Harrison volgde naar de parkeerplaats, tot ik teruggezogen werd naar die sombere zaal vol krijsende baby's.

3. Ik heb geen notie van de tijd. Geen biologische klok om me te laten weten dat het tijd is om te gaan slapen, geen enkel vermogen om te weten wanneer het Kerstmis is. Het is ongeveer zo: ik kan de tijd zíén, maar een klok zegt me niets. Ik zal proberen het uit te leggen... Als je regen ziet, dan zie je zilverachtige bolletjes water, toch? Soms in de vorm van een dicht gordijn dat langs het raam stroomt. Als ík regen zie, dan onderscheid ik mil-

jarden wateratomen die tegen hun zuurstofburen aan schuren. Het ziet er een beetje uit als witte ringen en grijze knopen die allemaal door elkaar over de toonbank rollen. Met tijd is het net zoiets. Ik zie tijd als een kunstgalerie vol atomen, wormgaten en lichtdeeltjes. Ik beweeg me door de tijd zoals jij een bloesje aantrekt of op de liftknop drukt en naar de 25e verdieping zoeft. Er openen zich constant parallelle werelden om me heen, waarin ik het verleden en de toekomst kan waarnemen alsof het om iets gaat wat aan de overkant van de straat gebeurt.

Ik besta niet in de tijd. Ik ga er alleen op bezoek.

Je kunt je voorstellen dat dit nogal een probleem is, gezien mijn bedoelingen met Margot. Als ik geen enkele grip heb op de tijd, hoe kan ik dan haar leven veranderen?

Ik heb tijdens mijn langdurige verblijf in het ziekenhuis allerlei plannen uitgebroed om Margot te beïnvloeden, opdat ze zou veranderen. Ik zou de antwoorden van alle toetsen en examens in haar oor fluisteren, ik zou haar toeschreeuwen dat ze van koolhydraten en suiker af moest blijven en zorgen dat ze ergens, heel diep vanbinnen, een piepkleine reden zou vinden om iets aan sport te gaan doen. Daarna zou ik er alles aan doen om haar geniale inzichten te geven op financieel gebied. Dit laatste doel was het allerbelangrijkste. Waarom? Neem nou maar van mij aan dat armoede niet alleen betekent dat je hongerlijdt. Het betekent dat alle belangrijke keuzes in je leven pal voor je neus van tafel worden geveegd.

Ik dacht bij mezelf dat dit misschien de reden was waarom ik teruggekeerd was als mijn eigen beschermengel: niet alleen om het complete plaatje van de puzzel te zien, zoals Nan had gezegd, maar om de stukken net iets anders neer te leggen en een ander plaatje te creëren, waarin het concept 'keuzes maken' weer stevig in het zadel werd geholpen. En volgens mij speelde geld daar een grote rol in.

Stel bijvoorbeeld dat je er je hele leven en daarna enorm spijt van hebt gehad dat je nooit geïnvesteerd hebt in onroerend goed, dat gedurende een korte periode flink in waarde daalde, waardoor het voor een armoedzaaier als Margot mogelijk werd om een lening af te sluiten, een stuk grond te kopen, er een hotel op te laten bouwen en van de ene dag op de andere multimiljonair te worden… Hoe zou jij je dan voelen? Dat is namelijk wat er gebeurde. Alleen niet met Margot.

4

EEN LOTSKOORD

De pleegouders die Margot kwamen ophalen uit het ziekenhuis waren verrassend keurige mensen. Keurig van het soort wit overhemd en zijden jurk. Keurig in alle opzichten.

Ik was er meteen achter dat ze al veertien jaar tevergeefs hadden geprobeerd om zelf kinderen te krijgen. De man, een jurist die Ben heette, sjokte door de gang met zijn handen diep in zijn zakken gestoken. Het leven had hem geleerd van het ergste uit te gaan en er het beste van te hopen. Daar kon ik me wel in vinden. Zijn vrouw Una, een klein, mollig vrouwtje, liep met vlugge dribbelpasjes naast hem. Ze had haar arm door de zijne gestoken en streek met haar andere hand over een gouden kruisje om haar hals. Ze keken allebei nogal bezorgd. Het was duidelijk dat dokter Edwards geen rooskleurig beeld had geschetst van Margots gezondheid.

Ik werd in het ledikantje gezet toen ze kwamen, met mijn beentjes door de koude, groenmetalen spijlen. Margot lachte om de malle gezichten die ik trok. Ze had nu al een ruige lach. Zo'n gooi-je-hoofd-in-je-nek-lach. Ze had een warrige bos fijn blond haar, precies de kleur die ik mijn hele leven had nagejaagd met een fles waterstofperoxide, en ronde, blauwe ogen die later grijs zouden kleuren. Er waren al twee tandjes doorgebroken. Zo nu en dan herkende ik een van haar ouders in haar gezichtje: Micks sterke kaaklijn. De volle lippen van haar moeder.

Una, de pleegmoeder, sloeg met een diepe zucht haar hand tegen haar borst. 'Ze is beeldschoon!' Ze draaide zich om naar dokter Edwards, die met zijn armen over elkaar achter hen stond, met het gezicht van een doodgraver. 'Ze ziet er kerngezond uit.'

Una en Ben wisselden blikken uit. Bens schouders, van de spanning opgetrokken tot aan zijn oren, ontspanden zich van opluchting. Ze begonnen allebei te lachen. Dat vind ik heerlijk om te zien, de kracht van een goed huwelijk. Ik kan er altijd geboeid naar kijken. Bij Una en Ben was het hun gevoel voor humor.

'Wilt u haar even vasthouden?' Dokter Edwards nam Margot van mijn schoot. Haar brede lach verdween en ze werd onrustig, maar ik legde een vinger tegen mijn lippen en trok opnieuw een mal gezicht. Ze giechelde.

Una kraamde zoveel lovende woordjes uit, dat Margot zich uiteindelijk met een gelukzalig gezicht naar haar toe draaide. Nog meer lof van Una. Ben nam behoedzaam een van haar handjes in de zijne en maakte koerende geluidjes. Ik lachte, en Margot ook.

Dokter Edwards wreef over zijn gezicht. Dit had hij vaker meegemaakt dan hem lief was. Omdat hij er een bloedhekel aan had om ergens de schuld van te krijgen, schetste hij steevast het donkerste beeld om eventuele verwijten voor te zijn. Daarom zei hij: 'Ze haalt haar derde verjaardag niet.'

Una's gezicht brak in duizend stukjes.

'Waarom zegt u dat?'

'Haar hartje ontwikkelt zich niet goed. Het bloed circuleert niet naar alle organen. Uiteindelijk zal de zuurstoftoevoer naar haar hersenen afgesneden worden. En dan sterft ze.' Hij zuchtte. 'Ik zou het vreselijk vinden als u me achteraf zou verwijten dat ik u niet heb gewaarschuwd.'

Ben tuurde hoofdschuddend naar de vloer. Zijn diepste angsten werden bewaarheid. Una en hij waren vervloekt vanaf hun trouwdag, zei hij bij zichzelf. Hoe vaak had hij zijn vrouw al niet zien huilen? En hoe vaak had hij het liefst een potje met haar meegehuild? Elke teleurstelling bracht hem een stapje dichter bij de waarheid: het leven was wreed en het eindigde onder de grond bij de wormen.

Una daarentegen was genetisch geneigd tot optimisme.

'Maar... hoe weet u dat nou?' sputterde ze tegen. 'Kan het niet zijn dat haar hartje sterker wordt? Ik heb gelezen dat baby's allerlei ziekten overwinnen als ze eenmaal een veilig thuis hebben gevonden...'

Ik stond op. Moed geeft me energie. Dat is altijd zo geweest. Dat was wat me het meest in Toby had aangetrokken.

'Nee, nee,' zei dokter Edwards ietwat koeltjes. 'Ik kan u verzekeren dat we het in dit geval bij het rechte eind hebben. Ventriculaire tachycardie is een betreurenswaardige aandoening en vrijwel onbehandelbaar op dit moment...'

'Ma-ma-ma,' brabbelde Margot.

Una hapte naar lucht en slaakte een kreetje van vreugde. 'Hoorden jullie dat? Ze noemde me mama.'

Dokter Edwards stond met open mond te kijken. *Zeg nog eens mama*, zei ik tegen Margot. 'Ma-ma-ma,' riep ze uitgelaten. Tja, wat wil je? Ik was een schattig kindje.

Una liet Margot vrolijk in haar armen dansen. Ze keerde dokter Edwards compleet de rug toe.

Ik had Margots hart natuurlijk allang gezien. Ongeveer zo groot als een pruim, met zo nu en dan een lichte hapering. Het licht dat het uitstraalde werd soms wat bleekjes, wat minder helder. Ik wist dat er iets aan schortte. Maar, bedacht ik, ik had geen enkele herinnering aan hartproblemen. Behalve dat ik in mijn tienerjaren vaak aan een gebroken hart heb geleden, type onbeantwoorde liefde. Het kon nooit zo ernstig zijn als dokter Edwards het voorschotelde.

Ze blijft leven, fluisterde ik in Una's oor. Ze verstarde, alsof haar hartenwens zojuist contact had gelegd met zijn openbaring ergens in een uithoek van het universum. Ze sloot haar ogen en bad.

Op dat moment zag ik Una's beschermengel. Een lange, donkere man verscheen achter haar, sloeg zijn armen om haar heen en legde zijn wang tegen de hare. Ze sloot haar ogen en heel even werd ze omringd door een witglanzend licht. Het was schitterend om te zien. Het licht van de hoop. In al die tijd die ik in het ziekenhuis had doorgebracht, was dit de eerste keer dat ik het zag. Hij wierp me een blik toe, knipoogde en was een oogwenk later verdwenen.

Daarna was het slechts een kwestie van formaliteiten. Dit ondertekenen, dat invullen. Dokter Edwards scheef een hele stapel recepten uit en maakte verschillende afspraken met Una en Ben om met Margot terug te komen voor onderzoek. Ben raakte zichtbaar uitgeput – hij had die nacht geen oog dichtgedaan – en Una knikte en zei ja, nee en amen, maar er drong niets meer tot haar door. Ik was de enige die zat op te letten. Toen de data werden vastgelegd, stootte ik Una aan. *Dit kun je beter opschrijven, lieverd.*

Margot kreeg haar naam van zuster Harrison, na een lange discussie tussen dokter Edwards en zijn verpleegkundigen in de cafetaria. Ze bracht hem aarzelend naar voren, nadat zuster Murphy 'Graìnne' had voorgesteld, een naam waarvan de klank me niet aanstond. Het was, *mais oui*, ondergetekende die de naam in zuster Harrisons hoofd plantte. Toen de anderen haar vroegen waarom ze voor die naam had gekozen, kwam ze met Margot Fonteyn op de proppen, de danseres. Haar achternaam werd Delacroix, naar haar moeder die Zola had geheten, hoorde ik nu.

Ben en Una woonden in een van de betere wijken van Belfast, niet ver van de universiteit. Ben werkte vaak thuis. Zijn kantoor besloeg de zolderetage van hun victoriaanse huis van drie verdiepingen, recht boven Margots kinderkamer, die vol stond met speelgoed in alle soorten en maten.

De tijd die ik daar doorbracht ging gehuld in een sluier van argwaan. Er broeide iets. Ik had geen herinneringen aan Ben en Una, en ik had nooit geweten dat ze ooit zo'n belangrijke rol hebben gespeeld in mijn sterfelijke leven. Margot lag zelden in het sierlijke, handgemaakte ledikantje in de kinderkamer. Overdag zat ze meestal op Una's rechterheup en 's nachts lag ze gezellig tegen haar linkerborst, lekker warm tussen Una en Ben in.

Ze hadden het vaak over adoptie, wat ik van harte toejuichte. Telkens als Bens angsten de overhand kregen – 'maar stel dat ze doodgaat?' – kietelde ik Margot tot ze het uitkraaide van plezier of liet ik haar met uitgestrekte armpjes haar eerste stapjes zetten. Una was smoorverliefd op haar. Ik was ook verliefd, op deze fantastische, moederlijke vrouw – het soort vrouw van wie ik vroeger nooit iets begreep – die elke dag voor zonsopgang wakker werd met een glimlach op haar lippen en urenlang stilletjes naar de slapende Margot in haar armen kon kijken. Soms straalde het gouden licht om haar heen zo helder dat het me verblindde.

Totdat er een ander schijnsel verscheen. Als een slang die onopvallend door de achterdeur glipt, slingerde zich op een middag een dof, staalgrijs lint om Ben en Una heen, die aan de eettafel zaten om Margots eerste verjaardag te vieren, met een roze cakeje met één kaarsje erop en een verse stapel vrolijk ingepakte cadeautjes. Het schijnsel, of eigenlijk meer een schaduw, leek een zekere intelligentie te bezitten, alsof het leefde. Het voelde mijn aanwezigheid en schoot terug toen ik voor Margot ging staan, waarna het log in de richting van Una en Ben kroop. Una's beschermengel verscheen, maar niet voor lang. In plaats van het schijnsel tegen te houden, stapte hij opzij. Het licht wond zich als klimop om Bens been, voordat het uiteenviel in donker stof.

Ik beende door de woonkamer. Ik was boos. Ik had het gevoel dat ik een taak had gekregen zonder ook maar het minste vermogen om hem uit te voeren. Hoe kon ik wie dan ook beschermen als er van alles gebeurde waar ik niet over was ingelicht?

Ben en Una zetten het verjaardagsfeestje argeloos voort. Ze droegen Margot de treetjes af naar de tuin, waar ze haar eerste stapjes zette voor het oog van Bens polaroidcamera.

Ik begon bijna te geloven dat Ben gelijk had. Als alles zo geweldig gaat, kan het niet anders of het is de stilte voor de storm.

Ik bleef de hele middag ijsberen, tot ik begon te huilen. Ik kende het lot van Margots jeugd maar al te goed en toch was het vooruitzicht om dat alles nogmaals te moeten doormaken een miljoen maal minder erg dan te zien hoe het had kúnnen zijn. Ik besloot dat ik moest ingrijpen. Als Margot door Una en Ben geadopteerd werd, zou ze opgroeien in een liefdevol gezin. Dan zou ze niet zo gehavend uit de strijd komen en was de kans groot dat ze later niet zo zelfvernietigend te werk zou gaan. Stik maar met je rijkdom. Op dit moment zou ik mijn onsterfelijke ziel en zaligheid ervoor overhebben om te zorgen dat Margot zou opgroeien met het gevoel dat er van haar gehouden werd.

Niet lang daarna kwam Nandita me opzoeken. Ik vertelde haar alles: de geboorte, het ziekenhuis, de slang van licht. Ze knikte en zette nadenkend haar handpalmen tegen elkaar.

'Het schijnsel dat je hebt gezien is een lotskoord,' legde ze uit. 'De kleur wijst erop dat dit koord kwaadwillig van aard is.' Ik vroeg of ze het iets beter kon uitleggen. 'Elk lotskoord heeft zijn oorsprong in een persoonlijke keuze. In dit geval lijkt het om een slechte keuze te gaan.'

Het frustreerde me dat ik Bens beschermengel nog steeds niet had gezien. Ook dat kon Nandita me uitleggen.

'Geef het wat tijd,' zei ze. 'Binnenkort zie je alles.'

'Maar wat moet ik nou aan dat lotskoord doen?' vroeg ik, onwillig om het woord uit te spreken. Het klonk zo weeïg.

'Niets,' antwoordde Nan. 'Jouw taak is…'

'Margot beschermen. Ja, dat weet ik. Ik doe mijn best. Het gaat alleen wat lastig als ik niet weet wat zo'n lichtspoor betekent, snap je?'

Kort voordat het gebeurde kwam ik erachter wat het schijnsel betekende.

Ben was zoals gebruikelijk boven aan het werk, terwijl Margot lag te slapen. De geur van vers brood kringelde op uit de keuken. Die lokte hem achter zijn bureau vandaan, lang genoeg voor mij om te zien welke rechtszaak hij voorbereidde: een aanklacht wegens moord tegen een terrorist. De naam van de terrorist ging gehuld in een kring van wazige schaduwen.

Ik was niet dom. Ik had het onmiddellijk door.

Dat het een persoonlijke keuze was – en ik het daarom maar moest laten gebeuren – betekende nog niet dat ik van plan was om met mijn armen over elkaar toe te kijken. Toen de schaduw nogmaals naar binnen kroop en glibberend in de richting schoof van Una en Ben die elkaar in de keuken stonden te knuffelen, trapte ik er uit alle macht naar. Hij wist natuurlijk dat ik er was, maar ditmaal trok hij zich niets van me aan. Hij was sterker dan de vorige keer, hij had de kleur van de wolkenlucht vlak voordat het gaat regenen en was even tastbaar aanwezig als een tuinslang. Hij liet zich door niets van wat ik deed verjagen. Niet door mijn geschreeuw. Niet toen ik me er languit bovenop wierp en hem met alles wat ik in me had probeerde te doden.

Het had Ben maanden gekost om Una over te halen een keertje zonder Margot weg te gaan. Maar nu het er eindelijk naar uitzag dat ze haar mochten adopteren, redeneerde hij dat het niet meer dan juist was om dat samen te gaan vieren. Lily, de aardige, oudere dame van de overkant, paste een paar uurtjes op Margot, terwijl Ben en Una de deur uit gingen voor een romantisch dineetje.

Ik zag hoe de schaduw zich uitrolde achter hun auto. Hij was niet geïnteresseerd in Margot. Zij kroop opgewekt door Lily's keuken, met in de ene hand een houten pollepel en in de andere een blote barbiepop. Ze straalde een bleekgouden licht uit, dat van Una op haar was overgegaan.

Toen de autobom explodeerde, zag ik het licht iets tanen, maar ik dwong het om te blijven. Als er maar een heel klein vonkje van Una's liefde kon blijven smeulen, zou ik er genoegen mee nemen. Ik moest wel.

5

DE HALFGEOPENDE DEUR

Ik wil hier even kwijt dat ik het veel leuker vond om Margots moeder te zijn dan om mijn eigen zoon Theo groot te brengen. Dat is niet persoonlijk bedoeld. Theo kwam gewoon op een moment in mijn leven waarop het vooruitzicht om moeder te worden heel wat meer bekoring had dan de realiteit van het moederschap. Dat leidde in mijn geval tot verwarring, zelfmoordneigingen en slapeloosheid, lang voordat de term 'postnatale depressie' was uitgevonden, laat staan dat die maatschappelijk werd aanvaard.

Nadat ze een paar dagen bij Lily was gebleven en het nieuws van de bom alle inwoners van het dorp met kleine cadeautjes naar Margot had gelokt, als troost voor het verlies van haar ouders in spe, keek ik toe hoe er een sociaal werkster arriveerde om Margot naar een nieuw pleeggezin te brengen. Dat was Marion Trimble, een jonge vrouw, pas afgestudeerd, maar helaas vervloekt met een flinke dosis naïviteit. Een beschermde jeugd met twee liefhebbende ouders kan ook weleens minder goed uitpakken. In dit geval bracht het Marion ertoe om Margot onder te brengen bij een stel pleegouders wier hartelijkheid net zo vals was als hun bedoelingen.

Padraig en Sally Teague woonden in de buurt van Cavehill in Belfast, vlak bij de dierentuin. Hun huis grensde aan een vervallen gebouw vol graffiti. De ramen waren dichtgetimmerd en de voor- en achtertuin waren bezaaid met glasscherven en vuilnis. Hoog uitgeschoten hagen onttrokken de plek aan het oog. Er was geen enkele reden om aan te nemen dat het huis bewoond werd. Maar dat werd het wel, en hoe!

Ze besloten op een zonnige ochtend om zich aan te melden als pleegouders, nadat Padraig een advertentie in de krant had zien staan; je kon er 25 pond per week mee verdienen, een aardig bedrag in die tijd. Let wel, dit waren de jaren zestig, toen je onder de 1.000 pond nog een huis kon kopen. Na een paar snelle rekensommetjes besefte Padraig dat het pleegouderschap een leuke bijverdienste bood om hun groeiende handel in illegalen te ondersteunen. Vervoerders van illegalen vroegen 25 pond voor een lading mannen en vrouwen uit Oost-Europa en soms duurde het even voordat ze voor iedereen werk gevonden hadden. Als dat eenmaal geregeld was, trokken Padraig en Sally negentig procent van hun loon af voor kost en inwoning in het vervallen gebouw naast het hunne. In hun bereidwilligheid om hun immigrantenvrienden op weg te helpen, stouwden Padraig en Sally hen soms maandenlang met wel twintig man tegelijk in een kamer, en uiteindelijk zelfs in hun eigen smerige huis.

En zo deelde Margot haar kamertje met drie Polen, alle drie elektricien, die op de kale vloerplanken bivakkeerden, 's morgens, 's middags en vaak ook 's nachts. Meestal rookten ze. Soms dronken ze wodka of soep. Meestal vergat Sally dat Margot er was en liet ze haar de hele dag in die kamer liggen, met dezelfde luier om, dezelfde kleertjes aan en hetzelfde lege maagje.

Sally reageerde nergens op, wat ik ook deed of zei. Ze heeft nooit iets van mijn aanwezigheid gevoeld, hoorde geen van de verzoeken die ik namens Margot in haar oor fluisterde en voelde niets als ik haar in haar domme gezicht sloeg. Dat kwam omdat – ik kom hier later op terug – Sally's lijf bomvol rondtrekkende demonen zat, net zoals haar huis tot de nok toe vol zat met illegale buitenlanders. Wat er nog over was van haar geweten werd verdoofd met een dagelijkse dosis cannabis.

Gelukkig ontwikkelde een van de Polen in de kinderkamer, Dobrogost, een zwak voor Margot, vooral omdat hij zijn eenjarige dochtertje thuis in Szczecin had achtergelaten om werk te zoeken in het buitenland. Ik hielp Dobrogost aan een baan op een bouwplaats bij de dokken, overtuigde hem ervan dat hij beter tegen Padraig en Sally kon liegen over zijn loon en haalde hem vervolgens over om babymelk en voedsel te kopen voor de kleine Margot. Ze zat onder de schrale plekken van de vuile luiers en de ondervoeding. Zo nu en dan tilde ik haar uit haar bedje en hielp ik haar 's nachts om door het huis te lopen. Padraig en Sally zouden zich wild schrikken als ze merkten dat er om drie uur 's nachts een peuter door de gang dwaalde, giechelend in haar dooie eentje. Mijn handen jeukten om hun de stuipen op het lijf te jagen en haar eens in het holst van de nacht boven hun bed te laten zweven. Ik zag er echter wijselijk van af.

Op een dag was Dobrogost verdwenen. De nieuwe bewoners van de kinderkamer fluisterden over de ontdekking van een loonstrookje, een lichaam in een kist, een verzwaarde koffer die in zee was geworpen. De nieuwe bewoners van de kinderkamer hadden weinig op met Margots nachtelijke gejammer om Dobrogost. Ze begon mij al te negeren en ze smachtte naar menselijke genegenheid. De nieuwe bewoners van de kinderkamer probeerden haar uit het raam te gooien. Eerst schoof ik het raam met een klap dicht. Toen ze de ruit braken, ging ik ervoor staan en maakte hun greep op Margot losser. Maar ik kon niet voorkomen dat ze haar zo hard sloegen dat haar prachtige blauwe ogen vrijwel geheel schuilgingen onder de paarsgezwollen huid, en ik kon ook niet tegenhouden dat ze haar tegen de muur smeten, waardoor er achter in haar schedel kleine breukjes ontstonden. Ik huilde van frustratie bij het zien van haar bloedende gezichtje. Het enige wat ik kon doen, was voorkomen dat ze haar doodsloegen door de klappen te verzachten. Steeds opnieuw liep ik naar buiten om hulp te zoeken, maar ik kwam er niet doorheen. Er wilde niemand luisteren.

Margots derde verjaardag ging ongemerkt voorbij. Haar haar was nog steeds een donzige wolk, haar gezichtje engelachtig en zacht. Maar ik zag dat er al een zekere hardheid in sloop. Een verlies. Het gouden licht dat haar maandenlang na Una's dood had omhuld, was getemperd tot een zwak schijnsel rond haar hart.

Het was vroeg in de ochtend, en de bewoners van de kinderkamer keerden terug uit de nachtdienst, allebei zo stoned als een garnaal. Het leek hun wel grappig om Margot iets te roken te geven. Door het raam zag ik buiten iets bewegen, een felblauw lampje dat snel door de straat bewoog. Toen ik wat beter keek, zag ik dat het dokter Edwards was, uitgemonsterd in een witte joggingtrui, kletsnat van het zweet, een donkerblauwe korte broek en sportschoenen. Hij rende zo hard dat hij al bijna de straat uit was tegen de tijd dat ik besloten had om hem aan te spreken. Ik sloot mijn ogen en voor het eerst smeekte ik God om me te helpen tot hem door te dringen. Ja, ik bad tot God. Nan had gezegd dat niets vastlag en ik vermoedde dat dit letterlijk Margots laatste kans was. Als ik nu niets deed, zou het leven dat ik had geleefd voorbij zijn voordat ik het me maar kon herinneren. Een tweede kans zou er niet komen.

Ik had mijn gebed nog niet uitgesproken of ik rende al naast dokter Edwards. Van onze vorige ontmoeting wist ik dat ik dwars door zijn logica heen moest dringen. Hij zou nooit op zijn gevoel afgaan. Ik moest hem een verhaal verkopen. Ik moest het zo doen dat hij in actie zou komen.

Ik holde met hem mee en dacht koortsachtig na hoe ik deze man zover zou kunnen krijgen om naar dat huis toe te lopen en toegang te eisen, tot ik ineens pal voor hem stond, terwijl hij op me af kwam gerend. Hij keek me recht aan.

‘Kan ik u helpen?’ vroeg hij hijgend, terwijl hij langzaam zijn pas inhield.

Ik keek om me heen. Kan hij me zien? Ik richtte me gauw weer op hem, om zijn aandacht niet te verliezen en om te checken of hij het echt tegen mij had. Ik zag de deken van emoties en gevoelens om hem heen, maar in plaats van de scheurtjes die ik zo nu en dan te zien kreeg als mensen me toestonden tot hun bewustzijn door te dringen, ontwaarde ik nu een dun koord dat op de een of andere manier met mijn aura verbonden was, waardoor we op dat moment in dezelfde wereld vertoefden.

Ik kon geen seconde bij mijn verbazing stilstaan. De tijd drong.

'Er is een kind in dat huis,' zei ik kortaf, en ik wees op het huis van Padraig en Sally. 'U hebt haar al eens eerder het leven gered. Ze heeft nogmaals uw hulp nodig.'

Hij draaide zich langzaam om naar het huis. Hij deed aarzelend een stap die kant uit, en toen nog een. Ik zag een politiewagen de hoek om komen en ging ervandoor. Dokter Edwards was geen superheld, hij had versterking nodig. Ik holde naar de politiewagen, boog me over de motor en rukte aan een kabel. Het werkte. De auto ging langzamer rijden, de motor sputterde nog wat en viel toen uit. Beide agenten sprongen de wagen uit

Dokter Edwards schrok zich wezenloos toen hij besefte dat de vrouw die hem zojuist informatie had gegeven over een stervend kind, nergens meer te bekennen was. Hij liep langzaam naar het huis en klopte op de deur. Niemand deed open. Hij tuurde de straat af, rekte zijn hamstrings en klopte nogmaals. Dat trok de aandacht van agent Mills, een van de politieagenten die probeerde de motor van de politiewagen weer aan de praat te krijgen. Agent Mills had geruchten gehoord over moeilijkheden in dit huis, en een schaars geklede man die voor dag en dauw op de deur bonsde, wekte zijn argwaan des te meer.

Net toen agent Mills en agent Bancroft besloten om een kijkje te nemen, ging de deur open. Op een kiertje. Padraigs zure adem was zo overweldigend dat dokter Edwards een stapje achteruit deed.

'Hallo, goedemorgen,' zei dokter Edwards. Hij krabde zich op zijn hoofd, niet wetende wat hij moest zeggen. Hij wist zich echter te vermannen. 'Ik heb gehoord dat hier een ziek kind is,' zei hij. 'Ik ben dokter Edwards.' Hij haalde zijn ziekenhuisbadge uit zijn broekzak. We hadden geen van beiden ook maar enig idee hoe die ineens in zijn zak was beland.

De deur ging iets verder open. 'Een ziek kind?' herhaalde Padraig. Dat er een kind was, klopte. Het kon best zijn dat ze ziek was. Hij had weinig zin om een arts binnen te laten, maar weigeren kon problemen opleveren.

De deur ging iets verder open. 'De trap op, derde deur links. Wel een beetje opschieten.'

Dokter Edwards knikte en holde de trap op. De penetrante geur van zweet en cannabis prikte in zijn neusgaten. Hij hoorde gefluister in twee, drie verschillende talen achter de deuren die hij passeerde. Hij liep door tot hij de kinderkamer had gevonden. Hij hoorde de schuivende geluiden van zware voetstappen van meerdere mensen. En de kreet van een kind.

De politieagenten stonden inmiddels voor de deur. Padraig had hem op een kier laten staan. Agent Mills stelde voor om naar binnen te gaan. Agent Bancroft voelde daar weinig voor. Een stevig ontbijt was heel wat aanlokkelijker. Hij bracht naar voren dat ze ook nog verslag moesten uitbrengen over het akkefietje met de dienstauto. Ze begonnen terug te lopen.

Dokter Edwards duwde de deur van de kinderkamer open. Ik volgde hem op de hielen. Hij vloekte luid toen hij zag wat er aan de hand was. In een dikke rookwalm zat een klein, met bloed besmeurd kind vastgebonden aan een stoelpoot. Naast haar zaten twee mannen met een waterpijp. Haar hoofd rolde over haar schouders als een ei op een schoteltje.

Dokter Edwards, een man die hield van golf, stilte en luie zondagmiddagen, sprong op het meisje af en greep naar de stoel om haar los te maken, maar niet voordat een Oekraïense, beringde vuist zijn slaap raakte.

'Wat was dat?' Agent Mills trok zijn wapen en liep terug naar de deur. Agent Bancroft zuchtte. Hij haakte onwillig zijn pistool los. Hij was agent Mills vijf pond schuldig. Was dat niet zo geweest, dan had hij voet bij stuk gehouden en was hij vertrokken voor een stevig ontbijt.

'Politie. Doe de deur open of we gebruiken geweld.'

Er verstreken enkele seconden. Nogmaals een waarschuwing van agent Mills. En toen, dankzij alle wilskracht die ik haar toezond, een korte, doordringende gil van Margot. Agent Bancroft holde als eerste naar binnen.

Het was agent Bancroft die de kamers beneden ontdekte, vol hologige mannen en vrouwen onder het ongedierte, die aten uit kartonnen dozen en in rijen naast elkaar sliepen. Plotseling kwamen de paar woordjes Frans uit de brugklas weer naar boven en begreep hij wat de vrouw op de bank hem probeerde duidelijk te maken: dat ze immigranten waren, gegijzeld door de man die even daarvoor uit het badkamerraampje was geklommen. Dat ze naar huis wilden.

Het was agent Mills die dokter Edwards te hulp schoot in het gevecht, die zijn pistool leegschoot in de arm van de man die een mes trok en de andere man in de boeien sloeg aan het ledikantje. Het was dokter Edwards die Margot in zijn armen nam, zo licht en mager dat het hem de adem benam, en haar het huis uit droeg, het eerste zonlicht in dat haar gezichtje in maanden beroerde.

Toen hij met haar door die stille straat liep en haar pols voelde, raakt ik even heel licht haar voorhoofd aan. Een herinnering schoot door me heen. Niet meer dan een glimp. Het gezicht van een man die zich over me heen boog, een veeg bloed op zijn voorhoofd van de schermutseling op de bovenverdieping. Ik herinnerde me dit moment. Zijn handen beefden toen hij Margots magere lijfje onderzocht. Ik zag mijn kans schoon.

Neem haar mee naar huis, fluisterde ik in zijn oor.

Tot mijn opluchting hoorde hij elk woord.

6

HET SPEL

Gezien de ernst van Margots toestand, maakte de politie geen bezwaren tegen dokter Edwards' wens om het kind bij hem thuis te behandelen.

Margot bracht de volgende twee weken door in een zacht, schoon bed met uitzicht op glooiende heuvels en weidse luchten. Niet dat ze veel uit het raam keek, ze sliep het grootste deel van de tijd. Ik amuseerde me met een goed boek – dokter Edwards had een indrukwekkende Dickens-collectie, eerste uitgaven zelfs – op een chaise longue bij het raam. Ze werd aan een infuus gelegd en op een dieet gezet van vers fruit, groenten en melk.

Geleidelijk aan trokken de blauwe plekken op haar armen en benen weg, evenals de donkere kringen onder haar ogen. Het gouden licht rond haar hart keerde echter niet terug.

Dokter Edwards (of Kyle, zoals Margot hem mocht noemen) had een vrouw en twee dochters, een van dertien en een van achttien. De schoorsteenmantel, de lange planken tegenover de wenteltrap en het victoriaanse bureau in zijn kantoor stonden vol foto's van hen. Zo te zien boterde het niet helemaal in dit gezin: het oudste meisje, Karina, poseerde als een glamourmodel voor elke foto, waarbij ze met één hand haar lange, donkere haar optilde en de andere in haar zij zette, altijd met getuite lippen en een knipoog. Ik vond het veelzeggend dat Lou, de echtgenote, op alle foto's met haar arm om Karina heen stond, hoewel ze nooit glimlachte. Als het jongste meisje er ook op stond – dat was Kate – bleef ze met de handen ineengevouwen voor haar lichaam op veilige afstand van haar moeder en zus en hield ze haar hoofd gebogen, zodat haar sluike, donkere haar over haar gezicht viel. Zelfs als er te weinig ruimte was om iets van hen af te gaan staan, viel het me op dat Kate ervoor waakte om Lou en Karina aan te raken.

Bovendien herkende ik haar. Er borrelden vage beelden bij me op vanuit de spelonken van mijn geheugen: een lamp van Chinees porselein, in scherven op de vloer. Een spelbord. Fel zonlicht dat door de deuropening van een schuur stroomde en Kate's gezicht, verwrongen in een schreeuw of een lach. Ik keek door het raam de langgerekte tuin in. Helemaal achterin stond een grote, houten schuur. Dat moest hem zijn.

Lou, Kate en Karina logeerden deze maand bij Lou's ouders in Dublin. Terwijl Margot sliep, bracht Kyle zijn dagen door met wat klusjes in en om het huis, maar hij was zichtbaar van slag door de gebeurtenissen. Een half afgebouwd vogelhuisje, een ongeschilderd deurkozijn... Ik drentelde meestal achter hem aan om te zorgen dat er geen spijkers bleven rondslingeren waar Margot in kon stappen of die ze in haar mondje zou kunnen stoppen.

Ik zag waarover hij liep te piekeren, vrijwel letterlijk. Hij had Margots medische dossier uit zijn archieven opgeduikeld en de herinneringen aan de baby die hij een paar jaar geleden had behandeld, kwamen langzaam maar zeker naar boven: de baby van wie hij nooit had gedacht dat ze zo lang zou blijven leven, zeker niet in een huis vol drugs en geweld.

Op de lange avonden die hij languit met een gin-tonic voor de televisie doorbracht, speelden zich zorgelijke, verwarrende filmpjes af in zijn hoofd. Zelfs in bad werd hij door vragen overspoeld. Hoe bestaat het dat ze nog leeft? Ventriculaire tachycardie is niet te genezen... Heb ik de pleegouders ten onrechte gewaarschuwd voor haar vroegtijdige dood? En waar zijn die lui eigenlijk gebleven? Hoe kwam Margot in dat huis terecht?

Hij kon er niet van slapen. Ik sloeg hem verdwaasd gade als hij in het holst van de nacht op zijn tenen naar beneden sloop en het ene na het andere medische boek of vaktijdschrift opensloeg.

Dan wilde ik het raadsel dolgraag voor hem oplossen, want op de een of andere manier wist ik, trefzeker en precies, wat het was. Ze had geen ventriculaire tachycardie. Margot leed aan aortaklepstenose en wat ze nodig had, was een transthoracale echocardiografie, of een echografie van haar hart. Dat werd in die tijd zelden of nooit gedaan. Ik lanterfantte wat bij Kyle's bureau en sloeg een tijdschrift open bij een artikel van Piers Wolmar, hoogleraar aan de universiteit van Cardiff, gespecialiseerd in ultrasonografie. Ik liet de bladzijden ritselen om Kyle's aandacht te trekken. Uiteindelijk pakte hij het tijdschrift op en hield het voor zijn gezicht. Hij was voor de achtste maal die dag zijn bril kwijt.

Hij begon aandachtig te lezen en legde het tijdschrift zo nu en dan neer om hardop na te denken. Hij begon zich het een en ander af te vragen. Stel dat het géén ventriculaire tachycardie was? Wat was dat voor een procedure die de heer Wolmar beschreef? Echocardiografie? De technologie maakte zulke grote sprongen voorwaarts dat hij er duizelig van werd.

Hij besteedde de laatste uurtjes van de nacht aan een lange brief aan dokter Wolmar, waarin hij uitvoerig verslag deed van Margots symptomen en verzocht om meer informatie voor de behandeling. Toen de zon als een medaille opkwam boven Ulster, viel hij eindelijk aan zijn bureau in slaap.

Lou, Kate en Karina keerden terug uit Dublin. Of beter gezegd, ze vielen luidruchtig het huis binnen via de keukendeur, met een indrukwekkend aantal uitpuilende koffers en luid schreeuwend om Kyle.

Margot werd onrustig. Kyle zat naast haar bedje enkele artikelen over echocardiografie van professor Wolmar door te nemen. Ze werd wakker toen er een stethoscoop op de blote huid van haar borst werd gezet. Ze wierp een snelle blik op Kyle en toen op mij. Ik stelde haar gerust. Ze liet geeuwend haar hoofd terugzakken op het kussen. Kyle legde zijn stethoscoop haastig weg. 'Oké, Margot,' fluisterde hij, 'nu moet je even heel zoet zijn en hier blijven tot ik met mijn vrouw en dochters heb gesproken. Ze weten nog niet dat je hier bent.' Margot knikte en rolde zich op haar zij. Ze trok een mal gezicht naar mij en ik trok er eentje terug, maar toen ze even later weer naar me keek, zag ze me niet. Ze dacht dat ik ook was weggegaan.

Ik volgde Kyle naar beneden. Karina en Lou struikelden over elkaars woorden en gaven een gedetailleerd verslag van hun vakantie. Kate zat aan de keukentafel haar nagels te inspecteren. Kyle hief zijn beide handen, alsof hij zich overgaf aan Lou en Karina. Hij verzocht om een moment stilte.

'Wat is er, papa?' vroeg Karina geïrriteerd.

Kyle wees omhoog. 'Er ligt een klein meisje boven, in de logeerkamer.'

Lou en Karina wisselden geschokte blikken uit.

'Wat zeg je, pap?'

'Kyle, ik eis onmiddellijk een verklaring.'

Hij liet zijn handen zakken. 'Ik zal het je uitleggen, maar niet nu. Ze is ziek en ik vrees dat jullie haar de stuipen op het lijf gejaagd hebben met al dat kabaal. Ik wil graag dat jullie rustig met me mee naar boven gaan om kennis met haar te maken.'

'Maar...'

Hij keek over zijn bril naar Lou en ze kneep haar rode lippen stijf dicht. Ik keek meesmuilend toe. Wat een feest moest het de laatste twintig jaar geweest zijn om met haar samen te leven. Kyle verdiende een onderscheiding. Of hij moest opgenomen worden, een van beide.

Zonder een woord te zeggen kloste Kate achter de anderen aan naar Margots kamertje. De kleuren om haar heen baarden me zorgen. Hoewel haar hart een felle, trillende roze tint uitstraalde, kon de kleur plotseling veranderen in bloedrood en dan klopte het licht niet meer, maar sijpelde het naar buiten. Zelfs het ritme veranderde: in plaats van een levendige trilling – de meeste aura's golfden en vibreerden als een hartenklop – bewoog deze kleur zich traag en zwaar als lava. Zo nu en dan bleef hij bij haar keel hangen, waar hij leek te branden. En ik realiseerde me dat ze ondanks haar kalme muurbloempjesgedrag woedend was. Ze ziedde van een onderdrukte razernij. Ik wist alleen niet waarom.

Aanvankelijk kon het me ook weinig schelen. Tot haar kleding mijn aandacht trok. Toen ik achter haar de trap op liep, viel het me op dat ze allerlei verschillende soorten satanslogo's droeg: een zwart T-shirt met een roodgehoornde duivel op de rug, oorbellen met duiveltjes eraan en, wat haar ouders vast niet wisten, een tatoeage van een centimeter groot op haar rechterschouderblad, van een omgekeerd kruis.

Ze bleef halverwege de trap staan. Lou, Kyle en Karina liepen door. Ze draaide zich om en keek me pal in het gezicht. Haar ogen zo bruin als een rioolput. Geen spoortje warmte.

'Verdwijn,' zei ze effen.

Heeft ze het tegen mij? Plotseling zag ik het, net zoals ik het bij Kyle had gezien: Kate's emotionele laag was gekoppeld aan mijn wereld. Anders dan bij Kyle betrof het in haar geval echter een donkere tentakel, die niet alleen verbonden was met mijn koninkrijk, maar ook met de andere, duistere kant. Een kant waarmee ik nog geen kennis had gemaakt.

Toen ik besefte dat ze het werkelijk tegen mij had, dat ze me kon zien, wist ik me snel te herstellen. 'Ik vrees dat je me moet dwingen,' zei ik terug.

'Wat je wilt,' zei ze schouderophalend. 'Ik denk alleen niet dat je dat leuk zult vinden.'

Ik lachte hoofdschuddend, hoewel de situatie me zorgen baarde. Haar waarnemingsvermogen had me compleet van mijn stuk gebracht. Wie of wat kon me nog meer zien?

Karina was weg van Margot en behandelde haar alsof ze een levende pop was. Margot had haar mond nog niet opengedaan of Karina had haar al opgetild en meegenomen naar haar kamer, waar ze haar make-upkastje leeghaalde en Margot veranderde in een minischoonheidskoningin. Lou sloeg haar armen over elkaar, tikte met haar voet op de vloer en stortte een lading klachten uit over Kyle. Wat dacht hij wel, een zwerver in huis te nemen? En voor hoe lang, precies? Stel dat haar aan drugs verslaafde vader haar kwam zoeken? Enzovoort en zo verder.

Kyle probeerde haar uit te leggen dat dit het kleine weesmeisje was dat hij had verzorgd toen ze op de dag van haar geboorte naar het ziekenhuis was gebracht, op het randje van de dood, en dat het lot hen weer bij elkaar had gebracht. Hij overwoog om iets over mij te zeggen – de vreemde vrouw die hij om zes uur 's morgens op straat was tegengekomen en die hem praktisch had bevolen om zomaar ergens een huis binnen te vallen en Margot te redden – maar dat leek hem beter van niet.

'Dit doe je nou altijd, Kyle,' schreeuwde Lou. 'Jij moet altijd zo nodig voor iedereen als redder in de nood optreden. En ik dan? Hoe moet het nu met mij? En met Karina en Kate?'

'Hoe bedoel je?' vroeg hij schouderophalend.

Ze wierp haar armen in de lucht en banjerde de kamer uit. Kyle slaakte een diepe zucht en liet zijn vingers kraken. Ik gaf hem een applausje. De Nobelprijs voor engelengeduld gaat naar...

Mijn vleugels begonnen te prikken. Ik liep naar Karina's kamer en ging naast Margot op het bed zitten. Ze genoot van al die roze en blauwe troep die Karina op haar gezicht smeerde. Ik heb me altijd afgevraagd waar mijn voorliefde voor make-up vandaan kwam; mijn adoptiemoeder gebruikte het spul nooit en ik had geen oudere zussen. Kate stond in de deuropening. Ze keek eerst naar mij, toen naar Margot.

'Wie is dat?'

Karina zuchtte overdreven. 'Ga weg, Kate. Margot en ik hebben een make-upfeestje en jij bent niet uitgenodigd.'

'Heet ze Margot?'

'Margot,' knikte Margot met een triomfantelijke glimlach. Het duurde even voordat Kate een lauwe glimlach produceerde.

'Ik denk dat jij en ik een hoop lol gaan beleven, Margot.'
Ze draaide zich om en liep weg.

Zoetjesaan kroop Margot uit haar schulp, als een krab die van de tropische zon wil genieten. Ze veranderde razendsnel in een driejarige versie van Karina: ze praatte zoals Karina ('Dat is zóóó gaaf!'), stond erop dat ze net zulke kleren mocht dragen als Karina en danste met haar op muziek van de Beatles als ze allang in bed had moeten liggen. Daarnaast ontwikkelde ze een flinke eetlust.

Ik wist niet dat ik zo aandoenlijk was geweest als kind. Zo grappig, zo onschuldig. Op een keer ontwaakte Margot uit een boze droom, waar ik bezorgd naar had gekeken. Het was een herinnering aan de periode bij Padraig en Sally. Voordat ze de anderen wakker zou schreeuwen, sloeg ik mijn armen om haar heen en wiegde haar op het bed. Het verdriet zat als een bankschroef om haar hart geklemd. Ik kneep mijn ogen stijf dicht en probeerde de krachten op te roepen die haar eerder hadden genezen, welke dat dan ook waren. Het zachte, gouden licht waar slechts een vage gloed van resteerde, flakkerde op als een kaars in de verte. Met al mijn wilskracht slaagde ik erin om het vlammetje aan te wakkeren tot de grootte van een tennisbal, ruim genoeg om haar hart te omhullen. Haar ademhaling ging minder gejaagd, waardoor ik haar hart beter kon zien, inclusief het dreigende gevaar. Hoewel haar hart vervuld was van liefde en rust, was haar aandoening verergerd en moest er spoedig iets aan gedaan worden. Ik hoopte maar dat Kyle snel in actie zou komen.

De volgende ochtend ontving Kyle een brief van professor Wolmar. Hij schreef dat hij hem graag wilde komen opzoeken om Kyle te infomeren over de procedures en apparatuur die nodig waren voor echocardiografie. Hij schreef ook dat Margot, gezien de symptomen, waarschijnlijk leed aan aortaklepstenose, wat zeer goed te genezen was.

Karina leerde Margot jiven in de eetkamer. Lou was boodschappen doen. Er klonk een stem uit de tuin.

'Margot! Margot! Kom je spelen?'

Kate. Grijnzend. Kyle keek op, zag haar bij het raam staan en sprong overeind. Blij dat Kate haar jaarlijkse glimlach liet zien, haastte hij zich naar de eetkamer. 'Margot!' riep hij. 'Kom buiten spelen met Katie.' Karina fronste haar wenkbrauwen. 'Met dolken of zo? Moet ze dieren ontleden?'

Hij nam haar bij de hand en bracht haar naar buiten. Ze aarzelde toen ze Kate zag. Ze keek eerst naar Kyle, toen naar mij. Ik knikte. *Ja, meid, ik ga met je mee. Wees maar niet bang.*

Kate wenkte haar en vroeg of ze in de schuur kwam spelen.

'Wil ik niet,' zei Margot.

'Toe nou, gekkie,' zei Kate met een glimlach. 'Ik heb chocolaatjes. En de Beatles.'

'Beatles?'

'Ja, Beatles.'

Margot huppelde blij naar de schuur.

Toen ze eenmaal binnen waren, draaide Kate de deur op slot. Ze controleerde de ramen om te zien of haar ouders nog steeds veilig uit de buurt waren en schoof de gordijnen dicht tegen het zonlicht. Er stonden een paar stoffige oude fietsen en een kapotte grasmaaier. Ik ging afwachtend in een hoekje staan. Ze keek eerst mij aan en toen Margot. Wat is dit kind van plan?

'We gaan een spelletje doen, Margot. Je houdt toch van spelletjes?'

Margot knikte en friemelde aan haar rokje. Ze wachtte op de Beatles. Kate zette een spelbord klaar op de vloer, waarop ik twee dingen besefte:

1. Dit was het spelbord dat ik me herinnerde.

2. Het was geen spelbord. Het was een ouijabord.

Kate ging met gekruiste benen op de grond zitten. Margot deed haar na. Ik dacht razendsnel na: moest ik proberen om Kyle hiernaartoe te krijgen? Of kon ik beter hier blijven om te zien wat Kate van plan was?

Kate zette haar vingertoppen op de kartonnen driehoek waarmee de letters van het alfabet op het bord werden aangewezen. 'Zo kunnen we erachter komen hoe jouw engel heet,' zei ze tegen Margot. Margot glimlachte terug en wierp me een opgetogen blik toe.

'Hoe heet de engel die hier aanwezig is?' Kate's stem klonk luid en schril.

Er kroop een schaduw de schuur binnen. Margot keek huiverend om zich heen. 'Ik wil naar Karina,' zei ze zachtjes.

'Nee,' antwoordde Kate. 'We zijn met een spel bezig, weet je nog?' Ze liet de kartonnen driehoek los. Onzichtbare handen brachten hem naar de letter R. Toen naar de U. Vervolgens naar de T. Daarna een H. Hallo. Niet prettig kennis met je te maken.

'Ruth,' zei Kate met schitterende ogen. 'Donder op.'

Ik bleef roerloos staan. We keken elkaar secondenlang pal in de ogen. Ik werd me bewust van donkere vormen die achter in de schuur in beweging kwamen. Voor het eerst sinds lange tijd werd ik bang. Ik wist niet wat ik kon verwachten.

'Oké,' zei Kate. 'Dienaren van Satan, haal Ruth hier weg.'

Margot krabbelde overeind. 'Ik wil weg,' zei ze met trillende lipjes. Ook zij voelde de donkere schaduwen. Ik moest zorgen dat ze hier wegkwam. Ik deed een stap naar voren om haar te beschermen. Ik zag het duidelijk: er kwam een donkere schaduw op ons af. Kate schreeuwde duistere bezweringen die ze uit weet ik welk griezelboek had opgepikt. Ik sprak luid en helder: 'Kate, je hebt geen idee met wie je te maken hebt...'

Ik had de zin nog niet uitgesproken, of ik voelde dat er iets naar me toe werd gesmeten. Ik stak mijn hand op en zond een sterke lichtbundel uit om de ruimte te verlichten. Het licht ketste net op tijd tegen het voorwerp aan om het van richting te veranderen, zodat het tegen de grond kletterde. Wat of wie er ook aan het gooien was, er werd een nieuwe aanval voorbereid en er klonken zware voetstappen door de schuur.

Ik probeerde om nogmaals een lichtstraal op te wekken, maar het lukte me niet. Ik voelde het ding op me afkomen, zo groot als een olifant. Margot gilde. Ik ging pal voor haar staan, sloot mijn ogen en concentreerde me. Plotseling barstte het licht met zoveel kracht uit mijn hand dat ik wankelend achteruitdeinsde. Vlak voor mijn ogen ging de duisternis met een bulderend geluid op in het niets.

De schuurdeur vloog open en de ruimte baadde in het licht. Het had geregend. De lucht was helderblauw en het verblindende zonlicht sneed als een mes door de duisternis. Margot rende huilend naar het huis. Ik bleef staan waar ik stond en keek naar Kate, die verdwaasd op de grond lag. Naast haar lag een oude, porseleinen lamp in scherven.

'Ik stel voor dat je op zoek gaat naar een ander spelletje,' zei ik voordat ik Margot achternaging.

Kate raakte het bord nooit meer aan.

7

MET BLOEDEND HART

Ook al was Margot veel te jong om het te begrijpen, ik kon het niet laten om bakken goedbedoelde raad en adviezen over haar uit te storten. *Op je zestiende krijg je de onweerstaanbare drang om halsoverkop verliefd te worden op ene Seth. Niet doen.* Waarom niet? *Vertrouw me nou maar.* Oké. *Je zult New York geweldig vinden, lieverd.* Waar ligt New York? *In Amerika. Ik kan me er nu al op verheugen om je daar te zien rondlopen.* Zijn de Beatles daar ook? *Soort van. Maar wat veel belangrijker is... je leert daar iemand kennen die Sonya heet; dat gebeurt wanneer je hond zich losrukt van de lijn en een halve overstroming veroorzaakt in een delicatessenzaak op Fifth Avenue. Blijf bij dat mens uit de buurt.* Waarom? *Omdat ze er met je man vandoor gaat.*

Kort voor haar derde Kerstmis begon ze me te negeren. Er konden weken voorbijgaan zonder dat ze me ook maar een blik waardig keurde. Het was alsof de wind was gaan liggen, alsof de kristallen van haar bewustzijn op hun plek waren gevallen en een muur opwierpen waar ik niet doorheen kon dringen.

Ik kreeg het benauwd; ik voelde me verlaten, eenzaam en neerslachtig. Ik geloof dat dat het moment was waarop ik mijn baan serieus begon te nemen. Toen pas drong de waarheid echt tot me door: ik was werkelijk dood. Ik was werkelijk Margots beschermengel.

Ik raakte geobsedeerd door mijn spiegelbeeld (ja, dat had ik nog, ik ben een engel, geen vampier). Ik kon mijn ogen niet afhouden van de watervallen die vanuit mijn schouders stroomden en zich als zilveren Rapunzel-vlechten moeiteloos een weg baanden door mijn bedroevend vormeloze witte gewaad. Ik zag er ongeveer uit als toen ik een jaar of twintig was, alleen mijn haar was anders, zonder een spoortje peroxide. Mijn natuurlijke karamelkleur, springerig en krullend tot op mijn schouders. Ik had borsten, geslachtsorganen en zelfs die afschuwelijke kromme tenen. Ik had haar op mijn benen. Ik was ook een beetje lichtgevend, alsof er kleine ledlampjes door mijn aderen stroomden in plaats van bloed.

Margot begon met de dag meer op een vrouwelijke versie van Theo te lijken. Ik ging kopje-onder in een moeras van herinneringen en raakte zo gespitst op wat ik verloren had, op alles wat ik verprutst had en misschien nooit meer goed kon maken, dat ik bijna vergat wat ik hier kwam doen. Ik moest voor Margot zorgen, ik moest op haar passen. Kinderen worden zo snel groot.

Toen ik eindelijk opdook uit mijn poel van zelfmedelijden, was ze alweer een paar centimeter gegroeid, had ze een nieuw kapsel en was ze veranderd in Karina in het klein. Een en al aanstelleritis. Maar het ging prima met haar. Ze had geleerd om bij Kate uit de buurt te blijven en leek haar zwakke hart met pure prepuberale overmoed de baas te blijven.

Tot de dag dat ze in het park in elkaar zakte. Ik lag onder de schommel haar knieholten te kietelen, terwijl ze als de pendule van het leven boven mijn hoofd zwierde, haar witte rokje wapperend in de wind. Het ene moment schommelde ze gierend van de pret naar voren en het andere moment zwaaide ze terug en hing ze onderuitgezakt tussen de touwen, buiten bewustzijn. Karina gilde. Margot viel achteruit van de schommel en ik kon nog net haar hoofd opvangen om te voorkomen dat haar schedel tegen het beton zou slaan.

Kyle trok zijn sprintjes aan de andere kant van het veld. Karina holde naar hem toe en liet Margot liggen, met haar benen in een vreemde hoek onder haar lichaam, haar lippen paarsblauw. Ik zag haar hartkamers, de ene helder en vol, de andere als een lekke fietsband. Ik boog me over haar heen en legde mijn hand op haar hart; ditmaal was het een gouden, geneeskrachtig licht, dat het blauwe waas van haar lippen en ogen verjoeg. Voor even.

Kyle en Karina kwamen de heuvel op gerend. Kyle hees Margot aan haar schouders overeind en controleerde haar polsslag. Ze ademde nog, zij het amper. Hij droeg haar naar de auto en reed in volle vaart naar het ziekenhuis.

Ik vervloekte mezelf. Ik had beter moeten opletten. Ik hing rond in het ziekenhuis en probeerde te bedenken wat ik moest doen.

En toen gebeurde het.

Eerst verscheen Nan, glimlachend en geruststellend als altijd. Ze legde een hand op mijn schouder en knikte dat ik naar de kale muur moest kijken. Ik stond op het punt geïrriteerd uit te vallen (een muur?), toen de muur tot leven kwam met beelden: een 3D-film van de hartoperatie die Margot nodig had. Nan droeg me op om goed te kijken, alles te onthouden en wat ik zag en hoorde over te brengen op de chirurg. Ik begreep het, ik kreeg een spoedcursus opereren.

En dus keek ik. Het was een beeld van de toekomst waarin ik een rol zou spelen. Er klonk een stem in mijn hoofd. Een Amerikaanse vrouwenstem vertelde wat elke handeling inhield, waar die voor was, waarom deze specifieke techniek tot dusver niet aan deze kant van de oceaan was uitgevoerd, hoe diep het scalpel ingebracht moest worden enzovoort. Ik luisterde in het besef dat elk woord en elke handeling netjes in mijn geheugen bleven hangen, als regendruppels op een auto die in de was is gezet. Ik vergat niets, nog geen syllabe.

Toen het visioen verdwenen was, stuurde Nan me naar de operatiezaal. Ik geloof niet dat er veel tijd was verstreken: de zuster die met haar masker bezig was op het moment dat het visioen verscheen, frunnikte nog steeds aan de bandjes. Ik legde er snel een knoopje in en ze zei 'dank je' zonder te kijken wie haar geholpen had.

Margot lag roerloos op de operatietafel, onder een grote lamp die alle kleur uit haar lichaam trok. Erger nog, haar aura was waterig en dun. Het steeg zwakjes op uit haar lichaam, als nevel boven het water. Twee verpleegkundigen, Kyle en de chirurg, dokter Lucille Murphy, trokken hun handschoenen aan en gingen om Margot heen staan. Toen ik een stapje dichterbij deed en opkeek, zag ik dat het aantal aanwezigen verdubbeld was: er waren vier beschermengelen bij gekomen, voor iedereen één. Ik knikte hun allemaal toe. Er was werk aan de winkel.

Lucille's beschermengel was haar moeder, Dena, een kleine, mollige vrouw die zoveel rust uitstraalde dat ik als vanzelf langzamer en dieper ging ademhalen. Dena legde haar hoofd op Lucille's schouder, wierp een blik op mij en deed een stapje achteruit om ruimte te maken, zodat ik links van Lucille kon gaan staan. Ik zei tegen haar dat ze geen incisie van acht centimeter over het borstbeen moest maken, zoals ze van plan was, maar een incisie van twee centimeter tussen de ribben. Dena herhaalde de instructies als een vertaler. Lucille knipperde met haar ogen; ze voelde de begeleiding van Dena door haar bewustzijn vloeien als een krachtige bron van informatie. 'Dokter?' vroeg Kyle. Ze keek hem aan. 'Momentje.' Ze tuurde naar de vloer, zichtbaar verscheurd tussen decennia van medische praktijken en deze nieuwe methode in haar hoofd, die tot haar verbijstering logischer leek dan alles wat ze kende. Het zou moed vergen om zo snel te reageren. Ik vreesde heel even dat ze ervoor zou terugschrikken. Uiteindelijk keek ze op.

'We gaan vandaag iets nieuws proberen, mensen. Een incisie van twee centimeter tussen de ribben. We gaan ervoor zorgen dat deze kleine meid zo min mogelijk bloed verliest.'

Het team knikte. Onwillekeurig voelde ik aan het kleine litteken tussen mijn borsten. Een litteken waarvan ik nooit had geweten waar het vandaan kwam, tot op dit moment.

Vanaf dat punt gaf ik alles door wat ik tijdens het visioen had geleerd en Dena herhaalde alles wat ik zei. Pas later besefte ik dat de Amerikaanse vrouwenstem die ik tijdens het visioen had gehoord van Dena was geweest. Het was werkelijk zoals Nan had gezegd: dit was allemaal al eens eerder gebeurd. Ik had hier eerder gestaan. De tijd zoals ik die kende, was vervormd. Ik werd er duizelig van.

Na de operatie verliet iedereen de zaal en bleven alleen Kyle, Dena, Lucille en ondergetekende achter. We stonden met z'n vieren om Margot heen, die bleek en roerloos op de operatietafel lag, hopende dat ze snel bij zou komen.

'Vanwaar plotseling die andere aanpak?' vroeg Kyle uiteindelijk.

Lucille schudde haar hoofd. Ze waren ooit minnaars geweest en ze wist dat ze eerlijk tegen hem kon zijn. 'Ik weet het niet. Geen idee.' Ze trok haar handschoenen uit. 'Maar laten we bidden dat het werkt.'

Margot mocht twee weken later naar huis. Ze was verzwakt en leed nog steeds veel pijn, maar ze was duidelijk op de goede weg. De eerste woorden die ze na de operatie uitsprak, gingen over chocoladecake. Karina had haar een elpee van de Beatles gestuurd, die ze tegen haar borst klemde als een prothese. Ze schonk geen moment aandacht aan de gesprekken tussen de artsen en verpleegkundigen rond haar bed, die steeds opnieuw verbijsterd knikten dat ze op het randje van de dood had verkeerd. Ze dacht alleen aan jiven in Karina's slaapkamer, in een wolk van roze poeder en glitter.

We kwamen vroeg in de middag bij het huis van de Edwards aan. De oprit was een tapijt van oranje en gele bladeren. Ik leidde eruit af dat het herfst was. De seizoenen laten zich makkelijk raden in Noord-Ierland.

De meisjes waren er niet: Karina was naar een feest, Kate op schoolreisje naar het vasteland. Kyle droeg Margot naar boven en stopte haar in bed. Hij nam de tijd om haar temperatuur op te nemen, haar kussens op te schudden en pluchen beren onder haar arm te schuiven voor het geval ze midden in de nacht wakker zou worden en zich eenzaam zou voelen. Hij boog zich aarzelend over haar heen om haar een kus op haar voorhoofd te geven. Margot keek hem met wijd open ogen aan, de dekens opgetrokken tot onder haar kin. Ze voelde aan dat er iets mis was.

'Kyle,' zei ze zacht. 'Ik vind dit een lekker bed.'

Hij draaide zich half om. 'Is dat zo?'

Ze knikte. 'Heel lekker zacht. En ik vind mijn kamertje ook mooi.'

Kyle keek met een diepe zucht om zich heen. 'Ja, het is een mooie kamer.'

'Ik vind eigenlijk het hele huis leuk.'

Hij sloeg zijn armen over elkaar en keek haar met een verdrietige glimlach aan. 'Het huis vindt jou ook leuk.'

'Denk je dat ik hier voor altijd kan blijven wonen?' vroeg ze geeuwend.

Hij lachte. 'Voor altijd is heel lang, Margot. Voorlopig kijken we het een paar jaar aan, en daarna zien we wel verder.'

Het bleef stil. Hij boog zich over haar heen om te zien of ze in slaap was gevallen, maar ze had zich op haar zij gedraaid en lag hem nog steeds met open ogen aan te staren. 'Kyle?' vroeg ze.

'Wat is er?'

'Als ik hier blijf, word jij dan mijn pappie?'

Kyle probeerde te lachen, maar het kwam eruit als een snik. Voor hij het wist liepen de tranen over zijn wangen. Hij gaf haar een vluchtige, natte zoen op haar hoofd en maakte zich snotterend uit de voeten.

Voor mij was er geen twijfel mogelijk: hij hield van haar.

Hij liep naar beneden. Ik bleef bij Margot om een plan uit te broeden. Ik zag geen enkele reden om níét te proberen de loop van haar leven te veranderen, om ervoor te zorgen dat ze hier kon blijven om op te groeien in een warm gezin, om haar een kans te geven. Was dat niet wat Nan bedoelde met de puzzelstukken anders leggen? De gebeurtenissen in de operatiezaal hadden me aan het denken gezet. Niets ligt vast. Het begon me te dagen dat ik niet slechts een bezoeker aan het verleden hoefde te zijn die langs de etalages van de gebeurtenissen liep; ik kon een actieve deelnemer worden, ik kon verf toevoegen aan het lege doek van de toekomst, om een van Nans metaforen te gebruiken. Misschien kon ik de bijzonderheden hier en daar wat verschuiven, Margot andere wegen laten inslaan, zolang ze maar dezelfde bestemming hadden.

Toen ik beneden geschreeuw hoorde, liet ik Margot slapend achter om te kijken wat er aan de hand was. Ze waren in de keuken. Lou stond bij het aanrecht over de schemerige achtertuin uit te kijken. Kyle zag eruit alsof hij zich vast moest houden aan het fornuis om niet in elkaar te zakken. De sfeer was zo zwaar als de dag na een bosbrand. Ik kon hen amper onderscheiden in de mist van emoties die als rook door de ruimte kringelde.

Het bleef even stil, totdat Kyle zei: 'Scheiden?' Het was zowel een constatering als een vraag. Ik keek naar Lou.

'Dat heb ik niet gezegd.'

'Je zei dat je weg wilde.'

Lou draaide zich om. Er blonken tranen in haar wimpers. 'Een heleboel mensen blijven getrouwd, al wonen ze niet bij elkaar. Is dat niet precies wat we de afgelopen zes jaar hebben gedaan? Samenwonen? Langs elkaar heen leven?'

Op dat moment ontstond er een scheur in de dwarrelende rookflarden. Een opening. Kyle draaide zich om en liep de keuken uit. Ze krijste hem na.

'Goed zo, Kyle. Loop maar weer voor de problemen weg.'

Hij draaide zich op zijn hielen om en stormde op haar af, waarbij hij mij bijna omverliep.

'Jij bent degene die wegloopt!' brieste hij. 'Naar Dublin om je ouders op te zoeken? Terwijl je ze niet kunt luchten of zien? Behandel me niet als een idioot. Ik weet het.'

Haar mond viel open. Plotseling zag ik het hele plaatje: het aura van een andere man om haar heen. Een onmiskenbare groene lichtval in de rode rivier van haar aura. Wat kende ze haar man slecht om te denken dat hij het niet in de gaten zou hebben. Ze staarde naar de grond.

'En de meisjes?' vroeg Kyle op zachte toon. 'Waar gaan zij naartoe?'

Ze had alles gepland, behalve dat. Ik zag haar dromen met de mokerkracht van de werkelijkheid in stukken vallen. Lou en haar minnaar hadden samen gemijmerd over de tijd die ze zouden doorbrengen op het strand van Tralee, de chardonnay in een ijsemmer, de eindeloze horizon. De voogdij was nooit bij haar opgekomen.

'Die neem ik mee.'

Kyle schudde zijn hoofd en sloeg zijn armen over elkaar. In die twee seconden aarzeling had hij zijn beslissing genomen. Hij zou zelf weggaan. De meisjes zouden in dit huis blijven wonen, met hun moeder. Hij dacht aan Margot. Heel even trok zijn aura zich terug naar zijn diepste wezen. Verdrietig bedacht hij dat er maar één ding op zat. Hij moest haar ook achterlaten. Hij vond troost in de gedachte dat ze een sterke band had met Karina. Hier zouden ze allemaal een veilig en stabiel leventje krijgen, al was het dan zonder hem.

De moed zonk me in de schoenen. Kyle rende naar boven, op zoek naar een koffer. Toen bedacht hij dat hij die niet had. Boos sleepte hij Lou's koffer van schildpaddenleer onder het bed vandaan. Ik keek stil van verdriet toe hoe hij hem volstopte met kostuums en overhemden, een paar medische boeken en wat dierbare familiefoto's. Hij bleef lang bij Margots bedje staan, met zijn trillende hand uitgestrekt boven haar hart, terwijl een vurig, verdrietig gebed het zijne vulde: 'Als U bestaat, God, als U me hoort, zorg dan dat het goed komt met haar.'

Met elk woord werd het licht om haar heen sterker.

Ze besloten om Kyle's overhaaste vertrek tijdelijk te verklaren als een zakenreisje. Kate en Karina stelden weinig vragen – Lou kocht een labradorpup die voor veel afleiding zorgde – maar Margot werd teruggetrokken. Ze bracht uren in de gang door, op de onderste traptrede, koppig wachtend. Wat ik ook deed, ze weigerde me aan te kijken. Eerst dacht ik dat ze op Kyle wachtte. Maar kinderen zijn slimmer dan je denkt. Ze wachtte tot ze haar zouden vertellen dat hij niet terugkwam.

Niet lang daarna reed Lou met Karina, Kate en Margot helemaal naar Schotland om Karina af te zetten bij de universiteit van Edinburgh, waar ze geografie ging studeren. Op de terugweg nam ze een onverwachte omweg door Noord-Engeland en stopte ze bij een groot, grijs gebouw in niemandsland: kindertehuis St. Antonius; toen ze verder reed was de achterbank leeg, want Lou en Kate zaten voorin en Margot stond voor de poort van het kindertehuis, met een teddybeer onder de ene arm en een kleine tas bij haar voeten, terwijl haar hartje bonsde in haar keel.

'Papa,' zei ze terwijl ze de auto nakeek. Ik wierp een huiverige blik op de gevel van het vuilwitte gebouw.

Deze plek kende ik maar al te goed.

8

SHEREN EN DE GRAFTOMBE

Ik wil hier afrekenen met alles wat ik me herinner van kindertehuis St. Antonius, de plek waar ik kort na mijn aankomst vier ben geworden en waar ik het tot ik twaalf jaar, negen maanden en zestien dagen oud was hard te verduren heb gekregen.

Dan moet ik allereerst vertellen dat ik een groot deel van mijn volwassen leven bezig ben geweest om de diep verankerde knoop in mijn maag te verzachten met een flinke hoeveelheid drank. Dat is geen excuus. Pas nu ik zie onder welke omstandigheden ik daar arriveerde – nadat ik had geleerd hoe het voelt als er van je gehouden wordt, na de warmte en het comfort van het huis van de Edwards, waar ik een eigen kamertje had dat even groot was als een slaapzaal voor twaalf kinderen in het tehuis, met een oudere zus die weg van me was in plaats van een groepje oudere kinderen dat er dag en nacht op uit was om mijn zelfrespect te vermorzelen – nu weet ik waarom het verdriet zo moeilijk uit te bannen was en me tot lang nadat ik wist te ontsnappen bleef kwellen. Wie weet was het me beter vergaan als ze me wat langer bij Padraig en Sally hadden gelaten, tot elke hoop op liefde uit me geslagen was. Dan was het St. Antonius misschien niet zo'n enorme schok voor me geweest.

Voor een kind – en in mijn geheugen – was het een gigantisch groot gebouw. Het was tot de negentiende eeuw een ziekenhuis geweest, waarna het de functie van werkhuis kreeg, totdat het, zij het alleen in naam, veranderd werd in een weeshuis. Om de een of andere reden herinnerde ik me gargouilles op alle hoeken van het gebouw, maar die waren er niet. De hoofdingang lag achter een aantal pilaren, boven twee hoge traptreden. Er zaten twee ronde, koperen deurkloppers op de zwarte voordeur, een hoge voor volwassenen, een lage voor kinderen, en ik weet nog dat het handvat de eerste keer dat ik het gebruikte te groot voor me was, zodat ik mijn hand er niet helemaal omheen kon krijgen. De kamers leken alle vijfentwintig even reusachtig, net als de oude houten schooltafeltjes en de slaapzalen. Nergens een vloerkleed of tapijt. Geen radiatoren in de slaapzalen. Geen warm water, in elk geval niet in de gemeenschappelijke wasruimte. De enige platen aan de wand waren portretten van mensen die er gewerkt hadden, sombere foto's in sepia van strenge juffen en meesters die de kinderen die de pech hadden hier naar binnen te moeten alle hoeken van de kamer hadden laten zien.

Nu ik deze plek opnieuw betrad, besefte ik pas goed dat ik in het verleden leefde. Ik had genoten van de jaren zestig, Kyle's witte Citroën DS was een droom om in te rijden en ik deed een moord voor Lou's broeken met wijde pijpen en Karina's verzameling Beatles-elpees, maar op het St. Antonius was de tijd stil blijven staan... ergens rond het jaar 1066 na Christus. Er zijn veel plekken op de wereld waar de tijd lijkt stil te staan, net zoals er mensen zijn die weigeren te accepteren dat de tijden veranderen. Zo iemand was Hilda Marx.

Juffrouw Marx was het hoofd van St. Antonius. Afkomstig uit Glasgow, gezegend met zachte hangwangen en een onderbeet die haar het uiterlijk gaven van een pad, was Hilda Marx uitgerust met een persoonlijkheid waar de Gestapo een puntje aan kon zuigen. Huilen werd bestraft met vier zweepslagen. Op brutaliteit stond tien zweepslagen. De kinderen, tussen de twee en de vijftien jaar oud, moesten om zes uur op en gingen om negen uur naar bed. Geen minuut te laat of je moest het de hele dag zonder eten stellen. Het instrument voor de zweepslagen was een korte stok voor de jongere kinderen en een leren zweep voor kinderen boven de vijf, hoewel ik lang voordat ik die benijdenswaardige leeftijd had bereikt kennismaakte met het leer.

Margot stond in de regen de auto na te kijken waarin Lou en Kate wegreden – ze keken geen van beiden om – en nog lang nadat de auto uit het zicht was verdwenen en het stof van de oprijlaan was neergedaald op het grind, bleef Margot staan waar ze stond, met haar teddybeer onder haar arm, haar haren als spaghettislierten om haar gezicht en haar hele lijfje strakgespannen van angst en verwarring. Vroegrijp en intelligent als ze was, wist ze dat dit voorgoed was. Neem van mij aan dat het afschuwelijk is om aan te zien, een klein kind dat zoiets beseft.

Ik tuurde de horizon af. Kilometers in de omtrek niets dan weilanden en een verarmd dorp. Ik moest een manier vinden om te voorkomen dat ze die deur binnen zou stappen. Was er niet een auto die ik kon aanhouden, een goedhartig gezin dat deze kant op kwam, dit driejarige meisje langs de kant van de weg zag staan en haar liefdevol zou opnemen? Hoe zat het met de inwoners van het dorp? Hun gezichten schoten door me heen: voornamelijk oude boeren, enkele afgeleefde vrouwen. Niemand die in aanmerking kwam. Ongeveer veertig kilometer verderop lag een stadje. Dat konden we proberen. Ik gaf Margot een tikje op haar schouder en zei dat ze me moest volgen. Ze bleef roerloos staan. Ik gaf haar een zetje, maar ze kwam niet in beweging. Ik probeerde het door naar het toegangshek te rennen en haar naam te schreeuwen tot ik er schor van werd. Ze verzette geen voet. Ik kon moeilijk zonder haar gaan. Het lot? Vergeet het maar. Het is allemaal een kwestie van keuzes. Margot had haar besluit genomen, al besefte of begreep ze dat niet.

Ik keerde schoorvoetend terug naar de plek waar ze stond. Ik knielde naast haar neer, sloeg mijn armen om haar heen en probeerde het uit te leggen. Ik probeerde het zo te brengen dat mijn driejarige zelf het kon begrijpen.

Hoor eens, Margot. Je bent een flinke meid. Je bent beter af zonder die lui. Lou heeft het moederhart van een mensenhaai. Kate is de antichrist. Ik ben bij je, kindje. Je moet heel wat langer achter die hoge deuren blijven wonen dan je lief is. Maar zal ik je eens wat zeggen? Ik laat je niet alleen. Ik dek je. Er zitten hier een paar slechteriken, dat mag je best weten. Slechteriken heb je overal. Misschien is het beter als je daar zo snel mogelijk achter komt. Geloof me, hoe eerder je leert je niet door dit soort idioten de wet te laten voorschrijven, hoe beter het is. Dit is goed. Niet bang zijn. Niet huilen. Oké, huil dan maar. Laat je tranen maar stromen. En dan niet meer. Geen traan meer tot je hier weg bent. Die worden hier duur betaald.

Ze wachtte tot ik uitgesproken was en liep toen aarzelend naar de voordeur, pakte de klopper beet en sloeg er zo hard ze kon mee op de deur. Er verstreken enkele minuten. De regen ging over in zilveren koorden. Achter de voordeur klonken zware voetstappen. Het knarsen van een slot. De deur zwaaide open. Op de drempel torende iemand hoog boven Margot uit. Hilda Marx. Ze keek op Margot neer en bulderde: 'Wat hebben we hier? Een verzopen rat?'

Margot tuurde naar Hilda's knieën. Hilda bukte zich, legde haar vingers onder Margots kin en tilde haar gezicht op.

'Hoe oud ben je?'

Margot keek alleen maar.

'Hoe. Heet. Je?'

'Margot Delacroix,' antwoordde ze zelfverzekerd.

Ze fronste haar wenkbrauwen. 'Iers, zo te horen. Dat halen we er wel uit. Evenals die koppigheid van je. Goed, Margot Delacroix, je hebt geluk vandaag. Een van onze gasten is zojuist overgeplaatst, dus we hebben een bed vrij. Kom binnen, kom binnen. Laat de warmte niet ontsnappen.'

Zodra we binnen waren, werd mijn weerzin om terug te moeten naar de plek van mijn diepste kinderangst tijdelijk naar de achtergrond geschoven door een vreemde ontmoeting. Onder aan de trap stond Hilda's beschermengel. Slank en treurig als ze was, leek ze met haar lange, bronskleurige haar sprekend op Hilda, als een jonger, mooier zusje. Ik knikte haar toe. Tot dusver hadden de engelen zich op de achtergrond gehouden. Hilda's engel stapte echter op me af.

'Ruth,' zei ik.

'Sheren,' antwoordde de engel met een flauwe glimlach. Ze kwam naar me toe en ik zag dat ze groene ogen had. 'Maar vroeger was ik Hilda.'

Ik staarde haar aan. Ze tuurde naar de grond. Was dit Hilda? Ik begon over mijn hele lichaam te trillen, zo strakgespannen stonden mijn spieren van al die afschuwelijke herinneringen die deze vrouw bij me opriep, alle woede en angst en verdriet. Hoe kon ik haar ooit vergeven wat ze me had aangedaan? Maar toen ik opkeek, blonken er tranen in haar ogen. Het gezicht van deze vrouw vertoonde geen spoortje van Hilda's kwaadaardigheid. Ze nam mijn handen in de hare. Ik voelde de hevige, bittere steek van berouw in haar diepste wezen en het beven nam af.

'Ik weet dat jij Margot was,' zei ze. 'Vergeef me, alsjeblieft. We moeten samenwerken zolang Margot hier is.'

'Waarom?' wist ik ten slotte uit te brengen. Nu was Sheren degene die stond te beven en het water langs haar rug kleurde langzaam rood. De tranen drupten in haar hals en vormden een keten om haar bleke sleutelbeenderen. Het duurde even voordat ze zover was dat ze iets kon zeggen.

'Ik werk samen met de engelen van alle kinderen die hier verblijven, om ervoor te zorgen dat de pijn die hun hier wordt toegebracht door Hilda, zo min mogelijk schade veroorzaakt in de wereld. In dit tehuis zijn moordenaars, verkrachters en verslaafden gekweekt. We kunnen niet voorkomen dat Hilda doet wat ze heeft gedaan, maar we kunnen wel proberen om het letsel dat ze deze jonge levens toebrengt tot een minimum te beperken.'

Samen keken we Hilda en Margot na terwijl ze de trap beklommen. We volgden hen.

'Wat kan ik doen om te helpen?'

'Herinner je je de graftombe?'

Ik was even bang dat ik moest overgeven. Ik had de graftombe met alle geweld uit mijn geest verbannen. De graftombe was de vrucht van Hilda's helse kunstenaarstalent: een donker, van ratten vergeven hok waarin een kind van boven de vijf niet rechtop kon staan. Het stonk er naar uitwerpselen, verrotting en dood. De graftombe was gereserveerd voor bijzondere straffen. Afhankelijk van de leeftijd van het kind, kon Hilda hier haar favoriete martelpraktijken uitleven: uithongeren, slaag en een aanslag op de emoties, want via een holle pijp in de vloer maakte ze in de kleine uurtjes van de nacht afgrijselijke geluiden, waarmee ze de jonge, naakte en hongerige bewoners de doodsschrik op het weerloze lijfje joeg, tot ze er bang en onderdanig weer uit kwamen en de rest van hun dagen in het St. Antonius zo stil als kerkmuizen sleten. Elke dag ging de deur één keertje open, om een emmer ijskoud water over het naakte kind heen te storten en een bakje voer neer te zetten, net voldoende om het in leven te houden. Een van haar meest geliefde martelmethoden was om het slachtoffer na een paar dagen uit het hok te halen en het kind naar de slaapzaal te brengen. Als het dan opgelucht ademhaalde omdat het dacht dat de marteling voorbij was, gaf ze het kind een pak slaag en bracht het bloedend en krijsend terug naar de graftombe, om het daar tweemaal zo lang te laten zitten als de eerste keer.

Als een kind met ook nog maar een sprankje liefde in zijn ziel de graftombe betrad, wist hij of zij bij het verlaten van dat afschuwelijke hol vast en zeker dat liefde niet bestond.

Ik keek Sheren aan. Ze wist dat ik het niet was vergeten. Daar had Hilda wel voor gezorgd. Ze streelde mijn wang.

'We gaan de graftombe in met ieder kind dat Hilda erin opsluit.'

'Moet ik ook mee?'

Ze knikte. Ze wist precies wat dit voor me betekende, hoeveel dit van me vergde. Ze legde haar vingers tegen mijn handpalm, waardoor er plotseling beelden door me heen stroomden: beelden van Hilda's jeugd waarvan Sheren getuige was geweest, van de jarenlange verkrachtingen door vijf oudere mannen, de zorgvuldig uitgekiende martelpraktijken die ze had moeten ondergaan.

'Het spijt me,' zei ik.

'Ik laat het je zien opdat je beter kunt begrijpen waarom Hilda is geworden wie ze is.'

'Wanneer gaat het beginnen?'

'Ze stopt vanavond een jongetje in de graftombe. Blijf bij Margot tot ik je laat halen.'

'Oké.'

Het eerste vriendje dat Margot maakte was Tom, een jongetje van zeven. Tom was klein voor zijn leeftijd, ondervoed en traag van begrip, en werd door zijn rijke verbeeldingskracht veel te snel naar de smaak van de hoofdmeester, meneer O'Hare, zijn fantasiewereld in getrokken. Margot kwam met jongere kinderen dan zijzelf in de peuterzaal terecht en ze verveelde zich. Ze wilde jiven op de muziek van de Beatles, zoals ze altijd met Karina had gedaan. Ze wilde liedjes leren met de oudere kinderen. De kinderen in het klaslokaal tegenover het hare hadden het veel leuker dan zij, met die paar kapotte teddyberen, houten blokken en baby's die nog niet eens konden lopen. Ze liep naar het open raam en zag dat de leraar plotseling stopte met praten, naar achteren liep en opnieuw in het blikveld van Margot verscheen met Tom op sleeptouw, die de gang op werd gesmeten. Even later kwam de leraar terug met een zwarte houten bordenwisser, waarmee hij Tom een paar maal om de oren sloeg voordat hij de klas weer in beende.

Tom lag als een hoopje op de vloer. Een paar minuten later krabbelde hij overeind en wreef over zijn oor. Weer een paar minuten later beeldde hij zich in dat hij niet op de gang zat, maar op de planeet Arghlyst, waar hij in een hevig gevecht gewikkeld was met de chimpanseekrijgers om de piratenschat. Als bij toverslag hield hij een onzichtbaar machinegeweer in zijn armen. Hij richtte op het raam van de peuterzaal en begon schietgeluiden te maken, terwijl zijn torpedo's doel raakten en de vijand in rook en vlammen opging.

Achter het raam begon Margot te giechelen.

Tom bleef roerloos zitten toen hij iemand hoorde lachen, doodsbang voor een volgende aframmeling. Margot merkte dat ze zijn aandacht had, ging op haar tenen staan en wuifde. Hij zag haar niet en keerde terug naar zijn missie. Een gevaarlijke chimpansee sloop op hem af, van top tot teen gehuld in paarse wapenrusting. Hij moest zijn poot eraf schieten om hem op afstand te houden. Hij ging op zijn hurken zitten, richtte en schoot.

Vanaf haar plekje bezien leek de gang een leuke speelplaats. Ze ging naar de leidster.

'Mag ik een plasje gaan doen?'

De leidster glimlachte en keek door haar brillenglazen op Margot neer.

'Je moet zeggen: "Mag ik alstublieft van het toilet gebruikmaken, juffrouw Simmonds?" Ja, dat mag, Margot. Ga maar gauw.' Juffrouw Simmonds deed de deur open om Margot naar buiten te laten en trok hem snel weer dicht.

Margot keek de gang in. Behalve Tom was er niemand. Hij stond een paar meter van haar af, aan het einde van de gang. Ze ging behoedzaam zijn kant uit. Hij ging zo op in zijn schietpartij, dat hij Margot pas zag toen ze haar hand voor zijn ogen bewoog.

'O!' Hij dacht even dat Margot een blonde chimpansee was. Hij kwam uit zijn fantasiewereld. 'O,' zei hij nogmaals. Margot glimlachte hem toe.

Tom had de eerste vier jaar van zijn leven in een beschermd, liefdevol gezin doorgebracht, iets ten westen van Newcastle upon Tyne in het noordoosten van Engeland. Nadat armoede en de dood keihard hadden toegeslagen in zijn leven, zwierf hij van het ene familielid naar het andere, tot hij evenals Margot op de stoep van het St. Antonius belandde, met alleen zijn fantasie om hem te beschermen tegen de klappen.

Hij was zijn goede manieren niet vergeten. Hij stak een groezelig handje uit. 'Tom,' zei hij. 'Hoe heet jij?'

'Ik heet Margot,' zei ze, en ze pakte aarzelend zijn hand aan. 'Mag ik met jou spelen?'

Daar moest hij even over nadenken. Hij beet op zijn onderlip, zette zijn hand op zijn heup en liet zijn ogen van links naar rechts dwalen. 'Pak aan,' zei hij ten slotte. 'Dit is een lasergeweer. Hier kun je de koppen van de chimpansees mee laten smelten. Je kunt beter niet op hun pantser schieten. Dat is kogelvrij.'

Margot stond met haar ogen te knipperen. 'Pang, pang, pang!' loeide Tom en hij richtte op de kale gangwand. Margot deed hem na.

'Nee!' riep Tom ineens met grote schrikogen. 'Je zit zonder munitie. Kom, ik zal hem voor je herladen.' Hij nam het zware wapen behoedzaam van haar over en herlaadde het. Hij keek haar bezorgd aan. 'Eerlijk gezegd heb je op deze planeet meer nodig dan dat geweer.' Hij greep naar zijn heup en trok iets uit een onzichtbare schede.

'Dit zwaard is van mijn vader geweest,' fluisterde hij. 'Het is het zwaard van Lennon. Hiermee kun je hun hart uitsteken.'

Margot knikte en nam het onzichtbare zwaard van hem over. Ze ging te veel op in het spel om te zien dat ik voor haar neus op en neer danste en siste: 'Margot! Margot! Ga terug naar de klas. Terug naar de klas!'

Want Hilda Marx liep door de gangen en zou zo de hoek om komen. Sheren was vooruitgehold om me te waarschuwen. Toms beschermengel, een lange, magere man die Leon heette, stond naast hem en probeerde hem aan te sporen. Uiteindelijk sloeg Tom acht op hem, maar niet voordat hij 'Pak aan, gemuteerde duivel!' uitgeroepen had, en dat hoorde Hilda.

Ze zag de twee kinderen, die geheel in hun stomme spelletje opgingen. Kattenkwaad, dat was het. Daar stond een flinke straf op.

Ze glimlachte, wat nooit een goed teken was, en liep naar hen toe.

'Zo, kinderen. Wat zijn dat voor domme spelletjes?'

Tom liet zijn wapens uit zijn handen vallen en tuurde naar de vloer. Margot deed hem na.

'Tom? Waarom zit je niet in de klas?'

Hij zweeg. 'Geef antwoord, jongen.'

'Ik... Ik had niet goed opgelet, juffrouw Marx.'

Ze richtte haar boze ogen op Margot. 'En jij, Margot? Wat doe jij op de gang?'

'Ik moest een plasje doen, juf.'

Hilda's lippen krulden zich. Ze hief een arm als een boomtak en wees. 'De toiletten zijn daar. Vooruit.'

Margot holde in de richting van Hilda's wijzende vinger. Bij de deur van de toiletten draaide ze zich om. De klap in Toms gezicht galmde door tot aan het einde van de gang.

Meneer O'Hare's verslag van Toms onoplettende gedrag, zijn slechte cijfers en het eeuwige gewiebel tijdens de les bevestigden dat het tijd was voor de graftombe. De jongen moest leren zich te gedragen.

Toen het licht uit moest verzamelden de engelen zich op de overloop boven aan de trap. Sheren legde ons uit wat er die avond zou gebeuren: meneer O'Hare en Hilda kwamen Tom halen zodra iedereen sliep. Ze zouden hem uitkleden, slaan en voor de duur van twee weken in de graftombe smijten. Tot dusver was er nog nooit een kind jonger dan tien jaar voor langer dan tien dagen de graftombe in gegaan. De straf was extra zwaar, vertelde Sheren, omdat Tom Hilda aan zichzelf deed denken. Alle engelen moesten paraat staan om Tom tijdens die verschrikkelijke dagen te steunen, gezien de mogelijk vérstrekkende gevolgen van die ervaring voor zijn latere leven: manische depressiviteit, geweld, het verkwanselen van zijn talent als scenarioschrijver, een gebroken huwelijk en een vroegtijdige dood. Dat alles vóór zijn 35e en allemaal dankzij Hilda Marx.

Ik ging bij Margot zitten. Het was haar eerste nacht in het tehuis en ze kon niet slapen. Te veel kinderen boven op elkaar. Al dat gekraak, gefluister, gesnurk en gesnik maakte haar doodsbang. Ik wreef haar handen warm. Voor het eerst in maanden keek ze me recht in de ogen. Ik glimlachte. *Hé, meissie*, zei ik. Ze glimlachte terug. De glimlach trok helemaal van haar mond naar haar borst, waar hij de zware steen die daar lag verpulverde, om vervolgens haar hele lijfje in beslag te nemen, waardoor de kleur van haar aura veranderde van modderwater in helder goudgeel, zo fel als een zonsopgang. Ze zakte weg in een diepe slaap.

Leon kwam met snelle passen naar me toe. Hij wenkte me. Ik controleerde of Margot nog sliep en volgde hem naar de slaapzaal naast die van Margot, waar de andere engelen al stonden te wachten. De meeste kinderen sliepen al. Tom was bont en blauw van zijn eerdere treffen met Hilda en lag klaarwakker om een ontsnappingsplan te verzinnen uit Arghlyst en de strijd aan te binden met de buitenaardse olifanten van de planeet Gymsock.

Leon, Toms beschermengel, was zijn tweelingbroer geweest. Hij was enkele minuten voor Toms geboorte gestorven. Dezelfde nerveuze energie, dezelfde warrige haardos. Hij wreef bezorgd in zijn handen.

Sheren keek naar rechts en toen ik haar blik volgde, hoorde ik iemand fluisteren in de gang. Het maanlicht viel door een raam en verlichtte twee hoofden. Hilda en meneer O'Hare, op weg naar de slaapzaal. We stapten opzij om hen binnen te laten – hoewel ik ziedde van frustratie – en keken lijdzaam toe hoe Tom een hand over zijn mond kreeg en met een stevige arm om zijn middel uit zijn bed werd gesleept, naar een kamertje beneden. Daar werd hij uitgekleed, geslagen met een baksteen en toen hij buiten bewustzijn raakte, bijgebracht met een emmer koud water, opdat hij goed zou beseffen dat hij de graftombe in ging. Deze laatste maatregel was een angsttactiek: de jammerkreten van een kind in het holst van de nacht maakten de andere kinderen zo bang dat ze het nooit zouden vergeten. Dat zou ze wel in het gareel houden.

Ik ging nog even bij Margot kijken en liep vervolgens met de engelenschare mee naar de graftombe, die zich in een bijgebouwtje naast de septic tank bevond. Torren, kakkerlakken en ratten krioelden in de pijp waardoorheen restjes rioolwater de graftombe in sijpelden, zodat de vloer altijd bedekt was met een paar centimeter vochtig slijm. Er stak een grote kei bovenuit, waar het slachtoffer op kon kruipen om droog te blijven. Tom smeekte, braakte en liet zijn blote voeten tot bloedens toe over het grind slepen. Wij namen onze plaatsen in de graftombe in. Ik ging als laatste naar binnen. Ik bleef even staan om terug te denken aan de dag dat ik hier als achtjarig meisje werd opgesloten, een moment dat op een afschuwelijke manier een stempel op mijn leven heeft gedrukt. Het bleef hol nadreunen in al mijn nachtmerries en vormde de onderste sport van de ladder naar mijn alcoholprobleem.

Ik ging met ingehouden adem naar binnen. De deur was dicht, maar we zagen het drietal onze kant uit komen, met Tom tussen meneer O'Hare en Hilda in, die hem half droegen en half meesleurden. Toen hij besefte waar hij was, vocht hij met zijn laatste restje energie. Ze lieten hem even blèren. Een koude vuist tegen een kinderkaak sloeg hem buiten bewustzijn. Hij kwam met zijn gezicht in de smurrie terecht. Achter hem werd de deur stevig in het slot gedraaid.

Om te voorkomen dat Tom zou verdrinken, moest Leon hem verplaatsen. Hij tilde hem behoedzaam op de kei. Een van de klappen had een bloedpropje veroorzaakt in zijn hoofd. Als er niets aan gedaan werd, zou het in zijn hersenen terechtkomen en haalde hij de ochtend niet. Leon nam Toms hoofd in zijn handen en liet een gouden licht uit zijn handpalmen stromen. Het bloedpropje verdween.

Toen Tom bijkwam, schokte zijn lichaam onbedaarlijk, van angst en van de shock. Zijn eigen verbeelding kon nooit zoiets afschuwelijks verzonnen hebben als de graftombe. Het ongedierte kroop uit de pijp, zij waren de heersers in dit gebied. Ze krioelden door zijn dikke haar, kriebelden over zijn geslachtsorganen en beten in zijn voeten. Sheren stuurde een blauwe lichtflits naar ze toe en ze schoten weg. Ze vielen hem niet meer lastig. Hij was van angst aan de diarree en de rioolstank bracht hem aan het kotsen tot zijn maag er pijn van deed. Hij bracht de rest van de nacht snikkend door, jammerend om zijn moeder. Hij besefte niet dat Leon hem huilend in zijn armen hield.

Ik bewoog me heen en weer tussen de graftombe en Margot, want ik wilde er zeker van zijn dat het goed met haar ging. In de vierde nacht begon Tom te hallucineren van de honger en de dorst. Hij wist zeker dat zijn ouders bij hem waren. Hij zag dat ze voor zijn ogen vermoord werden. Zijn geschreeuw was tot in het hoofdgebouw te horen. Hilda stuurde meneer Kinnaird, de huismeester, met een emmer water en een boterham naar de bewoner van de graftombe toe om hem in bedwang te houden. Sheren zorgde ervoor dat meneer Kinnaird Hilda verkeerd verstond en Tom een heel brood bracht, dat hij in één keer verslond.

's Avonds wanneer het donker werd en Tom buiten zichzelf raakte van angst, vormden we een kring om hem heen, met onze handpalmen tegen elkaar. Dan lag ons gezamenlijke licht als een koepel om hem heen, tot hij kalmeerde en uiteindelijk in slaap viel. Op de laatste avond, toen Leon Toms zwaarste verwondingen genezen had, zag ik dat hij een van de blauwe plekken op Toms hersenen liet zitten. 'Waarom doe je dat?' vroeg ik. 'Vergetelheid,' antwoordde hij. 'Als ik dit laat zitten, is hij straks het ergste vergeten.'

En zo kwam het dat de naakte, broodmagere jongen die Hilda en meneer O'Hare uiteindelijk uit de graftombe sleepten, bleef leven. Meneer Kinnaird, die tevens dienstdeed als arts van het tehuis, schreef twee weken bedrust voor en kon de onbegrijpelijke drang om het karige voedsel van de jongen aan te vullen met extra vlees en groenten niet weerstaan. Toms verbeeldingskracht was sterker dan ooit tevoren – met dank aan Leon – en in al die lange, duistere nachten verzon hij ontsnappingsroutes uit donkere holen waar eerder geen ontsnapping mogelijk was, en vond hij zwaarden in verborgen hutkoffers waarmee hij zijn denkbeeldige vijanden te lijf kon gaan.

Ongeveer een jaar later klopte er een oudere neef van Tom aan de deur van het St. Antonius om hem op te halen. Leon ging met hem mee en zag erop toe, zo hoorde ik later, dat Tom alle ervaringen die hij bewust of onbewust in het tehuis had opgedaan zou transformeren, zoals een oester zandkorrels transformeert.

Hilda's aandacht werd nu echter gevestigd op andere raddraaiers die aan haar zorgen waren toevertrouwd.

Een van hen was Margot.

9

HET LIED DER ZIELEN

Ik had het gevoel dat ik midden in een droom leefde.

De herinneringen aan mijn leven toen ik vier, vijf en zes jaar oud was, zijn doordrenkt met kinderlijke emoties, vertekend door interpretaties en latere inzichten, veel te veel vervlochten met mijn gedrag en overtuigingen in mijn latere leven om ze uitsluitend als herinneringen te kunnen zien.

Met andere woorden, telkens wanneer Margot slaag kreeg van Hilda, op haar kop gezeten werd door oudere kinderen of genegeerd werd door de kinderen van haar slaapzaal zodat ze zich van God en iedereen verlaten voelde, vermengde het verdriet om haar te zien lijden zich met de diepere pijn van mijn herinneringen. Het was af en toe ondraaglijk.

We hoorden verhalen van engelen wier beschermelingen pedofielen waren, seriemoordenaars of terroristen, en dat ze al die ellende dagelijks moesten meemaken. Waken. Behoeden. Vastleggen. Liefhebben. Engelen die hun aardse leven in dienst van de Kerk waren geweest of als doorsnee huisvrouw en moeder in de argeloze onschuld van appeltaart en fleurige schorten voor hun kinderen en kleinkinderen hadden gezorgd, moesten hun leven na de dood doorbrengen in heroïneketen, in het gezelschap van drugdealers en pooiers. Het was hun lot om lijdzaam te moeten toekijken hoe deze lieden ongewenste baby's aborteerden en hen te behoeden voor alles wat de persoonlijke keuze in de weg kon staan. Ze moesten van hen houden.

Waarom?

Zo was het gewoon, luidde het ietwat onbevredigende antwoord van Nan. God laat geen van Zijn kinderen alleen.

Ik vond mijn persoonlijke lot zwaarder dan de verhalen die de ronde deden onder de engelen in het St. Antonius. Er was absoluut niets vergelijkbaar met een bestaan waarin de afschrikwekkende herinneringen uit het verleden het heden overspoelen. Ik zat dag in dag uit tot over mijn oren in raszuivere spijt. Ik wist precies hoe het zou aflopen. En er was niets wat ik eraan kon doen.

Het had veel weg van een loterij. Ik overstelpte Nan met vragen. Hoe werden we aan onze beschermelingen toegewezen? Waarom had ik Margot gekregen? Had het te maken met de manier waarop ik gestorven was?

Ik zette Sheren klem en vroeg haar hoe zij gestorven was.

'Vijftig aspirientjes en een fles sherry.'

'Dus zelfmoordenaars komen terug als hun eigen beschermengelen? Bedoel je dat ik zelfmoord heb gepleegd?'

'Niet noodzakelijkerwijs.'

'Wat dan wel?'

'Ik heb ooit een engel ontmoet die hetzelfde moest doormaken als wij. Hij zei dat het te maken had met de manier waarop we hebben geleefd.'

'Hoezo dan?'

Ze maakte een gebaar in de richting van Hilda, die dreigend een reumatische vinger voor de neus van een vierjarig meisje hield, omdat ze in haar bed had geplast.

'Je kent het Lied der Zielen toch wel?'

'Het wát?'

Sheren rolde hoofdschuddend met haar ogen. Ik voelde me plotseling nogal dom.

'Daarin verschillen we van andere engelen. Als je je eigen sterfelijke zelf beschermt, heb je meer invloed op die persoon en kun je hem of haar beter bewaken. Kijk maar.'

Ze liep naar Hilda toe. De gedachte aan de graftombe cirkelde al boven haar hoofd, ze was zichtbaar van plan om de kleine meid op te sluiten. Sheren ging naast Hilda staan en begon te zingen. De melodie klonk als een ouderwets Schots slaapliedje, hoewel ze het zong in een taal die ik niet begreep. Traag, mysterieus, schitterend.

Haar stem klonk diep en galmend en werd steeds luider, tot de vloer ervan begon te trillen. Tijdens het zingen stegen Sherens vleugels in een vloeiende beweging op om Hilda heen, tot ze er beiden door omhuld werden. Hun aura's namen dezelfde paarstint aan. Hilda's gedachten keerden zich als vanzelf van de graftombe af. In plaats daarvan zond ze het kind zonder eten naar bed.

Ik liep naar Sheren toe.

'Waar heb je dat geleerd?'

'Het Lied der Zielen is de melodie waarmee je wezenlijk contact legt met Margot, met datgene wat jullie spiritueel met elkaar verbindt, ongeacht het stadium waarin ze als sterfelijk wezen verkeert. Welk liedje herinner je je uit je kindertijd? Welke muziek was belangrijk voor je?'

Ik dacht diep na. Er kwamen slechts kinderliedjes bij me op – God weet dat ik ze vaak genoeg voor Margot had gezongen om haar te troosten toen ze bij Sally en Padraig in huis zat – tot ik me iets herinnerde wat Toby altijd zong als het schrijven niet wilde vlotten. Het was een Iers liedje, *She Moved Through the Fair*. En ineens wist ik het weer: Una had het ook voor Margot gezongen.

'Oké,' zei ik. 'Leg me maar uit hoe het werkt.'

'Het Lied der Zielen verbindt jouw wil met die van Margot. Je bent Margot nog steeds, al heb je een andere naam gekregen en een andere vorm aangenomen. Je hebt dezelfde wil, dezelfde keuze.'

'Kan ik er dan voor zorgen dat ze andere keuzes maakt?'

Sheren schudde haar hoofd. 'Niet altijd. Zij is degene met het lichaam. Zij is de baas. Je kunt alleen invloed op haar uitoefenen.'

Mijn hoofd bonsde. Ik haastte me naar Margot. Lied der Zielen, hè? Misschien lukte het me wel om haar deze tent uit te zingen.

Met haar acht jaar stak Margot met kop en schouders boven de andere kinderen in haar leeftijdsgroep uit. Ze wist hoe oud ze was, want elk jaar, op 10 juli, vertelde een van de leraren haar dat ze een jaartje ouder was geworden, en daarmee was de kous af. Ze kon echter met gemak voor elf of twaalf doorgaan, wat met zich meebracht dat alle onzin van een achtjarige afgestraft werd. Geen van de achtjarigen wilde met haar spelen, en ook de twaalfjarigen lieten haar links liggen. Of nee, dat is niet helemaal waar. Twee meisjes van twaalf, Maggie en Edie, schonken Margot alle aandacht. Ze waren jaloers op haar lange, witblonde haar. Zij zagen erop toe dat het zo nu en dan met behulp van een fikse bloedneus rood kleurde, of ze bezorgden haar twee blauwe ogen, zodat ze eruitzag als een pandabeer.

Ik had die twee het liefst willen verzuipen. Ik wilde de zware eiken boekenkist die boven op de overloop stond over de reling kieperen, boven op hun kop. Dat was niet alleen omdat ik degene was die met haar armen om Margot heen zat als ze 's nachts in bed lag te huilen, en ook niet omdat ik met lede ogen moest toekijken als Maggie boven op Margot ging zitten terwijl Edie haar gezicht verbouwde, maar omdat ik het me herinnerde. Helemaal machteloos stond ik niet; ik kon zelfs een keer voorkomen dat Margots rug werd gebroken, maar ik had nou niet bepaald het gevoel dat ik veel kon doen, laat staan dat ik wraak kon nemen.

Tot het uiterste getergd ging ik verhaal halen bij Maggie en Edies engelen. Ze kwamen allebei met redenen waarom de meisjes zo agressief waren. Misbruik hier, geweld daar. Ik wuifde alle excuses weg met mijn hand. Het. Kan. Me. Niet. Schelen. Zorg dat ze ermee ophouden. Voordat ík het doe. Clio en Priya – zo heetten hun engelen – keken elkaar veelbetekenend aan. Toen Maggie op een nacht in de graftombe werd opgesloten omdat ze een brutale mond had opgezet, zat ze plotseling aan Margot te denken, aan al die afstraffingen die ze haar had gegeven, en werd ze geplaagd door een knagend gevoel van wroeging. Edie droomde over haar oma – want dat was Priya van haar geweest – die haar vroeg om vooral lief te zijn. Een tijdlang bleef Margot verschoond van blauwe plekken en schrammen.

Dat wil zeggen, tot ik het Lied der Zielen ging zingen.

Ik had doorgekregen dat er in een naburig dorp een nieuw gezin was komen wonen, lieve, hardwerkende mensen. Ik had hen in een visioen gezien: Will, de echtgenoot, was begin veertig, een vertegenwoordiger. Zijn vrouw, Gina, had jarenlang pianoles gegeven, tot de geboorte van hun zoon, Todd. Ze waren vanuit Exeter naar het noorden gekomen om voor Gina's ouders te zorgen, die al op leeftijd waren. Ik had het gevoel dat dit een fijn gezin voor Margot zou zijn en wat belangrijker was, ik had het gevoel dat ze haar wel in huis zouden nemen.

Sherens onthulling over het Lied der Zielen bewees wat ik al vermoedde: mijn leven als Margot stond niet in steen gebeiteld. Het stond hooguit op papier en derhalve kon het geredigeerd worden. Als ik ervoor kon zorgen dat Margot andere keuzes maakte, dan zouden we heel wat eerder dan geschreven stond uit het St. Antonius kunnen ontsnappen.

En dus wachtte ik die avond tot het licht uitging om mijn verstofte doedelzak tevoorschijn te halen. Ik ging staan, keek beschroomd om me heen of de andere engelen niet keken, haalde diep adem en begon te zingen, heel zachtjes in het begin: *My young love said to me, my mother won't mind…* Margot bevond zich op het randje van de slaap en lag op haar linkerzij te woelen op de bultige matras. *And my father won't slight you for your lack of kind…* Ik slaagde erin om wijs te houden. Ik begon iets harder te zingen: *And she stepped away from me, and this she did say: it will not be long, love, 'till our wedding day.* Ze sloeg haar ogen op.

Ik voelde de watervallen langs mijn rug omhoogkomen, zoals ik de vleugels van Sheren had zien opstijgen, als bogen van wind en regen. Margots aura werd zichtbaar groter en dieper van kleur.

Ze keek me recht aan, zonder me te zien of te horen. Ze voelde alleen dat er iets veranderde, heel diep vanbinnen. Ik zong luider, tot alle engelen in de zaal zich hadden omgedraaid om naar me te kijken. *As she stepped away from me, and she moved through the fair…* Nu kon ik Margots hart zien, gezond en sterk. En daarna zag ik haar ziel, die kring van wit licht, als een ei, gevuld met een slechts één wens: een moeder.

Ik zong door en concentreerde me op het gezin dat ik in het dorp had waargenomen. Er vormde zich een ontsnappingsplan in mijn hoofd, met instructies voor Margot:

Verspreid het gerucht dat je de nacht in de graftombe moet doorbrengen. Verstop je tot zonsopgang in het verwarmingshok, dan sluip je het erf op en als de bestelwagen wegrijdt, spring je in de achterbak en verstop je je onder de kolenzakken. Zodra de wagen langzamer gaat rijden bij het schapenrooster in het dorp, spring je eruit en hol je naar het huis met de hemelsblauwe voordeur. Die mensen nemen je in huis.

Toen ik uitgezongen was, zat Margot rechtop in haar bed met haar magere knieën tegen haar borst gedrukt, en buitelden de gedachten door haar hoofd. Ik kon zien wat er door haar heen ging: ze stelde zich mijn ontsnappingsplan voor, wikte en woog het van alle kanten. Ja, dacht ze. De bestelwagen komt elke donderdag om vijf uur 's morgens, dat is overmorgen. Ze had hem een paar maal gezien. De oude Hugh, de chauffeur, was doof aan één oor. Daar kon ze haar voordeel mee doen.

De volgende ochtend zei ze zachtjes tegen Tilly, het elfjarige meisje in het bed boven haar, dat ze die nacht de graftombe in moest.

'Ieieie, waarom?'

Dat had Margot nog niet bedacht. 'Eh, omdat ik gekke bekken trok naar juffrouw Marx.'

'Heb jij gekke bekken getrokken naar juffrouw Marx? Jeetje, jij durft. Gossie, dat moet ik de anderen gaan vertellen.'

Tijdens de lunch gonsde het van de geruchten aan tafel. Het verhaal was intussen een stuk mooier geworden. Margot had niet alleen een mal gezicht getrokken. Niks daarvan. Ze had juffrouw Marx recht in haar gezicht uitgescholden voor rotwijf. En daarna, toen juffrouw Marx Margot meesleepte naar haar kantoor voor een pak slaag, had Margot haar een klap gegeven, twee zelfs, voordat ze haar rok optrok en haar blote billen liet zien. Margot zou de rest van haar leven in de graftombe moeten blijven.

Margot kampte echter met een probleem: ze kon moeilijk haar eigen escorte naar de graftombe in scène zetten. Het ging tegenwoordig zo dat Hilda en meneer O'Hare de naakte overtreders tegen bedtijd uit de slaapzaal haalden; het speelde inmiddels een belangrijke rol in Hilda's dorst naar wraak dat het spektakel in het openbaar werd vertoond. Daarom verspreidde Margot een tweede gerucht: ze ging zich verstoppen om het moeilijker te maken. Ze zou tenslotte toch al zwaar gestraft worden. Veel erger kon het niet worden.

Dat was niet helemaal gelogen, want Margot verstopte zich wel degelijk. Na het avondeten en aangemoedigd door de meeste andere kinderen, stopte ze wat etensresten in een schooltas en sloop ze de gang door naar het verwarmingshok, waar ze een deken over haar knieën trok en afwachtte.

Ik had de andere engelen over de plannen ingelicht. Sheren keek me bezorgd aan. 'Je weet toch wat er gaat gebeuren?' Ik schudde mijn hoofd. Ik had geen enkele herinnering aan deze episode, niets dan de brandende hoop dat we het zouden redden. Sheren keerde zuchtend terug naar Hilda's kantoor, met de belofte dat ze zou doen wat ze kon.

Gelukkig was het meneer Kinnairds beurt om de ronde door de slaapzalen te doen. Op zijn ronde door de slaapzaal om te controleren of iedereen in bed lag, trof hij Margots bed leeg aan.

'Ze is in de graftombe, meneer,' legde Tilly uit.

'O?' Hij keek zijn aantekeningen door. 'Er staat hier niemand genoteerd voor de graftombe, niet voor vannacht, tenminste.'

Tilly trok een onschuldig gezicht. 'Hebt u uw bril weer vergeten, meneer?'

Dat was het geval. 'O. Ja, dat is zo. Dan zal ik haar maar afvinken, hè.'

Tilly knikte. Meneer Kinnaird merkte niets van het opgewonden gefluister om hem heen.

Margot kon niet slapen, ondanks de verleidelijke warmte in de ketelkast. Het onregelmatige gereutel en plotselinge getik van de leidingen maakten haar misselijk van angst dat haar plannetje was uitgekomen; ze konden elk moment de kast openrukken om haar mee te slepen. Ik liet haar geen seconde alleen, wikkelde haar in mijn gewaad toen ze begon te rillen van de kou en de angst en verzekerde haar dat we het zouden redden. Het visioen van het gezin in het dorp werd zo helder, dat Margot hun gezichten kon onderscheiden. Ze verlangde zielsveel naar hen. Ze zou op hun deur bonzen en hun smeken om haar binnen te laten. *Ik breng jullie elke dag ontbijt op bed. Ik doe het hele huishouden. Red me alsjeblieft uit het St. Antonius. Geef me een thuis.*

Om vijf uur in de ochtend werd de stilte doorbroken door het geluid van knerpend grind. Het was nog donker, maar de eerste zonnestralen gluurden over de horizon. De sputterende motor van de bestelwagen. Hughs valse geneurie. *Nu,* zei ik tegen Margot. Ze pakte haar tas, opende behoedzaam de deur en liep op haar tenen de bijtende ochtendlucht in.

Vanaf de zijdeur zag ze hem in de weer aan de voorkant van het tehuis, waar hij klossend op zijn zware werkschoenen tussen de wagen en de voordeur heen en weer liep en grote zakken kolen, voedsel en kleding neerzette, geschonken door de dorpelingen uit de omgeving. Ze kon amper ademhalen, haar hart ging zo tekeer dat ik vreesde dat ze zou flauwvallen. Ik haastte me naar de bestelwagen om te controleren of de kust veilig was, maar toen zakte ze door haar benen. Ik greep haar nog net op tijd vast om haar overeind te houden. Met mijn armen om haar heen geslagen, kwam ze weer een beetje bij. Misschien zet ik haar te veel onder druk, dacht ik. Misschien is ze er nog niet klaar voor.

Hugh stapte weer in de auto en startte de motor. *Schiet op!* Ze holde over het grind achter de wagen aan, rukte het achterportier open en sprong erin, boven op een berg verlepte groenten, zakken kolen en brandhout. De wagen reed over de afrit, in de richting van de hoofdweg.

Margot verstopte zich volgens plan onder de kolenzakken. Ik drukte mijn handen tegen mijn borst en maakte een sprongetje van vreugde. *Het is gelukt. Ze is ontsnapt.* Ik dacht aan het gezin in het dorp. Ik stelde me voor dat ik de moeder in het oor zou fluisteren dat Margot de dochter was die ze nooit had gekregen, de dochter die ze zo dolgraag had willen hebben, een meisje om van te houden en voor altijd voor te zorgen.

Ik keek de bestelwagen na en begon te huilen. Margot huilde ook, zo hoopvol en bang dat ze bijna ontplofte.

Op dat moment viel de motor uit. Net voor het einde van de afrit. De bestelwagen kwam abrupt tot stilstand. Hugh vloekte, draaide de sleutel om en liet de versnelling knarsen. Er kwam alleen wat schor geratel onder de kap vandaan. Ik keek wat er aan de hand was: de olie lekte. Dat kon zo verholpen zijn. *Schiet op!* Hugh floot een vrolijk deuntje en opende de motorkap om de boel te inspecteren.

Ineens stond Sheren naast me.

'Het spijt me, Ruth,' zei ze. Ik verstijfde.

Geschuifel en geschreeuw. Het achterportier van de bestelauto vloog open. Voordat ik ook maar iets kon doen, werd Margot vastgegrepen. Hilda trok haar aan haar haren de auto uit en regelrecht de voordeur van het St. Antonius in. De oude Hugh heeft niets van dit alles gemerkt.

Het beeld van het gezin in het dorp vervloog onmiddellijk. Voor Margot waren ze zo goed als dood. Dat gold voor haarzelf ook.

Hilda sloeg haar ditmaal niet met haar blote handen, en ook

niet met de zweep. Ze tuigde haar af met een kleine, maar zware zak kolen, dezelfde waaraan Margot zich had vastgeklemd toen ze de auto uit getrokken werd, om nog ergens houvast aan te hebben. Sheren zong Hilda huilend toe en deed alles wat in haar macht lag om te voorkomen dat ze de zak hoog boven haar hoofd uit zwaaide en hem keihard liet neerdalen op Margots weerloze lijfje, dat onbeweeglijk op de grond lag. Net als zij kon ik weinig meer doen dan voorkomen dat de zak kolen haar schedel brak of haar nieren scheurde. En later, toen alle engelen nacht na nacht in de graftombe doorbrachten om over Margot te waken, vormden we een kring om haar heen, genazen we de verwondingen die Hilda had toegebracht en probeerden we te voorkomen dat het gif van Hilda's afstraffing zich tot diep in Margots leven zou verspreiden.

Het ontsnappingsplan dat ik in Margots hoofd had geplant was niet vergeten. Het schoot wortel en er groeiden bladeren en takken aan.

Het kreeg zijn beslag op een manier die ik niet had voorzien.

Toen Margot twaalf jaar oud was, besloot Hilda om haar te doden. Sheren bracht me hier schoorvoetend van op de hoogte. Hoewel Hilda niet bewust had besloten om Margot te vermoorden, zou de straf die ze voor haar in petto had haar wisse dood betekenen als we niet ingrepen. Margots ontsnappingspoging was het bewijs dat Margots vleugels voorgoed gekortwiekt dienden te worden. Ze zou een maand in de graftombe worden opgesloten, langer dan iemand er ooit in had gezeten.

Het zou niet voldoende zijn dat wij, de engelen, Margot elke nacht zouden bijstaan. We moesten voorkomen dat ze erin werd gestopt. Sheren zei dat zij de leiding zou nemen. Ik keek haar even aan. Ik was allang vergeten wie ze ooit was geweest, wat ze me ooit had aangedaan. Mijn haat was verdwenen. Ik had haar vergeven.

Sheren droeg ons op om niet in te grijpen als Margot die

nacht uit bed werd gehaald. Hilda en meneer O'Hare sleepten Margot naar de toiletten op de begane grond, kleedden haar uit en sloegen haar net zo lang met haar hoofd tegen de oude, roestige radiator tot ze bewusteloos was. Ik was ten einde raad, ik kon het niet langer aanzien. Ik keek Sheren smekend aan.

'Zeg het volgende tegen Margot,' zei ze snel. Ik knielde naast Margot neer en hield haar hoofd vast. Ze bloedde ernstig uit een wond boven haar oog. Ze ademde slechts oppervlakkig en was nog steeds buiten bewustzijn. Hilda droeg meneer O'Hare op om zijn riem los te maken.

Ik herhaalde wat Sheren had gezegd: *Toen Hilda klein was, hield ze meer van Marnie dan van wie ook in de hele wereld. En Marnie hield van haar. Maar Marnie ging dood en Hilda was heel erg verdrietig. Marnie kan zien wat Hilda nu doet, en dat maakt Marnie heel verdrietig. Zeg me na, Margot. Zeg dit tegen Hilda: als Marnie je zo zag, zou ze meteen weer zelfmoord plegen.*

Margot kwam proestend bij bewustzijn. 'Wanneer u maar wilt, meneer O'Hare,' zei Hilda, waarop hij zijn riem stevig beetpakte. Hij werd echter tegengehouden door zijn engel. Een vluchtig moment van mededogen gaf de engel van meneer O'Hare de kans om voor hem te gaan staan en zijn arm tegen te houden. Hij liet hem langzaam zakken en keek Hilda aan. Hij kon Margot niet slaan terwijl ze slap op de grond lag.

Sheren en ik stonden aan weerszijden van Margot toen ze overeind krabbelde. Naakt en bloedend als ze was, keek ze Hilda recht in de ogen. Ze slaakte een diepe, boze zucht en voordat meneer O'Hare zich hersteld had van zijn gevoelens van medelijden zei ze: 'Als Marnie u zo zag, zou ze meteen weer zelfmoord plegen.'

Hilda's mond viel open. Haar ogen vernauwden zich.

'Wat zei je daar?'

Sheren fluisterde iets, wat ik snel doorgaf aan Margot.

Margot verzamelde al haar moed. Haar stem klonk luid en helder.

'Wat heeft Marnie tegen u gezegd voordat ze stierf? "Lief zijn, zodat we elkaar in de hemel weer tegenkomen." En kijk eens wat u doet, juffrouw Marx. Hilda, Marnie is bedroefd. U bent net zo geworden als Ray, en Dan, en als Patrick en Callum.'

De namen van Hilda's misbruikers. Ditmaal sprongen de tranen haar in de ogen. Haar aura kleurde rood, haar gezicht vertrok van woede. Ze haalde uit en sloeg Margot midden in haar gezicht. Ik kon de klap iets verzachten. Margot hief haar hoofd en wierp Hilda en meneer O'Hare een laatste blik toe. Ze verroerden zich niet. Ze pakte haar kleren op, draaide zich om en liep het gebouw uit.

Hollen, nu.

Zodra ze begreep dat ze niet achter haar aan kwamen, zette ze het op een lopen. Ze schoot haar trui en haar rok aan, liet de rest zitten, rukte de voordeur open en vloog de stoeptreden af. En daar, tussen de stenen zuilen, bleven we staan en keken we om. Margot stond te hijgen en te kuchen – door de adrenaline kreeg ze zoveel speeksel in haar mond dat ze het bijna niet weg kreeg – en ik zwaaide. Ik zwaaide naar de engelen die allemaal voor het gebouw stonden om me uit te zwaaien. De meesten van hen zou ik nooit meer terugzien. Ik keek of ik Sheren zag staan. Ze stak haar beide armen op, net als toen ze me uitlegde wat het Lied der Zielen was, en ik knikte. Ik wist wat ze wilde zeggen.

Toen Margot weer enigszins op adem was gekomen, liepen we de weg op naar het dorp. Bibberend van de kou, halfdood en vrijwel op de tast liep Margot door het fletse ochtendlicht en vond ze de hemelsblauwe voordeur, waar ze op bleef bonzen tot een wat morsige man verontrust de deur opendeed. Ze zakte door haar knieën en viel huilend aan zijn voeten.

10

GROGORS VOORSTEL

De man in de deuropening was niet de man die ik in het visioen had gezien.

Het gezin uit mijn visioen bleek het huis alweer verkocht te hebben. Ze waren teruggekeerd naar Exeter, en degene die de deur opende, woonde er sinds ruim een jaar.

Zodra ik zag wie het was, slaakte ik een kreet van vreugde. Ik danste op en neer. Ik sloeg mijn armen om hem heen en kuste hem op beide wangen. Vervolgens begon ik heen en weer te drentelen en handenwringend in mezelf te praten, terwijl Margot uitlegde wie ze was, hoe ze zo vroeg in de ochtend op zijn stoep was beland en waarom ze eruitzag als iets wat ze uit zee hadden opgevist.

Ik voelde me als Aeneas die de Hades binnentreedt en al zijn verloren dierbaren terugvindt. Dit was Graham Inglis, de man die ik tien mooie jaren lang papa had mogen noemen. Ik ben nooit over zijn dood heen gekomen. Het duurde weken voordat ik goed besefte dat hij er ineens weer was, met zijn rode gezicht vol wratten als een ouwe zeug, de man die winden en boeren liet en rustig doorkletste met zijn mond vol vleespastei, de man die om alles kon huilen. Ach, papa. Hij droeg zijn hart niet alleen op zijn tong, hij drukte het je bij de eerste ontmoeting in handen en schonk je het bloed dat door zijn aderen stroomde.

Graham haalde Margot naar binnen, wikkelde haar in een oude deken en maakte iets warms te drinken. Hij zei dat hij haar even alleen zou laten om Irina te halen – mijn mama voor ruim een jaar – en terwijl zij Margot kalmpjes naar de woonkamer brachten, stond ik te hyperventileren in de gang. Het werd me allemaal te veel. Ik stond stilletjes in mezelf te praten en staarde verdwaasd naar mijn mama, bang dat ze elk moment weer kon verdwijnen, om alles wat ik zo had gemist in me op te zuigen: haar zachte, mollige handen, altijd gul en uitgestoken, de manier waarop ze Graham met haar elleboog in zijn zij porde en haar glimlach bedwong als hij een grapje had gemaakt of iets schunnigs had gezegd, het gebaar waarmee ze haar duim en wijsvinger langs haar paardenstaart liet glijden wanneer ze diep in gedachten verzonken was. De fluwelen, naar rozen geurende warmte van haar omhelzing. Waren ze er nog maar geweest toen Theo werd geboren... Ik denk dat mijn leven dan een stuk minder moeizaam was verlopen.

Hoe dan ook, ik dwaal af. Ik was heel even de draad kwijt, geloof ik. Ik liep de achtertuin in, waar Gin, de allerliefste zwarte labrador van de hele wereld, met grote sprongen op me afkwam. Onder de appelboom stond Nan. Ze kwam me haastig tegemoet. Ik sloeg mijn armen om haar heen en snikte het uit.

'Nan!' huilde ik tegen haar stevige, warme schouder. 'Weet je wie ik net zag?'

Ze knikte en pakte me bij mijn schouders. 'Ja, natuurlijk weet ik dat, maar... kalmeer een beetje.'

Ik slikte mijn verbazing weg. Wat het ook was dat Nan met mijn schouders deed, het bracht me weer terug op aarde, bij wijze van spreken. Ik kwam in een oogwenk tot bedaren.

'Sorry,' zei ik. 'Het was alleen...'

Ze hield een vinger voor mijn lippen. 'Loop eens met me mee,' zei ze. 'Ik moet met je praten.'

Voordat ik verderga over dat gesprek, wil ik een herinnering met je delen: het was een week voor mama stierf. Een zaterdagochtend. Ik werd wakker met een vreemd gevoel. Er hing een tastbare stilte in de lucht, te zwaar en onheilspellend om vredig te kunnen zijn. Een gevoel van onrust en dreiging. Mijn hart bonsde zonder reden. Ik stond op om bij mama te gaan kijken. Ze lag nog in bed, haar gezicht een gelige vlek tegen de witte lakens. Ik keek uit het raam en zag dat papa net de tuin uit liep om Gin uit te laten. Ik plensde koud water in mijn gezicht. Er zat een knoop in mijn maag en ik kreeg steeds sterker het gevoel dat er iets in de lucht hing. We wisten al dat mama ernstig ziek was. Het was geen voorgevoel van haar dood. Ik vroeg me af of er die nacht misschien iemand vermoord was in de velden. Er hing een loodzware, angstaanjagende sfeer in huis. Was er iemand het huis binnengedrongen? Ik liep zo voorzichtig en zachtjes als ik kon de krakende trap af. Eenmaal beneden zei ik tegen mezelf dat ik me niet zo moest aanstellen. Ik pakte papa's koffiebeker van de vensterbank en liep naar de woonkamer. Ik was de drempel nog niet over of ik slaakte een luide gil, want boven de kachel zweefde een lange man in een krijtstreeppak, met slierten zwarte rook in plaats van benen, alsof hij in brand stond of opging in het niets, en toen hij zich omdraaide, staarde hij me aan met pikzwarte ogen zonder oogwit. Papa's beker viel in scherven op de vloer. Een fractie van een seconde later was de man verdwenen.

Dit heb ik nooit aan iemand verteld. Je kunt je wel voorstellen waarom.

Ik vertel het nu, want Nans woorden brachten de herinnering boven. Ze verwees ernaar alsof ze er zelf bij was geweest en noemde de man zonder benen geen hersenspinsel of geestverschijning, maar Grogor. Grogor is een demon, legde ze uit. Hij was hier. En ik zou spoedig kennis met hem maken.

Tot dusver had ik demonen altijd waargenomen als schaduwen en onheilspellende atmosferische krachten, nooit als wezens. Ik had de demonen gezien die in Sally leefden. Soms, wanneer een demon dicht naar de oppervlakte was gekomen, leek het of er een ander gezicht over het hare lag, en vaak veranderde haar aura van oranje naar nachtblauw, zoals de lucht tijdens een storm. Ik had vaak genoeg een donkere mist zien hangen in de vestibule van het St. Antonius, een nevel die zo dik kon worden als een duister woud, zo compact dat alle engelen er met een boog omheen moesten lopen. En soms, als ik aandachtig naar Hilda keek, zag ik een sombere gloed om haar heen trillen, iets wat veel weg had van een uitloper van haar aura, boosaardig en wraakzuchtig. Tot dusver hadden we echter zonder al te veel strijd naast elkaar bestaan.

Nu leek het echter of iemand van plan was de strijd met me aan te binden. Wat mij betreft was dat prima.

'Waarom wil hij me spreken?' vroeg ik Nan.

'Hij wil een deal met je sluiten,' zei Nan. 'Hij gaat je een voorstel doen.'

Ik bleef staan om haar aandachtig aan te kijken. 'Je bedoelt dat hij hier is omdat ik hier ben.'

'Ik ben bang van wel.'

'Wat is het voorstel?'

'Hij wil dat jij en Margot vertrekken.'

'En anders?'

Nan zuchtte. Ze vond het vreselijk om het te moeten zeggen.

'Anders geeft hij mama de ziekte.'

Nu begreep ik waarom Nan het zo moeilijk vond. Mijn knieën knikten en ik moest steun bij haar zoeken om dit nieuws te verwerken.

Mama was heel ziek geworden, ongeveer een maand nadat ik op de stoep was verschenen. Niemand begreep er iets van. De dokters konden niets vinden. Medicijnen hielpen niet. Tot de minuut waarop ze stierf was papa er heilig van overtuigd dat ze beter zou worden. Dat dacht ik ook.

Nu Nan me dit vertelde, zakte ik door mijn knieën, legde mijn hoofd erop en begon te huilen.

Wat ze eigenlijk zei, was dat het mijn schuld was dat mama was gestorven. Als ik nooit op hun deur had geklopt, als zij me niet hadden opgenomen, had ze nog wel twintig, dertig jaar kunnen leven. Dan was papa niet zo gebroken geweest.

Ik moest hem moedig het hoofd bieden. Nan en ik liepen terug naar het huis. Toen we weer onder de appelboom stonden, streelde ze me troostend over mijn wang.

'Vergeet niet dat je een engel bent. Je hebt de macht van God achter je. Veel daarvan kun je nog steeds niet zien.'

En daarmee was ze verdwenen.

De situatie binnen beurde me weer wat op. Margot zat bij de haard, weggedoken in de groezelige deken, met een mok hete thee op haar magere knieën. Stotterend en rillend vertelde ze Graham en Irina hoe ze op hun stoep was beland. Ze vertelde alles over het St. Antonius, hoe ze daar terecht was gekomen, welke misstanden er heersten, over de graftombe, de kinderen die geslagen werden met bakstenen, en dat haar gehavende gezicht het gevolg was van het pak slaag van een paar uur geleden. Ze vertelde het zo nuchter, dat ze geen seconde aan haar woorden twijfelden; het enige wat ze deden, was af en toe thee bijschenken. Toen Margot eindelijk uitgesproken was, kreeg ze een onbedaarlijke huilbui. Graham schoot zijn regenjas aan en vertrok naar het politiebureau.

Toen Irina langs me heen liep, kreeg ik beelden van haar te zien die volslagen nieuw voor me waren. Ik zag haar vader, een kille, strenge man, hoewel ik hem nooit had ontmoet en zelfs nooit een foto van hem had gezien. Ik zag ruzies met Graham die nooit waren bijgelegd, haar diepe liefde voor deze man, in haar ziel geworteld als een oude boom, en haar diepste verdriet. Een abortus. Graham was bij haar. Allebei nog piepjong. Mama, wat erg voor je, dacht ik. Dat heb ik nooit geweten.

Irina liep door naar de keuken, zonder ook maar iets te merken van wat er zojuist was gebeurd. Ik liep haar achterna en sloeg mijn armen om haar brede middel. Op dat moment draaide ze zich om en tuurde aandachtig voor zich uit. Eerst dacht ik dat ze naar de keukendeur keek, maar toen zag ik het: ze gluurde door de kier van de deur naar Margot. Ze glimlachte. Wat een mooi meisje, dacht ze. *Ja, hè?* dacht ik terug. Ik denk dat ze de waarheid spreekt, dacht ze. *Ja, dat is zo. Dat is zo.*

In de weken daarop verdween Nans waarschuwing voor Grogor steeds verder uit mijn gedachten. Grahams bezoek aan het politiebureau had een inval van de politie in het St. Antonius tot gevolg en wat de commissaris en twee politieagenten daar aantroffen, leidde tot onmiddellijke sluiting van het tehuis. In het dorp gingen geruchten over een vijfjarig kind dat al bijna een week opgesloten zat in een donker hok waarin het amper rechtop kon staan, zonder voedsel of water. Dat kind lag nu op de intensive care. De andere kinderen waren ondergebracht in pleeggezinnen en kindertehuizen verspreid over het hele land. Wat Hilda Marx betrof, zij werd levenloos in haar kantoor aangetroffen, met in de ene hand een potje pillen en in de andere een lege sherryfles.

Op het radionieuws – de Inglis hadden geen televisie – zonden ze een interview uit met regeringsmedewerkers die benadrukten dat het hun 'absolute prioriteit had' om landelijk meer geld te steken in kindertehuizen en dat ze 'plechtig beloofden' om de maatstaven voor jeugdzorg aan te scherpen. Irina knikte naar Margot, die net aan haar kippensoep wilde beginnen.

'Wees maar trots op jezelf, lieverd,' zei ze. 'Dat hebben ze allemaal aan jou te danken.'

Margot keek met een verlegen glimlach weg. Toen ze haar ogen weer opsloeg, stond Irina nog steeds naast haar. Ze knielde langzaam naast haar neer – haar reumatische knieën kraakten altijd als ze dat deed – en nam Margots smalle, koude handen in de hare.

'Graham en ik zouden het fijn vinden als je hier blijft, zolang je maar wilt,' zei ze. 'Zou je dat willen?'

Margot knikte uit alle macht. 'Ja,' fluisterde ze.

Irina glimlachte. Haar glimlach deed me denken aan die van Nan. Ik vermoed dat ik daarom altijd vertrouwen heb gehad in

Nan, vanaf het eerste begin. Irina's gezicht was blozend en gerimpeld, haar ogen zo blauw als de Caribische Zee, haar meisjesachtig dikke, blonde haar danste in een paardenstaart op haar schouders. Ze kneep haar ogen tot spleetjes. De glimlach was als bij toverslag verdwenen. Margot vroeg zich af of ze iets verkeerds had gedaan.

'Ben je een geest die bij me komt spoken?' vroeg ze ernstig.

Er zweefde een gedachte boven Margots hoofd die ik me herinnerde: heeft ze het tegen mij? De verwarring stond op haar gezicht te lezen. Irina stak haar hand uit en streek de losse plukken haar achter Margots oren. Bij wijze van verklaring zei ze: 'Het komt omdat je me zo aan mezelf doet denken als kind. Ik dacht gewoon...' Margot begreep er niets van. Ze was geheel de kluts kwijt en doodsbang dat ze het huis uit gegooid zou worden. Ik begreep Irina's verklaring echter heel goed: ze dacht dat Margot de geest was van het kind dat ze jaren geleden had laten weghalen. Ik ging achter Margot staan en legde mijn hand op haar schouder, wat de angst in haar keel verzachtte. 'Het doet er niet toe,' zei Irina zachtjes. 'Als je zo oud bent als ik, krijg je weleens rare ideeën.' Ze stond op om nog wat brood voor Margot te roosteren.

Graham en Irina waren allebei schrijver. Onder het pseudoniem Lewis Sharpe produceerde Graham in hoog tempo spannende misdaadromans, die veel stof deden opwaaien. Irina had als dichteres een klein, maar toegewijd lezerspubliek. Ze was te verlegen om voor te dragen uit eigen werk. Ze schreef haar gedichten traag en zorgvuldig naast de open haard, en gaf om de vier jaar een dun boekje uit met ontroerende gedichten. Ze legde in die periode de laatste hand aan een nieuwe bundel, *Geheugenspinsels*.

's Avonds zaten ze voor de radio en voerden dan vaak heftige discussies over literatuur. Margot viel midden in een strijd over Lady Macbeth en de vraag of ze kinderen had of niet ('Natuurlijk had ze kinderen. Waarom zou ze het over borstvoeding hebben als ze die niet had?' 'Dat is een metafoor, mens. Het is gewoon een list om te zorgen dat Macbeth Duncan vermoordt.' Enzovoort). Of ze trad op als stille scheidsrechter tijdens een vurig debat over wie beter was, Sylvia Plath of Ted Hughes ('Zoiets kun je niet meten! Op welke gronden zou hij beter moeten zijn?' 'Geen psychogeneuzel over het houden van wespen.' 'Wát zeg je?' Enzovoort).

Het intrigeerde Margot en ze bracht lange middagen door, genietend van Plath, Hughes, Shakespeare en vervolgens Plautus, Vergilius, Dickens, Updike, Parker, Fitzgerald en Brontë. De boeken in het kindertehuis waren beduimelde afdankertjes van liefdadigheidswinkels of hulpvaardige scholen, en Margot had gelezen wat er voorhanden was, of dat nu keukenmeidenromannetjes waren of de werken van Aphra Behn. De laatste meestal niet. Nu, geprikkeld door vragen die om een antwoord smeekten (was Heathcliff een Ier?) en dubbelzinnigheden in het verhaal die opgelost moesten worden (Hamlet en Ophelia: broer en zus of minnaars?), las Margot snel en grondig. Ze wilde erover kunnen meepraten, in plaats van zich af te vragen of Caliban en Aeneas mensen of planeten waren. Bovendien hield ze wel van een uitdaging.

Op dit punt moet ik zeggen dat Nans opmerking dat ik nog lang niet alles in de spirituele wereld kon waarnemen door mijn hoofd bleef spelen. Ik had Irina's beschermengel een paar maal gezien, maar die van Graham niet. Ik miste de schare engelen uit het kindertehuis. Bovendien vroeg ik me af waarom ik hen niet doorlopend kon zien, waarom het niet krioelde van de demonen en geesten om me heen en waarom ik me soms zo menselijk voelde.

Toch wist ik dat Grogor ergens rondhing en het irriteerde me mateloos dat hij in het voordeel was door onzichtbaar te zijn. Misschien moest ik gewoon beter kijken.

Het gebeurde op een avond toen Graham, Irina en Margot

Plaths *Three Women* bespraken. Graham had een grapje gemaakt over Polanski's film *Rosemary's Baby*, waar Irina om moest lachen en waarop Margot zich voornam om die film te gaan zien, zodat ze zich niet meer buitengesloten hoefde te voelen. Nog nalachend stond Irina op om naar de keuken te gaan voor een glaasje water. Ze deed de deur naar de keuken zorgvuldig dicht. Ik zag haar glimlach verdwijnen. Ze leunde tegen het aanrecht en keek door het raam de duisternis in. Ze liet haar hoofd hangen en dikke tranen drupten in de spoelbak.

Toen ik naar haar toe wilde gaan om haar te troosten, verscheen er een man naast haar. Hij sloeg zijn arm om haar heen en legde zijn hoofd op haar schouder. Eerst dacht ik dat het haar beschermengel was, tot ik het krijtstreepkostuum zag en de angstaanjagende zwarte rook op de plek waar twee benen hadden moeten zitten. Hij hield haar vast als een minnaar, fluisterde woordjes in haar oor en streelde haar hoofd.

Irina's beschermengel verscheen aan de andere kant van het raam. Hij zette met een boos, ontdaan gezicht zijn handen tegen de ruit en schreeuwde dat hij naar binnen wilde. Kennelijk was hij op de een of andere manier buitengesloten. Ik keek van Grogor naar de engel achter het raam. Ik begreep er niets van. Ik weet niet wat Grogor tegen Irina zei, maar ze begon steeds harder te huilen en om wat voor reden dan ook was haar beschermengel machteloos.

Ik ging me ermee bemoeien.

'Hé!' riep ik.

Zonder Irina los te laten draaide Grogor zich naar me toe om me aan te kijken. Hij grijnsde. Ik wendde mijn ogen af van zijn griezelige zwarte ogen, zijn pupillen die rondzwommen in iets wat leek op teer, zijn vreemde, gesmolten huid die wel van was leek. 'Ik hoorde dat je me wilde spreken,' zei ik.

Hij draaide zich onbewogen weer om naar Irina. 'Hé, ik praat tegen je,' riep ik.

Voordat ik of Irina's beschermengel ook maar iets kon doen,

stak Grogor zijn hand in Irina's lichaam, net zo makkelijk alsof het een kast was, en stopte er iets in. Irina's engel bonsde met zijn vuisten op het raam en verdween. Grogor ook, maar een seconde later stond hij pal voor mijn neus. Hij nam me van top tot teen op.

'Dus dit is er van je geworden?' Ik kon zijn accent niet thuisbrengen en hij klonk verrassend nasaal.

'Het antwoord is nee, dus rot maar op.'

Hij glimlachte – tot mijn afgrijzen zag ik dat hij geen tanden had, niets dan een vochtig, grauw gat – en knikte. 'Nandita is je zeker komen opzoeken? Ze heeft je vast niet alles verteld.'

'Meer dan genoeg, dacht ik zo,' zei ik.

Hij bespuwde me. Hij bespuwde me met zwart, kleverig, smerig spul uit de krochten van die stinkende bek, en verdween.

Ik veegde kokhalzend mijn gezicht schoon. Irina ging onmiddellijk rechtop staan. Ze keek alsof er een zware last van haar schouders was genomen en geen seconde te vroeg. De keukendeur ging open en Graham kwam binnen. Ze veegde met haar mouw over haar ogen en draaide zich glimlachend naar hem toe.

'Gaat het, lieverd?'

'Ik was vergeten wat ik hier kwam doen. Je weet hoe ik ben.'

Hij knikte niet geheel overtuigd en wachtte tot ze hem volgde naar de woonkamer.

Ik sliep die nacht naast Margot, met mijn gewaad beschermend over haar heen. Ik was woest op de andere twee engelen die in huis ronddwaalden. Als we als team zouden optreden, konden we Grogor vast wel de deur uit werken. Ze lieten zich echter niet zien.

Even voor zonsopgang verscheen Grogor boven mijn hoofd naast de lampenkap, als een donderwolk met een gezicht. Ik negeerde hem. Na een paar minuten begon hij te spreken.

'De ziekte die Irina heeft is nogal pijnlijk. Een akelige manier om te sterven, arme ziel. Het enige wat je hoeft te doen, is Margot ergens anders heen brengen, dan wordt Irina weer beter.'

Ik bracht mijn hoofd iets omhoog en keek hem woest aan. 'Waarom Irina?' siste ik. 'Ze heeft er niets mee te maken. Dit is iets tussen jou en mij.'

Hij kwam zo dicht naar me toe dat ik zijn adem langs mijn gezicht voelde strijken. Ik klemde mijn tanden op elkaar.

'Tussen jou en mij?' zei hij. 'En wie denk je dat er tussen jou en mij in staat?'

Ik schoof opzij en rolde nog dichter naar Margot toe. Toen hij boos werd en een teerklont naar me gooide, stak ik mijn hand op om met mijn wilskracht een beschermend schild om het bed te leggen. Het absorbeerde de troep als een lichtkoepel. Daarop liet Grogor zich verdampen tot een wolk van roet en ging hij om het schild hangen, en het scheelde weinig of hij was erin geslaagd het licht te verdrijven. Ik had al mijn concentratie nodig om het schild heel te houden, om te voorkomen dat hij binnen zou dringen. Uiteindelijk gaf hij het op. Hij nam zijn naargeestige, halfmenselijke vorm weer aan en leunde tegen de koepel.

'Denk erom. Ze hoeft niet te sterven.'

Maar wat kon ik doen? In het gezelschap van Irina werd Margot met de dag vrolijker en gelukkiger en verrees ze zienderogen uit de emotionele hel van het St. Antonius. Intussen keek ik met bloedend hart toe hoe Irina's ziekte tierde als onkruid. Het duurde niet lang voor ze over aanhoudende jeuk begon te klagen. Op een avond zag ze er in de gloed van het vuur geel en ziekelijk uit. Het viel zelfs Margot op. 'Gaat het wel, Irina?' vroeg ze telkens. Irina negeerde de vraag en antwoordde: 'Zeg toch mama tegen me.'

Margot bracht de middagen lezend door, of ze hing uit haar slaapkamerraam en keek naar de andere kinderen die in de tuinen naast het huis van Graham en Irina speelden, verlangend naar een vriendinnetje. Ik zei tegen haar: *Breng zo veel mogelijk tijd met mama door, Margot. Je krijgt er spijt van als je dat niet doet.* En dus schoof ze het raam met een klap dicht en liep ze de trap af naar de keuken, waar Irina in haar ochtendjas aan tafel zat en haar uiterste best deed om wat soep naar binnen te werken. Haar magere armen waren te zwak om de kom op te houden en haar keel zat zo dicht dat ze de soep slechts druppel voor druppel naar binnen kreeg. Zonder iets te zeggen ging Margot tegenover haar zitten. Ze pakte een theelepeltje en voerde Irina met kleine hapjes tegelijk. Irina legde haar benige hand op die van Margot. Ze bleven elkaar voortdurend recht in de ogen kijken, zonder een woord te zeggen. Toen Margot klaar was, was het laatste restje soep koud geworden en blonk haar gezicht van de tranen.

Het is lastig uit te leggen waarom ik Grogor ging opzoeken. Het was niet alleen omdat ik mama niet wilde verliezen. Margot was als een dochter voor me, als mijn kind. Het gebeurde geregeld dat haar ervaringen en verdriet anders aanvoelden dan de mijne. We begonnen al van elkaar te verschillen.

Ik zei tegen Grogor dat ik zou vertrekken. Margot bleef. Ik zei tegen hem dat ik het met Nan zou bespreken en dat we het zo zouden regelen dat iemand anders Margots beschermengel werd, als het moest. Ik wist niet eens of dat kon en of het verstandig was, maar het was de moeite van het proberen waard. De blik in Grahams ogen, nu mama steeds meer tijd in bed doorbracht, ging me door merg en been.

Grogors antwoord zette me voor een raadsel. 'Interessant,' zei hij. En toen vertrok hij.

Hoewel mama zich maandenlang aan het leven vastklampte, stierf ze een pijnlijke en mensonwaardige dood. Kleine zegeningen waren er wel. Irina's beschermengel verscheen wat vaker, in elk geval tegen het einde, en schonk haar spieren meer kracht zodat ze rechtop kon zitten in bed; zo nu en dan schonk hij haar een glimp van het hiernamaals in haar dromen en hij haalde haar over om Graham en Margot de dingen te zeggen die ze zo wanhopig graag wilden horen. Dat ze van hen hield. Dat ze altijd,

altijd bij hen zou blijven. En dat het absoluut en volstrekt onmogelijk was dat Hamlet en Ophelia broer en zus waren. Graham moest zich laten nakijken om zoiets alleen al te denken. Wat Caliban betreft, was ze het helemaal met Margot eens: Caliban was een vrouw.

De begrafenis vond plaats op een mistige maandagochtend in oktober. Een handjevol rouwenden, engelen en een priester stonden rond het graf. Toen ze de kist in de aarde lieten zakken, ging ik zo ver mogelijk bij het groepje vandaan staan en smoorde ik mijn snikken in mijn gewaad. Totdat ik mijn hoofd ophief en zag dat Margot met haar vuisten tegen haar ogen gedrukt stond te huilen, met Graham naast haar, asgrauw en leeg, zijn gezicht strak als uit steen gehouwen. Ik kwam tot het besef dat het mijn taak was om hen hierdoorheen te loodsen. En dus beende ik met grote stappen terug naar Margot, legde mijn arm om haar middel en zei dat ze haar arm door die van Graham moest steken. Hij stond een eindje van haar af, links van haar. Ze aarzelde. *Ik weet dat het moeilijk voor je is*, zei ik. *Tot nu toe had je vooral een band met mama. Maar nu heeft Graham je nodig. En jij hebt hem nodig.*

Ze slaakte een trillerige zucht. De priester las iets voor uit de Bijbel: 'De engel van de Heer waakt over wie hem vrezen, en bevrijdt hen...' Ik zag dat Margot voorzichtig haar hand uitstak naar Graham en heel behoedzaam haar arm door de zijne stak. Nu had ze zijn volle aandacht, en hij schoof naar haar toe, zodat ze dicht naast elkaar kwamen te staan.

'Gaat het wel, papa?'

Graham knipperde zijn tranen weg. Even later knikte hij. Het was de eerste keer dat ze dat woord gebruikte en die nieuwe titel, 'papa', schonk hem kracht. Hij legde zijn ruwe hand over de hare en ze klampte zich vast aan zijn arm. Ik durf te zweren dat ik hem zag glimlachen.

Het heeft jaren geduurd voordat ik begreep hoe het mogelijk was dat een demon in staat was om een mens te doden. Later zei Nan dat hij dat niet had gedaan: Irina was gestorven uit schuldgevoel. Het schuldgevoel over de abortus die ze jaren geleden had ondergaan vormde in elk geval een vruchtbare bodem voor de bacil die Grogor in haar had geplaatst. Niet dat ik me ook maar enigszins beter ging voelen toen ik dat wist. Het legde de kiem voor heel iets anders: wraak.

11

EEN KORT FILMPJE OVER ARROGANTIE

Ik kan je maar beter alvast waarschuwen: als tiener was ik bepaald geen engel.

Sorry, ik kon het niet laten. Maar je snapt wat ik bedoel.

Toen ik dertien werd, kromp de wereld tot het formaat van een tube lijm. Ik kwam erachter dat ik met dit magische spul niet alleen posters van Donny Osmond aan de wanden van mijn slaapkamer kon plakken, maar dat het me bij de hand nam, ver weg van het verdriet dat sinds mama's dood zijn modderige laarzen onder onze tafel had gestoken. Ik zat amper op de school in de buurt of ze wilden me er alweer af trappen. Papa heeft hemel en aarde bewogen om te zorgen dat ik mocht blijven. Ze gingen alleen akkoord omdat ik voor Engelse literatuur de hoogste cijfers van de klas had, en op voorwaarde dat ik niet meer zou spijbelen en de andere kinderen nooit meer zou overhalen om high te worden.

De eerste jaren na mama's dood zwierf ik als een eenzame wolf door het leven, schreef ik 's nachts droefgeestige gedichten om de stilte te verdrijven, sloot ik vriendschap met de verkeerde mensen en keek ik toe hoe papa zijn dagen sleet, starend naar de klok op de schoorsteenmantel die allang niet meer tikte. Er ging veel tijd overheen voor er eindelijk een nieuw boek van hem op tafel lag. Ik las het manuscript en gaf uitgebreid feedback. Hij grijnsde om mijn vroegrijpe vermogen om de zwakke punten in de plot en slordig uitgewerkte personages eruit te vissen. Hij sleepte zijn oude schrijfmachine van zijn bureau en zette hem op het make-uptafeltje in mijn kamer. 'Schrijven,' zei hij. En dat deed ik.

Eerst een hoop gezever. Daarna een paar redelijke korte verhalen. Vervolgens liefdesbrieven. Aan een slungelige vent, Seth Boehmer genaamd. Hij had moeite met rechtop staan, en stilzitten scheen ook niet te lukken. Hij smeerde vet in zijn donkere haar tot er een lok over zijn ogen bleef hangen als de vleugel van een dode kraai. Hij keek zelden iemand aan en hield zijn handen constant diep in zijn zakken gestoken. Maar ik was zestien, en hij was twintig, ongrijpbaar en reed loeihard. Logisch dat ik als een blok voor hem viel.

Ik zag hoe Margot haar eigen graf groef en erin sprong. Ik rolde met mijn ogen en praatte oeverloos in mezelf. Maak me maar uit voor een cynicus. Ik was degene die zich ooit zo stom had gedragen, en nu werd ik er spuugmisselijk van. Seth was een soort mijlpaal: ik begon in te zien hoe ver ik verwijderd was geraakt van Margots snoekduik in de poel van zelfvernietiging.

Hij kon me ditmaal niet bekoren. Het was alsof ik naar een slechte soap zat te kijken: je wist precies wie wie was, wat er ging gebeuren en wanneer, en je kon de klok gelijkzetten op het moment waarop de violen werden ingezet. Het was oersaai. Bovendien was ik bang. Ik zag dingen die me eerder niet waren opgevallen. Ik heb het niet over spirituele dingen. Het gaat nu niet over aura's of eileiders en zo. Ik heb het over de gevolgen van mijn verblijf in het kindertehuis. Hoe hard we ook gewerkt hadden om te voorkomen dat die ervaringen een verwoestende uitwerking zouden hebben op de levens van de kinderen die er zaten, ze hadden behoorlijk wat consequenties. Een daarvan was Seth.

Margot leerde Seth kennen toen ze een nachtje bij haar beste vriendin Sophie bleef slapen. Seth was een neef van Sophie. Hij was jong wees geworden en had jarenlang bij Sophies ouders ingewoond, zodat hij, al had hij een grote boerderij van zijn ouders geërfd, de avonden liever doorbracht in de van katten vergeven bungalow van zijn oom en tante. En nu Sophie regelmatig vriendinnetjes uitnodigde om te blijven slapen, stond hij vaker dan ooit met zijn hoofdkussen voor de deur.

Een kort filmpje over arrogantie:

Set: de keuken. Tijdstip: even voor zonsopgang. Sfeer: op het randje van griezelig. Een zestienjarig meisje sluipt naar beneden. Ze zoekt in de kast naar een paracetamol; ze is ongesteld geworden en kan niet meer slapen van de buikpijn. Ze merkt niet dat er iemand aan de keukentafel zit te roken en te lezen. De schimmige gedaante slaat haar in alle rust gade. Ze was hem al eerder opgevallen, toen Sophie en het troepje irritante vriendinnen elkaar zaten op te maken. Lang (ongeveer één meter vijfenzeventig), slank zoals alleen een meisje van zestien slank kan zijn (met een rond buikje en smalle heupen), dik, Scandinavisch blond haar tot op haar middel. Volle, roze lippen, brutale ogen. En een ondeugende lach. Hij laat haar een tijdje in de kasten rommelen en maakt dan zijn aanwezigheid kenbaar.

'Ben je een dief of zo?'

Margot draait zich op haar hielen om en laat van schrik een paar doosjes migrainepillen uit haar handen vallen. De gedaante aan tafel buigt zich naar voren en wuift alsof hij de koningin is. In het licht van de maan herkent ze hem als Sophies neef. 'Hoi,' zegt hij vlak. Ze giechelt. 'Eh, hoi,' zegt ze stuntelig. Ik kan het niet uitstaan dat ze zo stuntelig doet. 'Wat doe je hier?'

Hij geeft geen antwoord. Hij klopt op de stoel naast hem. Ze gaat gehoorzaam zitten. Hij neemt een lange haal van zijn sigaret om te testen hoe lang het duurt voor ze toehapt. Hoe hij haar aan de haak kan slaan zonder er ook maar iets voor te hoeven doen. Ze slaagt glansrijk voor de test.

'Zo,' zegt hij, en hij krabbelt aan zijn bakkebaarden. 'Ik ben wakker. Jij bent wakker. Kunnen we niet iets beters verzinnen dan naar de maan staren?'

Ze giechelt opnieuw. En dan, als hij glimlacht, mijn eigen tienerlach. 'Je bedoelt zoiets als een taart bakken?'

Hij schiet zijn peuk in de gootsteen, legt zijn handen plat op tafel, legt zijn kin erop en glimlacht naar haar op als een hond. 'Je bent een slimme meid, je weet best wat ik bedoel.'

Ze rolt met haar ogen. 'Ik denk niet dat Sophie het leuk zou vinden als ik met haar neef naar bed ging.'

Hij gaat rechtop zitten en tovert een sjekkie achter zijn oor vandaan. Zogenaamd beledigd. 'Wie heeft het daar nou over?'

'Ik ben een slimme meid, ik weet wat je bedoelt.'

Geen glimlach. Haar ogen strak op hem gericht. Hij spert de zijne wijd open. Ze is heel wat slimmer dan hij had gedacht.

'Sigaret?'

'Graag.'

'Hoor eens, Margot...'

'Hm?'

Ik wist precies wat hij zou gaan zeggen en mimede zijn tekst geluidloos mee: 'Wat zou je denken van een wandelingetje door het park?'

Margot inhaleert de rook en doet haar best om niet te hoesten. 'Er is hier nergens een park in de buurt.'

'Je bent een slimme meid, je weet best wat ik bedoel.'

Ik buig me naar haar toe en zeg luid en duidelijk: *Niet doen.* Ik weet dat ik net zo goed tegen een muur kan praten. Ik liet me door niemand de wet voorschrijven, niet op mijn veertigste en al helemaal niet op mijn zestiende. Hindernissen opwerpen had ook geen zin, die maakten me hooguit nóg obstinater. Ik dacht koortsachtig na over mijn tactiek. Het enige wat ik in dit geval kon doen, was me er niet mee bemoeien en Margot laten doen wat Margot moest doen, en als het allemaal voorbij was, als alle gruwelijke fouten waren gemaakt, zou ik mijn best doen om iets moois uit de puinhopen te laten groeien. Iets als wijsheid, bijvoorbeeld.

Ja, ik weet het. Ik heb nooit iets van psychologie begrepen. Freud heb ik ook nooit gelezen. Toch werd me in dit stadium plotseling iets duidelijk en zag ik zonneklaar waarom ik indertijd die onbegrijpelijke keuze in mijn leven heb gemaakt, een keuze waar ik nooit helemaal overheen ben gekomen.

Margot kickte op hun ruzies.

Echt, ik meen het. Ze nam de klappen en trappen, de hoon en de leugens voor lief, in de wetenschap dat zijn kussen na afloop des te zoeter zouden smaken, dat zijn beloften en romantische woordjes na een pak rammel een stuk opwindender klonken.

Op een keer, toen Seth in het holst van de nacht via de regenpijp naar Margots kamertje was geklommen om haar te komen halen voor een autoritje, volgde ik hen tegen heug en meug naar een bar in een grotere stad, vijftien kilometer verderop. Met Johnny Cash keihard op de radio zei Seth: 'Ik hou van je, meid.'

'Ik meer van jou, Seth.'

Seth zet het geluid zachter. 'Zeker weten?'

Margot knikt. 'Ja.'

'Zou je voor me willen sterven, Margot?'

'Natuurlijk!'

Een stilte.

'Zou jij voor mij willen sterven, Seth?'

Hij kijkt haar aan zonder met zijn ogen te knipperen. Zijn ogen zijn loodgrijs en hij glimlacht als een pyromaan.

'Ik zou een moord voor je doen, Margot.'

Ze kijkt hem vol vervoering aan. Ik schuif onrustig heen en weer op mijn stoel.

Nog geen uur later sleept Seth haar aan haar haren de kroeg uit en smijt haar tegen de stenen muur. Hij houdt een dreigende wijsvinger voor haar neus.

'Ik zag het wel.'

De adem stokt haar in de keel. 'Wat zag je wel?'

'Jij en die vent. Je gluurde naar hem.'

'Helemaal niet.'

'Lieg niet tegen me.'

Ze neemt zijn gezicht in haar beide handen. 'Seth... ik hou alleen van jou.'

Hij slaat haar in haar gezicht. Hard. Dan kust hij haar. Heel zachtjes.

En bizar of niet, ze geniet van elke seconde van die soap.

Terwijl Margot handenwringend en binnensmonds pratend op haar kamertje liep te ijsberen om te bedenken hoe ze het hem moest vertellen, pleegde ik overleg met Grahams beschermengel, Bonnie, zijn jongere zus. Ze knikte en verdween. Net toen ik besloot om eens een hartig woordje met haar te spreken – hoezo verdween ze? – kwam Bonnie terug, maar ze was niet alleen. Ze had iemand meegenomen. Het was Irina, ongeveer dertig jaar jonger dan toen ze stierf, met een glad gezicht en heldere ogen, en gekleed in een lang, wit gewaad. Er stroomde alleen geen water langs haar rug. Ze keek me aan, stak haar hand uit en streelde mijn wang. Ik sloeg mijn handen voor mijn mond en de tranen sprongen me in de ogen. 'Mama,' zei ik, en ze trok me dicht tegen zich aan. Het duurde lang voordat ze me losliet en mijn gezicht in haar handen nam.

'Hoe is het met je, lieverd?' vroeg ze.

Ik moest zo huilen dat ik amper een woord kon uitbrengen. Er was zoveel dat ik haar wilde vertellen, zoveel dat ik wilde vragen.

'Ik mis je zo,' was alles wat ik kon zeggen.

'Liefje toch,' zei ze. 'Ik mis jou ook, maar het komt allemaal goed. Ik ben altijd in de buurt, heus waar.' Ze wierp een blik op Graham. Ik begreep dat ze voor hem was gekomen. 'Hoe lang kun je blijven?' vroeg ik snel. Ze keek schuins naar Bonnie. 'Niet lang,' zei ze. 'Geesten kunnen alleen in noodgevallen langskomen. Maar binnenkort zullen we elkaar weerzien.' Ze droogde mijn tranen, bracht mijn handen naar haar lippen en drukte er een kus op.

'Ik hou van je,' fluisterde ik toen ze glimlachend naast Graham plaatsnam op de bank waarop hij kwijlend lag te snurken, en haar hoofd op zijn borst legde.

Ik rende naar boven, naar Margots kamer. Ze stond voor de spiegel geluidloos haar tekst te oefenen.

Ik kon het niet helpen. *Margot!* hijgde ik. *Mama is beneden, kom gauw!*

Ze negeerde me en ging door met haar betoog. Een betoog dat ik me maar al te goed herinnerde.

'Ik weet dat je heel erg teleurgesteld in me bent en dat mama dat ook zou zijn.' Haar ogen vulden zich met tranen. 'Maar om met Lady Macbeth te spreken, "wat gedaan is, is gedaan". Ik heb er goed over nagedacht en ik heb besloten om de baby te houden. Ik begrijp het heel goed als je me het huis uit wilt gooien.'

Ik had de baby al gezien toen hij niet groter was dan een bacil; ik had hem zien draaien en zwemmen tot hij rustig was gaan liggen, als een diamant op een rood kussen, met zijn arme, sidderende hartje. Een jongetje. Mijn zoon.

Margot beëindigde haar monoloog en staarde naar zichzelf in de spiegel. Heel even gleden onze spiegelbeelden over elkaar. We vormden een tweeling in parallelle werelden. Alleen de blik die diep in onze ogen lag was anders. In Margots ogen lag de glans van iemand die de brug over het ravijn nog over moet. Ik had de ogen van iemand die er al overheen is.

Ze liep stilletjes de trap af.

'Papa?'

Hij lag diep te snurken. Ze probeerde het nogmaals. Irina schudde hem zachtjes wakker. Het angstzweet brak Margot uit. Ze had gehoopt dat hij niet wakker zou worden, dat ze het niet hoefde te zeggen. Niet vandaag. Hij kwam moeizaam overeind en keek verdwaasd om zich heen. Hij zag Margots gezicht.

'Ben je ziek? Wat is er gebeurd?' Hij ging rechtop zitten en tastte op zijn hoofd naar zijn bril.

Margot stelde hem haastig gerust. 'Niets, niets, hoor.' Was dat maar waar.

'Kom eens bij me zitten,' zei hij slaperig. Margot deed wat hij vroeg, maar wendde haar gezicht af. Ze huilde alweer. Graham ging half op de tast naar de keuken. 'Je ziet zo wit als een doek,' zei hij. 'Gaat het wel goed met je? Ga lekker zitten, dan zet ik een kopje thee voor ons. Wat erg dat ik zo lang geslapen heb... Ik heb van je moeder gedroomd.'

'Echt?' De tranen liepen over haar wangen.

Hij riep haar vanuit de keuken toe: 'Ze vond dat ik beter op je moest letten. Wat zeg je daar nou van?'

Margot zei niets. Ze zette haar nagels in haar bovenbenen om het niet uit te schreeuwen. Ik zag dat Irina dichter bij haar ging zitten en haar armen om haar middel sloeg.

Toen Graham weer binnenkwam en Margots tranen zag, zette hij het dienblad neer, nam haar handen in de zijne en vroeg teder: 'Wat is er, lieverd?'

Ze sloot haar ogen en haalde diep adem. Ik stond naast haar en legde een hand op haar schouder.

'Ik denk dat ik zwanger ben, papa.'

Ik kon het niet aanzien. Papa's gezicht dat van het ene op het andere moment oud werd, zo intens verdrietig, was te veel om een tweede keer mee te maken. Toen ik opkeek en de uitdrukking op zijn gezicht kon lezen, besefte ik echter dat het geen verdriet, teleurstelling of woede was, in elk geval niet om Margot.

Het was een gevoel van mislukking.

En ik zag vage krijtstrepen van het kind van Irina en hem, het kind dat ze niet hadden gehouden.

Rustig blijven, fluisterde Irina hem toe. *Ze heeft steun nodig, geen kritiek.*

Hij boog zich naar Margot toe, tot hij zo dichtbij was dat ze het verdriet in zijn ogen kon lezen.

'Wat je ook doet, je moet het heel, heel goed overwegen. Het gaat niet alleen om nu, maar vooral om de toekomst.'

Hij liet zich naast haar op de bank zakken en nam haar ijskoude, trillende handen in de zijne.

'Houdt hij van je?'

'Wie?'

'De vader.'

'Ja. Nee. Ik weet het niet.' Ze kon amper een woord uitbrengen en de tranen druppen langs haar kin in haar schoot.

'Als hij van je houdt, hebben jullie een kans. Als dat niet zo is, moet je aan je eigen toekomst denken.'

Ze wilde dat hij haar uitschold, dat hij haar het huis uit zette. Nu hij zo lief en begripvol reageerde, raakte ze nog meer in de war dan ze al was. Ik legde een hand op haar hoofd. Haar hart kwam tot bedaren. Even later zei ze: 'Ik moet uitzoeken of hij van me houdt of niet.'

Graham knikte. 'Ja, dat moet je doen.' Hij keek op, naar de foto van Irina op de schoorsteenmantel, precies op het moment waarop Irina me een glimlach schonk en verdween naar waar ze vandaan kwam. 'Als het om ware liefde gaat, is er niets wat jullie tegenhoudt.'

Ik herinnerde me dat ik het antwoord al wist. Ook de oplossing had ik al. Ik had alleen gehoopt dat iemand me die oplossing zou aanreiken, dat iemand me zou vertellen dat ik geen slecht mens was omdat ik het wilde laten weghalen.

Je moet goed begrijpen: Margots gedachten voelden aan als zweepslagen op mijn rug. Vooral de zeventienjarige onnozelheid van wat er in haar geest omging. Ze bedacht geen moment dat het om een menselijk wezen ging, om een kind van vlees en bloed. Ze beschouwde deze zwangerschap als een molshoop in haar leven, iets wat ze moest vertrappen. Stomme baby, mokte ze in zichzelf, en ik dacht aan Margot als baby, geboren en in de steek gelaten, hoe mijn verlangen dat ze het zou overleven groeide tot het niet meer te stuiten was. Hoe moet ik voor een baby zorgen? Waarom zou ik dat willen? piekerde ze. En ik bedacht met een flinke dosis wroeging dat ik me weleens had afgevraagd of het niet beter was geweest als Margot was gestorven, als ze nooit had geleefd. Ik zag gedachten in Margots donkere geest rondspoken die ik niet eens durf op te schrijven.

Ze vond een abortuskliniek in Londen, die er een bedrag van 200 pond voor vroeg. Ze vertelde Graham wat ze van plan was en hij knikte alleen maar, bood aan om het te betalen en wist erbij te vertellen dat het heel pijnlijk zou zijn en dat ze flink moest zijn.

Ze vertelde het pas een week later aan Seth. Zijn mond viel open, vervolgens sloeg hij zijn ogen neer en begon door de kamer te ijsberen. Ze liet hem een paar minuten zijn gang gaan. 'Seth?' stamelde ze uiteindelijk. Hij draaide zich om en keek haar aan. Zijn brede grijns en stralende ogen zaaiden een kiem van twijfel in haar hart. Ze had niet verwacht dat hij er blij mee zou zijn. Misschien was dit wel beter. Misschien bleven ze bij elkaar. Misschien moesten ze het kind toch maar houden.

En toen klonk er vanuit mijn vleugels een stem die door alle ruimten van mijn ziel galmde. *Laat het los.* Ik deed een stap naar voren om Seths volgende bewegingen op te vangen, maar voor ik het wist bevond ik me aan de andere kant van de muur. Ik kon elke klap horen, het doffe geluid van zijn trappen, en ik stond aan de ene kant van de muur te schreeuwen en met mijn vuisten tegen de koude bakstenen te bonzen, terwijl ik Margot aan de andere kant hoorde jammeren.

Ik wierp een snelle blik om me heen. Ik bevond me tussen het onkruid in Seths achtertuin, in het licht van de wegkwijnende zon.

Even later werd er een arm om me heen geslagen. Ik keek op. Solomon, Seths beschermengel. We kenden elkaar nauwelijks. Hij pakte met een troostend gebaar mijn hand.

'Blijf van me af,' snauwde ik. 'Help me liever om weer naar binnen te komen.'

Hij schudde zijn hoofd. 'Dat gaat niet,' zei hij. 'Dat weet je.'

'Wat doen we hierbuiten?' riep ik wanhopig.

Solomon keek me alleen maar aan. 'Soms moet het gaan zoals het gaat,' fluisterde hij. 'En soms ook niet. Als zij een keuze maken, staan we machteloos.' Na een laatste, luide kreet vanuit het huis hoorde ik de deur dichtslaan. Stilte. Solomon wierp een blik op de muur. 'Je kunt weer naar binnen. Seth is weg,' zei hij teder en met één stap stond ik in de slaapkamer.

Margot lag snakkend naar adem op de grond, met verwarde haren, plakkerig van het bloed en de tranen. Er ging een scheut van pijn door haar buik en ze probeerde kreunend overeind te komen. Ze kon bijna geen lucht krijgen. *Langzaam en diep, langzaam en diep*, zei ik met een van tranen verstikte stem. Ze keek om zich heen, doodsbang dat Seth terug zou komen en tegelijkertijd vol verlangen dat hij dat zou doen.

Ik boog me over haar heen om te herstellen wat onherstelbaar verloren was. De diamant in haar buik was verdwenen. Het rode kussen scheurde in dikke repen fluweel uiteen en stroomde over de vloer.

Ik ging op zoek naar hulp en wist een buurvrouw zover te krijgen om bij Seth aan te bellen. Toen niemand de deur opendeed, besloot ze naar binnen te gaan om te kijken of alles in orde was met de jongen. Ze trof Margot aan op de vloer en belde een ambulance.

Toen Margot alle narigheid met veel moeite weer te boven was gekomen, besloot ze om weg te gaan, zo ver mogelijk bij Seth vandaan. Ze zette de globe van Graham in beweging, sloot haar ogen en stak haar wijsvinger uit. Ik zette de globe stop en leidde haar vinger naar de plek die mij het allerbeste leek.

New York. De stad die nooit slaapt.

12

DIEPER DAN DE OCEAAN

Iets wat leuk is om te weten: als je ooit beschermengel wordt (en dat gebeurt niet iedereen), krijg je een geweldige upgrade als je gaat vliegen. Business class is er niets bij. De eerste klas is voor sukkels. Nee, dan de engelenklasse. Dan mag je op de neus van het vliegtuig plaatsnemen, en als je even wilt gaan liggen, strek je je uit op de vleugel. Je denkt misschien dat het weinig uitmaakt, afgezien van het iets betere uitzicht op de wolken en de zonsondergang, maar laat je niets wijsmaken. Het is geen veredelde raamplaats. Toen ik over Nova Scotia en Groenland vloog, zag ik veel meer dan wolken. Ik zag de engel van Jupiter, zo groot dat haar vleugels – die niet uit water, maar uit wind bestonden – die enorme planeet geheel omhulden en onophoudelijk de meteoren wegsloegen die koers zetten naar de aarde. Als ik naar beneden keek, zag ik hoog boven de aarde ontelbare engelen zweven; ze luisterden naar gebeden en schoten de beschermengelen te hulp. Ik zag de weg van de gebeden en de banen van de persoonlijke keuzes omhoogkronkelen als gigantische snelwegen. Ik zag engelen in steden en woestijnen glinsteren als nachtelijke beelden van de aarde vanaf de maan: de omgekeerde peer van Afrika werd stralend verlicht door de kaarsen van Kaapstad en Johannesburg; de hondenkop van Australië was versierd met een franje van geelgouden vlammen; en de heks op haar bezemsteel, Ierland, zond blinkende penny's de lucht in vanuit Dublin, Cork, Derry en Belfast. Het waren geen stadslichten, het was het schijnsel van de engelen.

Margot was naar New York vertrokken met het idee dat het

maar voor één zomer zou zijn. De schade die Seth had toegebracht beperkte zich niet tot het verlies van de baby of de vernedering die ze had gevoeld, toen de verpleegkundigen in het ziekenhuis haar met een afkeurend gezicht behandelden als de zoveelste tienermoeder en zonder verdere plichtplegingen of pijnbestrijders een curettage uitvoerden, noch tot de rauwe pijn en het gevoel van verraad toen het besef van wat Seth haar had aangedaan volledig tot haar doordrong. Nee, hij hield niet van haar. Ieder mens heeft één waarheid die hij of zij nooit ten volle zal aanvaarden. Iedereen moet steeds opnieuw dezelfde lessen leren en dezelfde fouten maken, tot de wijsheid volledig is doorgedrongen. In Margots geval was het haar onvermogen om onderscheid te maken tussen liefde en haat. Ik beschouwde New York als de plek waar alles op zijn plaats zou vallen, en waar alles uiteenviel.

Intussen gebeurde er iets vreemds met me. Op de dag dat we naar het vliegveld vertrokken, viel me op dat er een zilveren glans over mijn gewaad lag. Ik dacht eerst dat het een speling van het licht was. Onderweg naar New York veranderde de kleur in lila. Het ging zo snel, dat ik het geleidelijk zag overgaan van alle violettinten naar hemelsblauw, tot we op JFK waren geland en ik in de aankomsthal suizebollend mijn gewaad opnam en me afvroeg waarom het in hemelsnaam turkoois was geworden.

Vervolgens kreeg ik de schok van mijn leven. Ik had kennelijk een nieuw gezichtsvermogen gekregen: de spirituele wereld openbaarde zich zonder enige terughoudendheid. Het was alsof er een gordijn opzijgeschoven was om de twee werelden, de aardse en de spirituele, tot één geheel te maken. Honderden, nee duizenden engelen. Hoe zegt de Bijbel dat? Scharen, toch? Scharen, koren, drommen, legioenen... Ze vormden één grote, kleurrijke nevel. Engelen verdrongen zich rond gezinnen die hun dierbaren verwelkomden bij de schuifdeuren, engelen hielpen rondbuikige zakenlieden hun zware bagage van de band te tillen. Geesten – ik maak geen geintje – dwaalden gedesoriënteerd rond en verschenen op de raarste plekken, en ook zij hadden engelen om zich heen, die geduldig afwachtten tot ze zouden beseffen dat ze dood waren, ja heus, en dat het inderdaad tijd was om te gaan. En tot slot, demonen.

Ik wil niet de schijn wekken dat engelen en demonen moeiteloos naast elkaar kunnen bestaan. Nu ik de spirituele wereld duidelijk kon zien, zag ik dat de demonen onder ons leven als ratten in een schuur: ze spannen samen om hun klauwen te zetten in het kleinste restje leven dat ze te pakken kunnen krijgen, en het is maar goed dat we ze hun gang niet laten gaan, want dan zouden ze flink wat schade aanrichten.

Evenals engelen waren er demonen in alle soorten en maten. Ik zag dat hun vorm, een inktzwarte schaduw of een dichte nevel, een hoofd dat door de lucht zweefde of, net als Grogor, een geheel gekleed menselijk wezen met een gezicht, stevig verbonden was met het aura van de mens die ze volgden. Ik keek naar een jongeman in jeans en een strak wit T-shirt; hij trok een koffer achter zich aan, kauwde opgewekt op kauwgom en had een gespierd lijf. Als je hem zo zou zien, zou je nooit denken dat hij niet slechts één, maar twee demonen bij zich had, die trouw als dobermanns naast hem liepen. Toen zag ik zijn aura, de paarszwarte kleur van een aubergine. En wat deze jongeman ook had misdaan in zijn leven, hij bezat geen geweten: het licht dat de meeste mensen rond de kruin van hun hoofd hebben, was verdwenen. Er restte zelfs geen schaduw.

Margot pakte haar bagage – één reistas – van de band en keek om zich heen; duizelig van de drukte en de reis vroeg ze zich af waar ze nu naartoe moest. Ze had het adres van een vriend van een vriendin die bereid was haar onderdak te verschaffen tot ze zelf iets had gevonden. Ik herinnerde me dat maar al te goed: de vriend van de vriendin had een boekhandel en liet Margot onbekommerd voor niets werken in ruil voor een kamertje boven de zaak, waar een vreemdsoortig, bewegend vloerkleed lag, dat bij nadere inspectie een zwerm kakkerlakken bleek te zijn; vandaar dat ik bij de uitgang een engel aanklampte en om hulp vroeg. Ik genoot van zijn door de wol geverfde Brooklynse accent. Hij zei dat hij het even zou opnemen met zijn 'vent', zoals hij zijn beschermeling noemde. Zijn 'vent' bleek taxichauffeur te zijn. Ik stuurde Margot zijn kant op.

De taxichauffeur wist toevallig wel een plekje waar Margot een bed én een baantje kon krijgen, in het hartje van de stad. Met als extra bonus dat het om de hoek was van het beste, typisch Amerikaanse café in de stad. De allerlekkerste Italiaanse omelet at je daar en nergens anders. Margot stapte opgetogen in, wat een mazzel. Ze straalde als een pompoen met Halloween tegen de tijd dat de taxichauffeur aankondigde dat we er waren. Ik kon mijn ogen niet geloven. Wil je weten waar we terechtkwamen? Driemaal raden.

Babbington Books had als mankement dat het meer weg had van een pandjeshuis dan van een boekhandel. Bob Babbington, de aartsluie, pruimtabak kauwende uitbuiter van een eigenaar in kwestie, had de zaak van zijn vader geërfd. Zijn beslissing om de zaak voort te zetten had minder te maken met zijn passie voor boeken – want hij las uitsluitend autohandleidingen – of de wens om de fakkel ook in de derde generatie Babbington brandende te houden, dan met het voordeel van een woonplek vrij van huur en een baan waar je de hele dag bij kon blijven zitten en roken. Je zou kunnen zeggen dat je van tien kilometer afstand kon zien dat Bob weinig hart voor de zaak had. Met zijn zwartgeverfde pui en de bloembakken vol dood onkruid en bierblikjes, was de winkel zo uitnodigend als een open graf. Binnen was het zo mogelijk nog erger.

Margot liet zich niet door het aanzicht afschrikken, duwde de deur open en riep: 'Hallo?' Zo kwamen de meeste klanten ook binnen, bang om iemand te storen. Achter in de winkel onderscheidde ze een bos haar, een krulsnor met een dansende rookpluim erboven en iets lager de imposante aanblik van Bobs buik, die onder zijn strakke T-shirt uit puilde. Hij wierp één blik op de blonde zigeunerkoningin in haar Schots geruite kleren en dacht aan handboeien. O, o.

Hoe dan ook. Hij hield zich aan zijn woord en bood Margot de kamer boven de zaak aan, in ruil voor wat 'hulp' beneden. En dus liep ik knarsetandend achter hen aan, gaf ik in het voorbijgaan Pirate, Bobs blinde, melaatse kat, een trap en wierp ik een lichtstraal vooruit om de kakkerlakken en ratten te verjagen.

Margot kroop tussen de bevlekte lakens van de bedbank, bedacht dat ze Graham nu al miste en huilde zichzelf in slaap. Ik liep intussen te ijsberen over de krakende vloer en keek toe hoe mijn gewaad opnieuw van kleur veranderde, zoals de oceaan 's nachts een diepere tint blauw aanneemt. Ik wachtte op Nan, die meestal opdook als er iets in mijn wereld veranderde, maar nu liet ze zich niet zien. Dus probeerde ik het zelf uit te vogelen.

Ik hoefde er niet al te lang over te piekeren. Er waren wat aanwijzingen, zou je kunnen zeggen. Nadat de spirituele wereld een aantal uren geleden zijn poorten voor me had geopend, deed de natuurlijke wereld nu hetzelfde. Toen ik naar de beneden gelegen straat staarde, zag ik ongeveer anderhalve meter boven de stoep verschillende stofwolken hangen. Tot ik wat beter keek, en besefte dat deze 'wolken' niets anders waren dan zwermen ziektekiemen, waar nietsvermoedende mannen en vrouwen pardoes doorheen liepen. Ik keek vol afschuw toe toen er een man dwars door zo'n wolk liep en kaposisarcoom meenam, dat zich in een mum van tijd over zijn tandvlees en rond de huid in zijn knieholten verspreidde, en even later nam een vrouw met haastige tred een souvenir mee van een eeuwenoude pokkeninfectie. Toen ik hun engelen daarop wees, hoorde ik hun antwoorden in mijn hoofd, zo duidelijk als op de voicemail: 'Beter kijken, groentje. In elke virus schuilt een les.'

Het duurde een hele tijd voordat ik zó goed had leren kijken.

Je kunt je wel voorstellen dat Margots kamer het Hotel California voor bacillen was. Ik was praktisch de hele nacht in de weer om haar longen te beschermen tegen vochtige sporen in de lucht en een pittig griepvirus in het kussensloop. Dat was echter niets vergeleken bij mijn voornaamste zorg. De rest van de nacht ging op aan een soort schaakpartij met drie demonen met onzichtbare gezichten, maar met overduidelijke plannen voor Margot.

Ik zal het je uitleggen. Ik kwam erachter dat demonen zich niet beperken tot wat gefluisterde voorstellen en een por met een elleboog. Het zijn ware kenners van menselijke zwakheden. Ze zullen tweelingzielen aansporen om met elkaar te trouwen, om tegelijkertijd een piepklein scheurtje in hun relatie aan te brengen en daar vervolgens net zo lang op te stampen tot de scheiding niet alleen de tweelingzielen verscheurt, maar ook hun kinderen en kleinkinderen, tot de breuk generaties lang in de familie blijft doorzeuren. Demonen kiezen hun doelwit lang van tevoren. Ze jagen in groepen. Drie van hen spendeerden het grootste deel van die nacht aan het verwezenlijken van een plan dat ze jaren geleden hadden bekokstoofd: Margot overhalen om zelfmoord te plegen.

Ik zag de tekenen aan de wand zodra ik voet zette in de boekhandel. Het eerste teken was Bob. Margot was nog niet binnen of hij dacht aan handboeien. Daarna ging er nog veel meer door zijn hoofd, als een filmpje: hij zou haar een paar weken in dat kamertje boven de zaak opsluiten, misschien wel maanden of zelfs jarenlang. Ze moest voor hem koken en poetsen en hij zou haar zo volplempen met wiet, dat ze niet eens meer aan ontsnappen kon dénken. Met het laatste sprankje mededogen dat hij bezat, bande hij die gedachten uit zijn hoofd, maar ze bleven hem plagen. Samen met tien andere engelen vormde ik een kring rond zijn bed en beïnvloedden we zijn dromen met herinneringen aan zijn moeder. Terwijl het licht rond zijn hoofd sterker werd, kwamen de drie andere krachten in huis tevoorschijn. Dat was het moment waarop ik leerde dat er rangen en standen zijn in de engelenwereld: vier van de engelen onder ons trokken een zwaard. Ze straalden een verblindend licht uit en als je goed keek, leek het blad van kwarts te zijn. Waar het ook van gemaakt was, het werkte. De demonen dropen af en hun plan viel in duigen. Ik nam echter geen enkel risico. In de resterende uurtjes van de nacht stippelde ik een nieuwe levensweg uit voor Margot, samen met de andere engelen. Zij vertrokken om te doen wat er gedaan moest worden.

Tegen de ochtend was mijn gewaad indigoblauw en voelde ik me zowel angstig gedesoriënteerd als opgewonden. Wat de reden ook was, mijn gewaad was van kleur veranderd op het moment dat ik eindelijk tot de spirituele wereld kon doordringen. Als ik had geweten dat ik daardoor heel wat meer verantwoordelijkheid op mijn schouders kreeg en dat Margot meer bescherming nodig zou hebben dan ooit, had ik alles mooi bij het oude gelaten.

Daar was het nu te laat voor.

13

IN HET GEWEER

De volgende dag nam ik me heilig voor om uit te zoeken hoe ik gestorven was. Of beter gezegd, om uit te zoeken wie me had vermoord.

Margot was bijna achttien, zo naïef als een eendenkuiken en zo beeldig als een Frans gebakje. En alsof die combinatie nog niet gevaarlijk genoeg was, zat haar hoofdje barstensvol dromen over een leven dat ze nooit zou krijgen: over een succesvolle carrière als schrijfster en tegelijkertijd een gezin met zes kinderen (drie jongens en drie meisjes), een leuk huis met een wit hek eromheen even buiten New York, waar zij in de keuken stond om appeltaart te bakken voor een knappere uitvoering van Graham. Toen ze uit het raam hing en de straat in keek, overspoeld met zure regen en gele taxi's, zag ik haar fantasieën als viooltjes om haar heen dansen en vroeg ik me spijtig af wanneer dat allemaal verdwenen was. Waar is het allemaal misgegaan?

Was het de schuld van Hilda? Seth? Sally en Padraig? Lou en Kate? Zola en Mick? Kwam het door de dingen die nog in het verschiet lagen: het huwelijk met Toby, de geboorte van Theo en een scheiding waar ik in een tobbe vol wodka doorheen dobberde? Dit moment in mijn leven had alles in zich om op een wolkeloze, blauwe hemel af te stevenen. Hoe was het mogelijk dat een jonge, blonde meid in Manhattan in een tijd waarin geweldige omwentelingen plaatsvonden op sociaal, politiek, seksueel en economisch gebied, dertig jaar later dood aangetroffen werd in een hotelkamer op een steenworp hiervandaan? Kan gebeuren, natuurlijk. Maar niet tijdens mijn dienst.

Margot sloot het raam, kleedde zich aan (eigengemaakte Schots geruite broek, donkerblauwe wollen trui) en borstelde haar lange haar. Ze stond zichzelf in een lange passpiegel te bekijken. Ik stond achter haar en legde mijn kin op haar schouder. *Kind toch,* verzuchtte ik, *ga om godswil nieuwe kleren kopen.* Ze tuitte haar lippen, kneep in haar wangen en inspecteerde haar borstelige, dikke wenkbrauwen. Ze maakte een pirouette in haar outfit – had ik al gezegd dat de geruite broek hoog in de taille zat en om haar heupen slobberde? – en fronste haar wenkbrauwen. Net als ik.

Zag ik er vroeger echt zo uit? Het mag een wonder heten dat ze me niet hebben gearresteerd.

Beneden in de winkel stapelde Bob willekeurig wat boeken op en probeerde intussen een kaneelbroodje te eten. Toen Margot binnenkwam, sloeg hij schaapachtig zijn ogen neer. De grimmige dromen over zijn moeder hadden doel getroffen. Hij durfde niet meer aan opsluiting of handboeien te denken. Ik begon een andere kant van hem te zien. Hij was een mol in mensengedaante. Hij was op een blinde manier nieuwsgierig en schuifelde mopperend door de smalle gangen tussen de boekenkasten, stilletjes genietend van het gebrek aan menselijk contact. Zijn engel – zijn grootvader, Zenov – kuierde met de handen op de rug achter hem aan en schudde afkeurend zijn hoofd over de chaos van papier en naslagwerken. Als ik mijn best deed, zag ik aan weerszijden van Bob parallelle werelden verschijnen, als een onderwaterscherm dat helderder werd naarmate ik me beter concentreerde, alsof het kabbelende water tot bedaren kwam: een beeld van Bob als klein jongetje dat zich verstopte voor de harde vuisten van zijn vader, een ander beeld van hem als oude man, eenzaam, seniel en nog steeds bezig met boeken stapelen. Beide beelden wekten enigszins mijn medelijden.

Hij bood Margot thee aan, die ze afsloeg, en gaf haar een rondleiding door de boekhandel. Sorry, zei ik 'boekhandel'? Ik had 'literaire schatkamer' moeten zeggen. Er slingerden honderd jaar oude exemplaren van Plautus op de pooltafel van die vent, gesigneerde boeken van Langston Hughes lagen te verstoffen onder de toonbank, een eerste uitgave van Achmatova werd gebruikt als onderzetter. Bob ratelde maar door over de slechte verkoopcijfers en dat hij niet begreep waarom iedereen het nodig vond om geschiedenis onder te verdelen in geografische categorieën blablabla, tot ik er eindelijk in slaagde om Margots aandacht te vestigen op de Achmatova. Ze pakte het boek op en staarde naar de omslag.

'Weet je wie dit is?'

Er ging minstens een minuut voorbij. 'Wie?'

'De vrouw op de omslag van dit boek.'

'Meid, wat een geweldig accent. "Om-slag". Zeg nog eens "omslag".'

'Dit is Anna Achmatova. Een van de meest revolutionaire dichteressen van onze tijd.'

'O...'

'En dit...' Ze trok een exemplaar van *De werken van William Shakespeare* uit een van de andere kasten en sloeg het open. 'Dit is gesigneerd door Sir Laurence Olivier. We staan op de drempel van een van de beste universitaire literatuurafdelingen ter wereld.'

Ze keek hem verwachtingsvol aan. Ik knikte. Klopt helemaal. Bob schuifelde met zijn voeten.

'Hoe lang heb je die al?'

Bob stak zijn handen in overgave uit. 'Eh, ik weet het niet...'

Ze neusde verder langs de planken. Bob keek om zich heen alsof hij verwachtte dat de rest van de Spaanse inquisitie elk moment de deur in zou trappen. Margot was uitgesnuffeld en zette haar handen in haar zij.

'Hm,' zei ze, heen en weer drentelend. Ze had inmiddels Bobs volledige aandacht.

'Wat bedoel je? Wat?'

Ze bleef staan en stak bedachtzaam haar wijsvinger naar hem

uit. Hij trok zijn T-shirt over zijn riem. 'Je hebt nieuwe spullen nodig,' zei ze.

'Wat voor nieuwe spullen? Kleren?'

'Nee. Nieuwe boeken. Je hebt veel te veel klassiekers in de kast staan.' Ze begon weer heen en weer te lopen. 'Een kofferbakverkoop. Waar kan ik die vinden?'

'Een kofferbak... Waar héb je het over?'

'Sorry. Een garageverkoop, bedoel ik. Een kelderopruiming, zolderverkoop, rommelmarkt, waar mensen spullen verkopen die ze niet meer willen.'

'Eh...'

'Dan kunnen we goedkoop boeken inkopen.'

'Eh... Margot?'

Ze stond al met haar jas aan bij de deur en draaide zich om. 'Wat is er?'

Bob krabde aan zijn buik. 'Niks. De mazzel dan maar.'

Ze glimlachte en vertrok.

Voor degenen onder jullie die het vergeten zijn, nog niet geboren waren of in die tijd op een onbewoond eiland zaten, New York was aan het einde van de jaren zeventig één grote, dynamische, verarmde stadsdisco waar misdaad en drugs vrij spel hadden in de groeiende aanwas van achterbuurten. Nu ik hier weer terug was, werd ik er zowel weemoedig als opgewonden van. Allereerst leek het wel of ze hier tien engelen per persoon hadden, allemaal verschillende soorten: sommige droegen een wit gewaad, andere zagen eruit alsof ze in brand stonden, en weer andere waren gigantisch groot en straalden een helder licht uit. Geen wonder dat New York vibreerde van een gevoel van onoverwinnelijkheid, alsof de stad vleugels had waarmee hij uitgetild kon worden boven alles wat hem wilde vertrappen. De straten waar Margot die ochtend doorheen liep waren kort daarvoor het bloederige toneel geweest van verslaggevers en ratten, vanwege de Son of Sam-moorden. De wijk was langdurig in de greep geweest van angst en achterdocht;

de lucht bezoedeld en de trottoirs te glibberig om op te lopen. Hoe kort geleden dat ook was, nu was het leven alweer in volle bloei. Klaprozen groeiden brutaal uit de scheuren in het beton dat onlangs nog afgezet was met politielint. En ik herinnerde me dat dít de reden was waarom ik me hier altijd veilig had gevoeld, al was ik in anderhalf jaar tijd viermaal beroofd, dat dít de reden was waarom ik zo aan de stad verslingerd was geraakt: niet vanwege de coffeeshops die fungeerden als schuilplaatsen voor de Black Panthers, niet door de Beat Poets op Sixth Avenue of de revolutionairen, maar vanwege de veerkracht die overal uit sprak, het gevoel dat ik over alle muren van mijn verleden kon klimmen en ze zelfs kon gebruiken om er hoog bovenuit te stijgen.

Het begon te regenen. Margot trok haar jas over haar hoofd en probeerde wijs te worden uit haar stadsplattegrond. Ze verwarde links met rechts en voor ze het wist, liep ze door een keurige woonwijk aan de oostzijde van de stad. Het was lang geleden dat ze huizen had gezien die zo dicht op elkaar stonden, als houtblokken tegen de schuur. Ze bleef even staan om omhoog te kijken naar een rij witte huizen van drie verdiepingen en een stenen trap naar de voordeur. Een paar meter verderop sjouwden een studentikoos, wat kakkerig type met een woeste haardos en een lange, zwarte vrouw in een gele maxi-jurk dozen naar buiten en zetten ze in een gereedstaande bestelwagen. Zo te zien hadden ze ruzie. De vrouw wapperde geagiteerd met haar handen langs haar hoofd, met wijd opengesperde ogen en druk bewegende lippen. Net toen Margot binnen gehoorsafstand kwam, liet de studentikoze man de doos uit zijn handen vallen en stormde hij naar binnen. De vrouw ging door met sjouwen alsof er niets was gebeurd. Margot stapte op haar af.

'Hallo. Bent u aan het verhuizen?'

'Ik niet. Maar hij wel,' snauwde de vrouw met een knikje naar de openstaande deur.

Margot keek naar de doos die de vrouw in haar handen droeg. Hij zat vol boeken.

'Wilt u die misschien verkopen?'

'Van mij mag je ze hebben. Ze zijn alleen niet van mij. Je moet het aan hém vragen.'

De vrouw snoof geringschattend en zette de doos neer; ze haalde er een boek uit bij wijze van paraplu en haastte zich naar binnen. Margot keek snel wat er in de doos zat. Salinger, Orwell, Tolstoj... Een lezer met een goede smaak.

De man verscheen in de deuropening. Hij was van dichterbij lang zo kakkerig niet als ze had gedacht. Vampierachtig bleek met een slordige bos zwart haar en donkere, glanzende ogen, die getuige waren geweest van veel te veel pijn en verdriet.

'Hoi,' zei hij tegen Margot. 'Ben je geïnteresseerd in mijn boeken?'

Margot glimlachte. 'Ja, nogal. Als je ze wilt verkopen. Of weggeven, dat mag ook.' Ze lachte. Zijn ogen lichtten op.

'Waar kom je vandaan?' Hij kwam een stapje dichterbij. De vrouw trok een verbeten gezicht en kreunde onder het gewicht van de doos. Ik zocht in mijn geheugen naar deze ontmoeting.

'Engeland. Eigenlijk Ierland, oorspronkelijk,' antwoordde Margot, die vergat dat het regende. 'Ik ben net aangekomen. Ik werk in een boekhandel.'

'Welk deel van Engeland?'

'Het noordoosten.'

'O?'

'Kunnen we nou opschieten?' Zijn vriendin, juffrouw Irritant. *Hou je er even buiten, ja?* mopperde ik. Haar beschermengel wierp me een kregelige blik toe.

Met een 'Ja, ik kom eraan' viel hij terug in zijn vriendjesrol. 'Sorry, ik ben aan het verhuizen. Geen tijd om over vroeger te mijmeren. Neem die doos maar mee. Je mag hem hebben.'

'Zeker weten?'

'Gratis voor een landgenoot. Landgenote, in dit geval.' Hij knikte en liep weer naar binnen.

Er tikte iemand op mijn schouder. Ik draaide me om en daar

stond Leon, een van de engelen uit het St. Antonius.

'Leon,' riep ik uit, en ik sloeg mijn armen om hem heen. 'Hoe is het met je?' Ik keek van hem naar de man en toen viel het kwartje.

De kakker was Tom uit het kindertehuis. Tom, de verdediger van de planeet Arghlyst, het eerste kind dat ik had beschermd in de graftombe, de jongen van wie ik me vaag herinnerde dat hij me een geweer in mijn handen had gedrukt.

'Hoe is het met jou?' vroeg Leon, maar ik was diep in gedachten verzonken. Tom draaide zich om en liep het huis in en in de ruimte die daardoor tussen hen ontstond, ontvouwde zich pal voor mijn neus een parallelle wereld – of wellicht was het een projectie van mijn eigen verlangens, dat weet ik niet – van Margot en Tom als tweelingzielen, die samen hun dromen waarmaakten met een hele schare kinderen en avonden waarop ze Kafka bespraken aan de eettafel. Ik schreeuwde haar toe: *Hij is het, hij is het! Het is de kleine Tom. Zeg tegen hem hoe je heet. Begin over het St. Antonius.*

Ik weet niet of ik tot haar doordrong of niet, maar hoe dan ook, Margot pakte de doos boeken op en vertrok, echter niet voordat ze haar naam en adres had opgeschreven, het papiertje in Philip K. Dicks *Minority Report* had gestoken en het voor zijn deur had gelegd.

Een paar dagen later liep hij de boekhandel binnen en vroeg naar Margot.

'Wie ben jij dan wel?' Bob, in amfibische topvorm.

'Zeg maar dat Tom er is. De liefhebber van Philip K. Dick.'

'Die vent kan voor geen meter schrijven, man.'

'Is ze er?'

'Weet ik veel.'

Tom slaakte een zucht, haalde een aantekenboekje uit zijn zak en schreef zijn nummer op. 'Wil je haar dit geven, alsjeblieft?'

Ik zag erop toe dat hij dat deed. En ook dat Margot hem terugbelde. En ik zorgde ervoor dat ze ja zei toen hij haar mee uit eten vroeg.

En dus namen Margot en ik, allebei even nerveus en opgewonden, op een regenachtige dinsdagavond een taxi naar de Lenox Lounge in Harlem. We stelden ons allebei de toekomst voor – ik zag die als een lang leven samen met Tom, Margot zag net zoiets – en ik was dolblij dat ik eindelijk iets voor elkaar leek te krijgen. Ik stond aan het roer van het schip van mijn lot en zette koers naar kusten zonder voetsporen of spijt.

Tom wachtte haar voor de deur van de Lenox Lounge op in een zwart pak met een wit overhemd, dat openstond aan de hals. Hij zat met zijn enkels over elkaar geslagen op een verkeerszuiltje en veegde zo nu en dan de regendruppels uit zijn ogen. Leon stond naast hem en ik wuifde. Margot zag Tom staan en riep zo hard 'Stop!' tegen de taxichauffeur dat hij op zijn remmen ging staan en een noodstop maakte midden in het drukke verkeer. Margot wierp muntgeld en excuses over de rugleuning en stapte uit. Ik volgde haar. Iemand aan de overkant van de straat zwaaide naar me. Het was Nan. Ik liet Margot vooruitgaan en stak de straat over om Nan te begroeten.

Ze trok me stevig naar zich toe. 'Mooie kleur, dat blauw. Ik neem aan dat de wereld er nu anders uitziet, is het niet?' Ze stak haar arm door de mijne en trok me resoluut met zich mee.

'Heel anders,' beaamde ik. 'Is dat de betekenis van een andere kleur? Ik bedoel, waarom zou mijn gewaad ineens vanzelf van kleur veranderen?'

'Lieve hemel, niet zoveel vragen tegelijk,' lachte ze. 'De verandering heeft te maken met de voortgang van je spirituele reis. Je hebt een belangrijke mijlpaal bereikt, zo te zien. Blauw is een mooie kleur.'

'Maar wat betekent...'

Ze bleef staan en keek me streng aan.

'We moeten het over die twee hebben.' Ze gebaarde naar Margot en Tom, die schaapachtig stonden te kletsen en te flirten.

'Ik luister.'

'Niet luisteren. Kijken.'

En midden op straat in Lenox Avenue schoven boven de overvolle vuilnisbakken en pokdalige huizen de wolken uiteen om een visioen te tonen.

Ik zag een jongetje van een jaar of negen, met een besmeurd gezicht. Hij droeg kleren die deden denken aan een straatschoffie van rond 1850: een geruite pet, groezelig bloesje, korte broek en een sjofel jasje. Hij spreidde zijn armen en opende zijn mond, alsof hij stond te zingen. Een seconde later zag ik dat hij op een podium stond. Onder het honderdkoppige publiek was de zwarte vrouw in de gele jurk die we eerder hadden ontmoet. Ze was wat ouder nu, met kortgeknipt haar en twinkelende ogen, en ze keek gespannen naar het podium. Ik begreep dat de jongen haar zoon was. Het doek viel en de jongen rende de coulissen in. De man in wiens armen hij zich wierp, was Tom. Zijn vader.

'Begrijp je nu wat ik hier kom doen?' Nan trok een wenkbrauw op.

'Je wilt dat ik een romance tussen Margot en Tom voorkom.'

Nan schudde haar hoofd. 'Ik wil dat je het complete plaatje ziet voordat je met de puzzelstukken gaat goochelen. Je weet al met wie Margot zal trouwen. En nu heb je ook gezien wat de gevolgen zijn van Toms keuze.'

'Maar hij heeft zijn keuze nog niet gemaakt. En Margot ook niet.' Ik zweeg en slaakte een diepe zucht. Ik begon me op te winden. 'Hoor eens, ik ben niet voor niets mijn... Margots beschermengel geworden en ik denk dat dat is omdat ik maar al te goed weet wat ze wel en wat ze niet had moeten doen. En een van de dingen die ze beter niet had kunnen doen, is met Toby trouwen.'

Nan haalde haar schouders op. 'Waarom niet?'

Ik keek haar verbijsterd aan. Waaróm niet? Ik wist niet eens waar ik moest beginnen.

'Neem nou maar van mij aan dat Toby en ik... niet bij elkaar pasten. We zijn gescheiden, weet je nog? Waarom zou ik Margot met iemand laten trouwen als het toch niet werkt?'

Nan trok een wenkbrauw op. 'Denk je dat het met Tom anders zal gaan?'

Ik sloot mijn ogen, leunde achterover en slaakte een gefrustreerde zucht. Het leek wel of ik aan een holbewoner stond uit te leggen wat neurowetenschappen waren.

'Ik heb het Lied der Zielen geleerd, weet je,' zei ik uiteindelijk.

Ze wierp me een steelse blik toe. 'Zo? Heb je er iets aan gehad?'

Ik bleef staan. 'Het Lied der Zielen is niet het enige, is het wel? Ik kan de dingen echt veranderen.'

'Ruth...'

'Ik kan erachter komen wie me heeft vermoord en het voorkomen. Ik kan de loop van mijn leven veranderen en...'

We stonden voor de Lenox Lounge.

Nan keek me vorsend in de ogen. 'Er zijn heel, heel veel dingen die je kunt doen als beschermengel, vooral in jouw geval. Het gaat er echter niet om wat je kúnt doen. "Ik kan het" is een menselijk concept, een mantra van het ego. Jij bent een engel. Nu draait het om de wil van God.' Ze maakte aanstalten om weg te lopen.

Nu was ik aan de beurt om het waarom-spelletje te spelen. 'Leg me dan uit waarom dat zo is, Nan,' zei ik. 'Ik heb God nog niet gezien. Waarom kan ik de dingen niet veranderen als ik precies weet hoe mooi het had kunnen zijn?'

'Weet je dat werkelijk?'

Het medelijden op haar gezicht bracht me aan het weifelen.

Toch ging ik door, al was het iets minder overtuigd. 'Hoewel ik dood ben, ervaar ik Margots leven op een indirecte manier nog steeds. Misschien kan ik de dingen een andere wending geven, zodat ik niet in de bloei van mijn leven doodga, terwijl de relatie met mijn zoon volledig verstoord is, misschien kan ik een oude, wijze dame worden, iets goeds doen voor de wereld...'

Ze was al aan het verdwijnen, ergens naartoe waar mijn protesten haar niet konden bereiken. Ik beet op mijn lip. Ik vond het vreselijk als onze gesprekken zo heftig eindigden. 'Pas goed op jezelf,' riep ze me toe, en ze was verdwenen. Ik keek instinctief achterom. Een donkere schim, een autoraampje en daarin een weerspiegeling: het gezicht van Grogor. Hij knipoogde naar me.

Ik stond in de regen en voelde het water trillend langs mijn rug stromen. Ik wist niet of het hart dat in mijn borst klopte van mij was of slechts een herinnering aan het mijne, of de keuzes die Margot maakte van mij of van haar waren, en voor het eerst van mijn leven wist ik niet in hoeverre ik er iets over te zeggen had. En dat maakte me woest.

Het was middernacht. Margot en Tom verlieten arm in arm de Lenox Lounge. Ze wisten nog steeds niet dat ze elkaar kenden uit het tehuis. Ze wisten alleen dat ze minnaars wilden worden, liefst zo snel mogelijk.

Ze omhelsden en kusten elkaar langdurig.

'Zullen we morgen ook weer hier afspreken?' vroeg Tom.

'Graag.' Margot kuste hem nogmaals. Ik draaide me om.

Tom zag een taxi hun kant uit komen. 'Neem jij die maar,' zei hij. 'Ik heb zin om lopend naar huis te gaan vanavond.'

De taxi stopte. Margot sprong erin. Ze keek Tom glimlachend aan en hield zijn blik vast. Met een uitgestreken gezicht trok Tom een onzichtbare Magnum .44 uit zijn binnenzak en schoot op haar. Er kwam een herinnering aan het St. Antonius bij haar op, die ogenblikkelijk weer vervaagde. Ik stond naast hem, net als hij verzonken in herinneringen, terwijl de taxi verdween in een vloed van neonlicht.

Ik zat op de achterbank naast Margot, die uit het raampje keek en stilletjes glimlachte, met haar gedachten bij Tom. Ik kon zien hoe het licht rond haar hart groeide en sterker werd, bijna overstroomde van verlangen. Ik stond nog eens stil bij de woorden van Nan: 'Denk je dat het met Tom anders zal zijn?' Ja, dacht ik. Ja, dat denk ik zeker.

Toen de taxi stopte voor een rood verkeerslicht, werd er op het raampje getikt. De taxichauffeur draaide het omlaag en wierp een vragende blik op degene die buiten in de regen stond. De man hield beschermend een leren notitieboekje boven zijn hoofd en boog zich naar voren: 'Mag ik misschien meerijden? Ik moet naar de West Village.'

Ik verstijfde. Ik zou die stem nog herkennen als je hem had begraven in een Egyptische graftombe en er een brassband bovenop had gezet.

De taxichauffeur wierp een vragende blik op Margot via de achteruitkijkspiegel.

'Tuurlijk,' zei ze, en ze schoof op om plaats te maken voor de extra passagier.

Niet doen, fluisterde ik en ik sloot mijn ogen.

Het verkeerslicht sprong op groen. Een jonge man in een lindegroen corduroy pak streek zijn lange haar naar achteren en stak zijn hand uit naar Margot. 'Bedankt,' zei hij. 'Ik heet Toby.'

Ik gilde. Een lange, smartelijke kreet. De schreeuw van de verdoemde.

'Margot,' zei Margot. Ik keek huilend toe.

'Prettig kennis met je te maken.'

14

AANTREKKINGSKRACHT IN DRIE GRADATIES

Ik weet niet of er woorden zijn om de scène in die auto te beschrijven, het gevoel dat boven ons zweefde, als een zware donderwolk even voordat hij tot uitbarsting komt. De regen kletterde tegen de ruiten en overstemde het geluid van de radiomeuk. De ruitenwissers pompten piepend en kreunend heen en weer en de taxichauffeur kweelde *Singin' in the Rain* in het Hongaars.

De aantrekkingskracht in die auto kende drie gradaties, drie verschillende soorten.

1. Margot keek naar Toby en voelde zich op een merkwaardige manier aangetrokken tot zijn fijne, lange haar met de kleur van herfstbladeren, de vriendelijke blik in zijn ogen, de oprechte manier waarop hij 'bedankt' zei.

2. Toby keek zijdelings naar Margot en dacht: mooie benen. Ondanks mijn frustratie bracht dat iets bij me teweeg. Hij nam klakkeloos aan dat Margot een vriendje had, dat ze aan Columbia University studeerde (vanwege het korte, mosgroene tweed rokje dat die zomer in was onder studentenmeisjes) en dat hij in geen duizend jaar kans maakte dat iemand zoals zij hem ook maar een blik waardig zou keuren. En dus glimlachte hij beleefd, haalde een notitieboekje uit zijn zak en begon aantekeningen te maken voor zijn korte verhaal.

3. Ik zat tussen hen in en voor mij betekende Toby's aantrekkingskracht de hechte, loyale, door strijd getekende band met de man die de vader was van mijn kind, mijn echtgenoot, mijn cliënt en ooit mijn beste vriend. De kabel die ons verenigde, was ooit zo dik als een tramlijn geweest, tot hij uiteindelijk knapte en

keihard in mijn gezicht striemde. En nu, nu ik zo dicht naast hem zat dat ik de oranje sproeten onder zijn ogen kon tellen, zijn zachte wangen zag die tot zijn wanhoop nog steeds weinig stoppels vertoonden, al was hij dan eindelijk eenentwintig geworden, beefde ik van liefde en verlangen, van haat en verdriet.

Hoewel ik geen adem had om in te houden, hield ik hem toch als een kostbaar geschenk in en bleef ik zo stil als een standbeeld zitten, tot hij de auto uit stapte, ten afscheid een roffel op de ruit gaf en verdween in de donkere nacht. Ik ontspande mijn vuisten en lachte tot de nerveuze trilling in mijn stem verdwenen was. Ik wist dat ze elkaar weer zouden ontmoeten en het deel van mij dat hem nog steeds haatte, brulde het uit tegen het deel van mij dat hevig naar dat moment verlangde.

In dit engelenconflict vergat ik op te letten en toen ik mezelf weer voldoende in de hand had om te zien hoe het met Margot ging, bukte ze zich naar iets wat bij het uitstappen uit Toby's zak gevallen was. Voordat ik kon ingrijpen, voordat ik de tijd kreeg om mezelf weer in de realiteit van het heden te brengen, zat ze al te lezen.

Het was een kort verhaal, misschien een essay, geschreven in een klein, kriebelig handschrift – het handschrift van een intellectueel, maar met dikke, ronde klinkers, wat wees op Toby's diepe empathische vermogen. Het was gek genoeg geschreven op een pagina uit een uitgave van rond de eeuwwisseling van Bocaccio's *Decamerone*, zo oud dat het papier geelbruin was verkleurd en de tekst vrijwel geheel verbleekt was.

Toby was wat je het prototype van de arme kunstenaar zou kunnen noemen. Hij was zo mager dat zijn corduroy pak als een soort kostuumvormige slaapzak om hem heen hing en zijn lange, smalle handen waren altijd gemarmerd, altijd koud. Hij leefde van de cheques die hij driemaandelijks ontving van de New York University, wat betekende dat hij op de zolder van een nachtcafé in Bleecker Street woonde en wat voedsel betreft afhankelijk was van een vroeger vriendje van school dat nu een hotdogkraampje had. Hij zou nooit bekennen dat hij arm was. Hij propte zich vol met woorden, deed zich te goed aan gedichten en voelde zich een miljonair als je hem een pen gaf met een volle inktpatroon erin en wat velletjes blanco papier. Hij was schrijver; het ergste daarvan was voor Toby dat hij er stellig van overtuigd was en het zelfs toejuichte dat uitgesproken armoede daarbij hoorde.

Dus als je je een broos velletje papier kunt voorstellen met vervaagde Italiaanse tekst onder de met inkt bevlekte artistieke krabbels van een vulpen, dan weet je ongeveer wat Margot van de vloer raapte, openvouwde en las:

De houten man
Door Toby E. Poslusny

De houten man was geen pop; anders dan Pinokkio was de houten man echt, terwijl iedereen om hem heen dat niet was. In dit marionettenland vond de houten man het leven zwaar. De kans op werk was nihil, tenzij je touwtjes aan je ledematen had en je mond geheel stil kon houden tijdens het spreken. Huizen of kantoorgebouwen ontbraken, en er was sinds kort een tekort aan kerken ontstaan; in plaats daarvan was de hele wereld veranderd in een gigantisch podium, waarop de poppen paradeerden en streden. Zo werd de houten man steeds eenzamer. Want zie je, de houten man was zelf niet van hout, maar zijn hart was dat wel. Eigenlijk was zijn hart een boom met vele takken, maar er groeiden geen peren of perziken aan en er streek nooit een vogel op neer om te zingen.

Hoewel Margot de man die gedurende een rit van zeventien blokken naast haar had gezeten totaal niet kende, had ze het gevoel dat ze een glimp van zijn wereld had opgevangen, een bladzijde uit zijn dagboek had gelezen, een liefdesbrief had gevonden. De naakte eenzaamheid die uit deze woorden sprak vond een vruchtbare voedingsbodem in haar medelijden.

Ik las het natuurlijk als verwaand gezever, wrevelig van toon en met tussen de regels door een zweem van reflectorisch post-McCarthyisme. De jonge Toby Poslusny was geen literair genie en het zou nog jaren duren voordat hij het kunstje onder de knie kreeg. Maar voor een jonge literatuurliefhebster met een tikje last van heimwee, iemand die hele stukken uit *Woeste hoogten* uit haar hoofd kende, was Toby's palimpsest een mijnenveld van schitterende, symbolische ontboezemingen.

En zo werd Tom naar de achtergrond van Margots gedachten verdrongen, niet door Toby, maar door een van zijn personages. Tom ging nog vijf keer bij de boekhandel langs. Margot was altijd de stad in om andere boekhandels af te stropen, op zoek naar boeken die Bob in huis moest hebben, en zat intussen met haar gedachten bij Toby's verhaal. Ze raakte steeds gefrustreerder over de stoffige boeken van dode, blanke mannen die alle ruimte innamen in Bobs boekhandel; zelfs toen ze de buitenmuren wit geschilderd had, de flakkerende gloeilampen vervangen had en een heel weekend besteed had om het uithangbord van Babbington Books te repareren, wilden de klanten die de moed hadden om binnen te komen geen Hemingway of Wells. Ze wilden de nieuwe, razende stemmen die zich lieten horen vanuit Detroit, vanuit kraakpanden in Londen, Manchester en Glasgow, vanuit woningbouwprojecten in Moskou. Na John F. Kennedy, Vietnam, Watergate en een seriemoordenaar op hun stoep was een nieuwe generatie twintigplussers op zoek naar literatuur die hun razernij een stem gaf.

Uiteindelijk legde ik me erbij neer dat het niets zou worden met Tom en wierp ik me enthousiast op Margots volgende project, al wist ik natuurlijk tegen welke prijs: literatuur studeren aan de New York University. Ze belde Graham.

'Hoi papa, met mij. Hoe gaat het?'

Wat gedempte snuifgeluiden. 'Margot? Margot? Ben jij het?'

Ze keek op haar horloge. Ze had de tijdzones weer eens verkeerd berekend. Het was vier uur 's morgens bij hem.

'Margot?'

'Ja, sorry, papa. Heb ik je wakker gemaakt?'

'Nee, hoor.' Een hoest als een schep grind en wat spuwgeluiden. 'Nee, niks hoor. Ik was juist van plan om op te staan. Wat klink je opgewonden, wat is er?'

En dus legde ze ademloos uit wat ze wilde. Hij grinnikte om haar woordkeus: 'Dé kans om te voorkomen dat ik net zo iemand word als die filistijnen die ons land regeren.' Hij vroeg wat het moest kosten. Binnen een minuut was haar verzoek ingewilligd. Hij zou de studiekosten betalen en geld overmaken voor de huur van een jaar. Hij had één verzoek: of ze zijn laatste boek wilde lezen en er feedback op kon geven. Afgesproken.

Weet je nog dat ik het met je over dat onroerend goed heb gehad, dat pand dat Margot multimiljonair zou maken? Ik hield Midtown West met argusogen in de gaten en wist Margot zo nu en dan over te halen om een kijkje te nemen bij die apocalyptische woestenij en te bedenken hoe dichtbij Times Square eigenlijk was, om de bendeoorlogen en politie-invallen te vergeten en in plaats daarvan aan de ongelooflijk lage prijzen te denken. Toen Grahams geld goed en wel op haar bankrekening stond, was dat voldoende om ruim 4.000 vierkante meter grond aan te kopen. De bank zou haar vast en zeker de rest wel lenen om er een eenvoudig hotel op te zetten. Ik liet het idee door haar dromen dwalen, voegde er wat fantasiebeelden aan toe van ruime hotelkamers met schone gesteven lakens, roze pioenrozen op het nachtkastje, een open haard in de lobby... Ik voelde me net een filmregisseur, hoewel ik het zonder camera afkon, met niets dan mijn eigen verbeeldingskracht en mijn hand op Margots voorhoofd. Ze werd wakker met hevige verlangens naar een zachter bed, een warme douche en roomservice. Het hotelidee sloeg echter nooit aan. De universiteit lonkte. Ze ging geheel en al op in het vuur van haar leergierigheid.

En dus sjokte ik als een afgepeigerde, ouwe geit achter haar aan over Washington Square Park naar de universiteit, de trappen op van een oud, victoriaans gebouw met een lek dak, waar ze onzeker een plaatsje zocht in een tochtig lokaal met een hoog plafond en een schoolbord op een marmeren schouw. De andere studenten, vijftien in totaal, zaten stil en alert te wachten tot ze hun meningen over poststructuralisme uit mochten spuwen over de professor die nog niet gearriveerd was. Een van de meisjes, een kaalgeschoren Chinese erfgename met de naam Xiao Chen, uitgedost in goudsatijnen beenwarmers, zware kistjes van Dr. Martens en een leren motorjack vol ijzerbeslag, wierp Margot een glimlach toe. Ik keek naar Xiao Chen en dacht onmiddellijk aan tequila en een halfdode straatrover in een steegje. O ja, Xiao Chen. Ze leerde me de kunst van het stelen.

Terwijl de bomen rood kleurden, daarna wit en vervolgens kaal werden als hooivorken, verdiepten Margot en Xiao Chen zich in duizenden bladzijden waarvoor heel wat wouden waren gekapt en keek ik met lede ogen toe hoe de woestenij in Midtown West door anderen werd ontwikkeld, baksteen na baksteen, als waren het staven puur goud.

Jaren na ons eerste afspraakje ontdekte ik dat Toby in dezelfde periode dat ik er studeerde lesgegeven had aan de NYU. We zijn elkaar in die tijd nooit tegengekomen. Hij was aangenomen voor een aantal seminars tijdens het zwangerschapsverlof van professor Godivala. Toby's cursus, 'De freudiaanse Shakespeare', was binnen enkele uren nadat hij aan het prikbord was gehangen volgeboekt. Margot stond met haar pen in de aanslag klaar om zich in te schrijven. Ik zag de naam van de cursusleider staan, Tobias Poslusny, en brak spontaan uit in het Lied der Zielen, tot grote schrik van de engelen van de andere studenten die zich rond het bord verdrongen. Margot aarzelde en krabbelde toen haar naam op de lijst. Gelukkig kwam Xiao Chen me net op tijd het vege lijf redden.

'Dat college ga je níét volgen.'

'Nee, Xiao Chen. Daarom heb ik me net ingeschreven. Wil je niet mee?'

Xiao Chen schudde van nee. 'Die seminars zijn op maandagochtend om halfnegen. Bovendien heb je een hekel aan Shakespeare. Kunnen we ons niet beter inschrijven voor dat college over het modernisme?'

Margot aarzelde.

'Ik trakteer op een rondje in de soos als je ja zegt,' zei Xiao Chen, en ze griste de pen uit Margots handen, streepte haar naam door en duwde haar in de richting van het prikbord met de inschrijflijst voor het modernisme. Margot schreef zich in en ze haastten zich naar de sociëteit.

Ik liep treuzelend achter hen aan en constateerde dat de zaadjes in de harde grond van Washington Square Park rijpten als groene hartjes, in voorbereiding op hun lange reis naar het zonlicht, toen ik zag dat Toby op een bankje in het park zat te schrijven. Xiao Chen en Margot liepen twee stoere jongens tegen het lijf en hadden giechelend en flirtend nergens anders meer aandacht voor, terwijl ik op Toby afliep.

In de takken van de wilg achter hem zat een engel met lang, zilverkleurig haar en een smal, ernstig gezicht. Ze straalde zoveel licht uit dat het er van veraf uitzag alsof er een waterval van licht door de takken stroomde. Eenmaal dichterbij begreep ik dat het Gaia was, Toby's beschermengel en tevens zijn moeder. Ik had haar nooit eerder ontmoet. Gaia keek me aan en knikte me toe, maar een glimlachje kon er niet af. Ik ging naast Toby zitten. Hij zat geconcentreerd en diep in gedachten verzonken te schrijven, met zijn benen over elkaar geslagen.

Leuk je weer te zien, Toby, zei ik.

'Ja, ook leuk om jou weer te zien,' antwoordde hij afwezig, waarna hij abrupt zweeg en verwonderd om zich heen keek.

Ik ging pal voor hem staan. Toby keek nog eens rond, krabde zich op zijn hoofd en nam zijn pen weer op. Al schrijvende vielen er gaten en scheuren in de dikke deken van emoties en denkprocessen om hem heen – die er meestal uitzag als een soort vibrerende muur vol kleuren, structuren en vonken – terwijl hij razendsnel nieuwe verbanden legde tussen al die ideeën die als ballonnen kriskras uit de deken omhoogschoten. Ik zag mijn kans schoon. Ik moest het vragen.

Ik moest het weten, want als hij degene was die Margot had vermoord, als mijn leven zo abrupt beëindigd was door deze man, was het zaak om haar zo ver mogelijk uit zijn buurt te houden.

Heb jij Margot vermoord, Toby?

Hij schreef rustig door.

Ik ging harder praten. *Heb jij Margot vermoord?* Gaia keek verstoord op.

In de hoop op een aanwijzing keek ik ingespannen naar de beelden van zijn verleden en toekomst, die als parallelle werelden aan weerszijden van hem verschenen. Ik zag echter niets anders dan de gezichten van zijn studenten, het personage van een houten man die helemaal in zijn eentje stond te dansen in marionettenland, een gedicht in het stadium van een jambisch embryo… en een flits van Margot in de taxi.

Ik deed een stapje dichterbij. Hij grijnsde als iemand die geniet van een stil verlangen, en schreef door. Daar was het weer. Boven zijn hoofd verscheen het glimlachende gezicht van Margot in de taxi: zaadjes als hartjes die rijpen in de winter.

Ik wierp een blik op Margot en Xiao Chen, geheel in de ban van de twee stoere atleten, en liet me naast Toby op het bankje zakken.

'Mijn zoon is geen moordenaar.' Gaia stond voor me, glanzend als het zilver van een gloednieuw mes.

'Wie heeft Margot dan vermoord?'

Ze haalde haar schouders op. 'Het spijt me, dat weet ik niet. Maar Toby was het niet.'

Ze liep weg. Een windvlaag trok door het park en blies de rok van een meisje op, wat leidde tot verspreid applaus. Het briesje streek langs Toby en mij, zonder hem uit zijn concentratie te halen.

Ik gunde mezelf het plezier om hem aandachtig te bekijken en het aardse palet van zijn aura in me op te nemen; ik zag geschrokken hoe slecht het met zijn nieren was gesteld, hoe fragiel zijn beendergestel was. Ik keek naar zijn kalme, vrouwelijke trekken, de goudkleurige, schrandere ogen, zag het witte licht van zijn ziel zich samentrekken en weer uitzetten wanneer hij op een idee stuitte dat weerklank vond in zijn diepste verlangens en ik zag die verlangens uit de kern van zijn wezen tuimelen, als kleine beeldschermen met filmpjes vol hoop: dat iemand van hem zou houden. Dat hij boeken zou schrijven die empathie en verandering zouden teweegbrengen in de wereld. Dat hij een vaste aanstelling zou krijgen aan de New York University. Dat hij een kind zou krijgen met de juiste vrouw.

De jongens vervolgden hun weg en Margot en Xiao drentelden achter hen aan. Het zou nog een paar jaar duren voordat Margot en Toby officieel kennis met elkaar zouden maken. Ik boog me naar hem toe en kuste hem zachtjes op de wang. Hij keek me recht in de ogen en wat hij aanzag voor een donkere wolk die uitbarstte in een regenbui, was in werkelijkheid mijn hart dat brak in duizend scherven van spijt.

Ik werd opnieuw verliefd op hem.

15

EEN HOND EN EEN DELICATESSENWINKEL

Intussen werd Margot verliefd op het ijshockeyteam van de universiteit. Ze stal het hart van de coach, tot zijn vrouw erachter kwam, waarna ze haar hartstocht uitstortte over zijn collega van de karateclub. Ze was zo gulzig in haar liefde dat ze de halve faculteit opslokte. Daarna kreeg ze trek in Jason, en vrat hem met huid en haar op. Jason was echter het vriendje van Xiao Chen. Nadat ze een stuk of tien blondjes uit Connecticut van hun toegewijde sportieve vriendjes had afgeholpen, besloot Xiao Chen dat het tijd werd om haar spullen over te brengen naar Jasons flat. Xiao Chen had geen enkel recht om zo tekeer te gaan. Wat Margot betrof, was het gewoon een kwestie van de leerling die de leraar te slim af was geweest. Laten we volstaan met te zeggen dat hun vriendschap explosief is geëindigd.

Wat mij betreft, ik kreeg elke dag een grotere hekel aan Margot. Hoe vaak heb ik het niet tegen haar gezegd? *Margot, ik heb een hekel aan je.* Op duizend verschillende manieren.

1. Ik heb een hekel aan je nep-Amerikaanse accent.
2. Ik heb een hekel aan je zogenaamde feministische instelling en je devote toewijding aan het hoerendom.
3. Ik heb een hekel aan je leugens tegen papa. Wat zal hij teleurgesteld zijn als hij erachter komt dat je geen enkel tentamen hebt gehaald.
4. Ik heb een hekel aan je filosofietjes uit een potje en je zware rokersstem. Ik heb er een hekel aan omdat je de mijne nooit hoort.
5. En het allerergste vind ik nog dat ik ooit jou ben geweest.

De tentamentijd brak aan. Ik riep een groepje engelen bijeen en we spoorden onze beschermelingen met klem aan om hun mouwen op te stropen en betere toekomstmogelijkheden voor zichzelf te creëren. Bob had Margots escapades met Jantje, Pietje, Klaasje en de rest boven op haar zolderkamer echter aandachtig gevolgd en vond het tijd worden dat hij eens mazzel had. Op de avond voor Margots eerste tentamen borstelde hij zijn kroezige afrokapsel naar achteren, stak zijn mooiste T-shirt in zijn strakste jeans en klopte op haar deur.

'Margot?'

'Ik slaap al.'

'Niet waar, want dan zou je niks gezegd hebben.'

'Donder op, Bob.'

'Ik heb wijn bij me. Rooie. Het is shah-blie.'

De deur zwaaide open. Margot in haar nachtpon, met haar meest gekunstelde glimlach. 'Zei er iemand Chablis?'

Bob inspecteerde de fles en keek naar Margot. 'Eh, ja.'

'Kom er dan maar in.'

Ik kon op het nippertje voorkomen dat Bob zijn zin kreeg, maar dat betekende wel dat ze allebei stomdronken op de vloer van de kitchenette belandden. 'Van te veel shah-blie krijgt een blanke slaap,' zou Bob zeggen.

Bij het influisteren van de antwoorden tijdens het tentamen had ik echter minder succes. Ze zat in het lokaal, hing over het tafeltje en kroop mentaal over de gekartelde muren van haar kater. Ik wierp mijn handen in de lucht en beende naar het raam. Voor in het lokaal, achter het bureau van de supervisor, zat Toby. Ik ging aan de lessenaar naast hem zitten om te zien wat hij schreef.

Ik herkende een aantal zinnen; later in zijn leven zouden ze terugkomen in zijn eerste roman, *Zwart ijs*. Hij mompelde iets en trok dikke, bestraffende strepen door woorden en zinnen, tot Gaia een arm om hem heen sloeg en hem bemoedigend toesprak. Ik zag haar zelfs een keer haar hand uitsteken toen hij met zijn kritische pen over het papier kraste, maar ze kon hem niet tegenhouden. Een paar minuten later lukte dat wel. Ik keek aandachtig toe. Toen hij zijn gedachten liet dwalen over het landschap van ideeën die in zijn geest rondwaarden, trok zijn aura zich plotseling samen en werd zijn hele lichaam ingekapseld in een ondoordringbare laag, die veel weg had van gletsjerijs. Een- of tweemaal bleef het schild een seconde of tien om hem heen hangen. Gaia bleef zijn naam roepen, tot het zich leek op te lossen. Het vervloog niet in de ether, het ging op in Toby zelf.

'Wat is dat?' vroeg ik Gaia na een tijdje.

Ze schonk me een vluchtige blik. 'Angst. Toby is bang dat hij niet goed genoeg is. Heb je dat met Margot nooit meegemaakt?'

Ik schudde mijn hoofd. Niet zoals dit.

'Het zal wel verschillende vormen aannemen,' schokschouderde ze. 'Bij Toby gebeurt het op deze manier. Het beschermt hem. Maar het baart me zorgen. De laatste tijd schermt het hem af tegen goede dingen. En ik kan er niet doorheen komen.'

Ik knikte. 'Misschien kunnen we er samen aan werken.'

Ze glimlachte. 'Wie weet.'

Ze bleef proberen om hem los te rukken uit die ijslaag, maar het schild was hardnekkig en als zijn angsten eenmaal aangewakkerd waren, kon alleen Toby zelf zich eruit bevrijden. Er was geen kruid tegen gewassen. Als het hem gelukt was om zich eruit los te werken, had hij Margot wel gezien, vooral toen ze haar spullen pakte en een uur voor tijd het lokaal verliet.

Ik volgde haar naar buiten. Ze sloeg haar armen om zich heen en staarde voor zich uit over de Hudson. Even later begon ze te lopen, steeds sneller, tot ze echt hardliep en we allebei voort renden, terwijl het zweet langs haar gezicht liep en haar haren achter haar aan zwiepten als de staart van een komeet.

We holden door tot we op de Brooklyn Bridge waren beland. Margot snakte naar adem en ging hijgend en met bonzend hart naar voren hangen.

Ze wierp een blik op het verkeer onder haar, leunde tegen de reling en keek uit over de skyline van Manhattan. De zon stond nog hoog aan de hemel, zodat ze haar hand beschermend boven haar ogen moest houden. Ze keek om zich heen alsof ze iemand zocht, tuurde met toegeknepen ogen naar de Twin Towers en vervolgens naar Pier 45, tot ze uiteindelijk naar een bankje wankelde en erop neerviel.

Verdriet en verwarring vonkten als bliksemschichten om haar heen. Terwijl ze voorovergebogen op dat bankje zat, sprongen er honderden roze lichtflitsen op vanuit haar hart, die om haar heen wervelden en traag haar aura binnen sijpelden. Ze hield haar ogen stijf gesloten en dacht met trillende lippen aan haar mama. Het enige wat ik kon doen, was mijn hand op haar hoofd leggen. *Stil maar, kindje. Zo erg is het allemaal niet.* Toen ik naast haar ging zitten, steunde ze met haar ellebogen op haar dijen, legde haar hoofd in haar handen en huilde met lange, bodemloze snikken. De afstand tussen wanhoop en acceptatie kan heel groot zijn.

Zo bleef ze lange tijd zitten, terwijl tientallen fietsers voorbijsuisden en de zon alle schakeringen goud aannam, totdat de stad in een bronzen gloed lag en de Hudson in brand stond.

Ik zocht in mijn geheugen naar dit moment, maar ik gaf het al gauw op en begon op haar in te praten.

Zit je nu echt te overwegen om van die brug te springen, kindje? Dat kan hoor, je hoeft maar één stap te zetten en je bent er. Ik tikte tegen de reling.

Ze begon weer te huilen. Ik verzachtte mijn toon. Niet dat ze me kon horen. Maar wie weet, kon ze me voelen.

Wat mankeert je, Margot? Wat doe je hier nog? Waarom doe je niet beter je best? Ga studeren zoals je had beloofd en zorg dat je iemand wordt. Toen ik besefte dat ik dingen begon te zeggen als 'de wereld ligt aan je voeten', slaakte ik een diepe zucht. Ik veranderde van tactiek.

Al die kerels met wie je naar bed gaat, word je daar gelukkig van? Zit er eentje tussen van wie je houdt?

Ze schudde lusteloos van nee. 'Nee,' mompelde ze. De tranen stroomden over haar wangen.

Ik zette door. *Waarom doe je het dan? Stel dat je weer zwanger raakt? Of met hiv wordt besmet?*

Ze keek op, droogde haar tranen en schoot in de lach. 'Ik praat in mezelf. Ik ben echt hard op weg om gek te worden.' Ze boog zich over haar gekruiste armen en staarde over de skyline heen, zo ver ze kon, naar de horizon.

'We zijn echt helemaal alleen op de wereld, hè,' zei ze zachtjes.

Het was geen vraag. Op dat ogenblik herinnerde ik me de heftige, hartverscheurende behoefte om gered te worden. Ik herinnerde me dat ik me op die brug voelde alsof ik midden op zee zat, duizenden mijlen van de kust verwijderd, moederziel alleen op een rots. En dat gevoel dat er niemand zou komen.

Maar ík was er. Ik sloeg mijn armen om haar heen, voelde tegelijkertijd dat iemand mij omhelsde en dat er vervolgens nóg twee armen om ons heen werden geslagen. Opkijkend zag ik dat Irina en Una, geesten van gene zijde, mij en Margot omhelsden en haar zachtjes vertelden dat het goed was, dat zij er voor haar waren, dat ze op haar zouden passen. Ik pakte huilend hun handen beet om hen zo lang mogelijk bij me te houden; ze kusten me en hielden me vast en zeiden dat ze er altijd voor ons waren, dat ze me misten. Ik huilde tot ik dacht dat mijn hart zou breken. Het licht rondom Margots hart flakkerde als een kaars op zee.

Ten slotte stond ze met een vastberaden blik op. Ze liep langzaam de brug af en nam een taxi naar huis, terwijl de sterren hun geheimen achter een ondoordringbaar wolkendek verborgen.

Het slechte nieuws was natuurlijk dat ze geen enkel tentamen had gehaald. In al die ellende had ze trouwens wel één succesje geboekt, want geen van de andere studenten was voor zoveel vakken gezakt. Je zou kunnen zeggen dat ze met vlag en wimpel was gezakt. Bob organiseerde een boeken-en-drankfeestje voor haar en samen genoten ze van een irritant rauwe avond om haar rampzalige studieresultaten te vieren.

Het goede nieuws was dat ze haar eerste jaar mocht overdoen. Ik wist tot haar door te dringen en moedigde haar aan om een plan te verzinnen. Ze kon Graham onmogelijk vertellen dat ze honderden ponden had verkwanseld aan een verlengde kater. Daarom nam ze zich voor om meerdere baantjes te gaan zoeken: ze zou de hele zomer sparen om de tweede ronde van haar eerste jaar helemaal zelf te bekostigen.

Ze vond een baantje bij een Ierse pub, waar ze op doordeweekse avonden de bediening in ging, en een ander baantje als hondenuitlaatster voor rijke mensen in de Upper West Side. Ik wierp één blik op de blaffende pompon aan de riem en kreunde. We zetten koers naar Sonya, er was geen twijfel mogelijk.

Er zijn twee redenen waarom ik niet méér deed om een hereniging met Sonya Hemingway te voorkomen.

Ten eerste was Sonya een giller. Lang, rondborstig en met valentijnsrood haar tot op haar billen, dat ze elke ochtend een halfuur stond te strijken, was Sonya dol op de laatste trends, harddrugs en halve waarheden. Ze maakte nooit plannen voor de lange termijn. Daarbij was ze verre familie van Ernest Hemingway, een feit (of niet) waarmee ze koketteerde bij designers, drugdealers en iedereen die maar wilde luisteren. Dat loonde de moeite. Enkele voordelen van haar sterke verhalen waren een flitsende carrière als model en een constante sneeuwstorm in hallucinogene poedervorm.

Ten tweede kampte ik met een vraag. Had ze nou wel of niet iets gehad met Toby? Ik vond dat ik mijn huidige positie best mocht gebruiken om dit cruciale stukje informatie te achterhalen.

We liepen echter de andere kant uit. De hond, Paris, trippelde gehoorzaam naast Margot, keurig aan de lijn. Ik draaide me om en tuurde de straat af, op zoek naar Sonya. Ze slenterde nog aan de overkant van Fifth Avenue. Misschien kan ik beter ingrijpen, dacht ik.

Ik bukte me om Paris' pluisoren te strelen en legde toen mijn hand op zijn voorhoofd. *Etenstijd, vind je niet, jochie?* Paris begon opgetogen te kwijlen. Daarop stuurde ik een hele serie beelden van culinaire hoogstandjes voor honden naar zijn kop. *Waar heb je trek in, vandaag? Kalkoen? Spek?* Paris kreeg visioenen van geroosterde kalkoen met spek aan het spit. Hij blafte. *Wacht, ik weet het al,* zei ik. *Een flink stuk salami!*

Op die woorden ging Paris er als een speer vandoor. Iets sneller dan ik had verwacht en met verbluffend veel kracht. Hij sleurde Margot mee de straat over, vlak voor twee taxi's en een Chevy, die Margot op een haartje miste. Ze slaakte een gil en liet de riem glippen. Paris' staartje trilde als een propeller en hij rende door, bracht een andere auto met piepende remmen tot stilstand en kreeg het voor elkaar dat een fietser over zijn stuur een hotdogstalletje in vloog. Die was niet blij.

Margot wachtte bij wijze van excuus tot het verkeerslicht op groen sprong en stak schaapachtig de straat over. Eenmaal aan de overkant rende ze naar de delicatessenzaak. Ik stond bij de deur te lachen, de tweede keer was het veel leuker. Paris was regelrecht op een nieuwe partij varkensvlees achter in de zaak gedoken en in zijn kleine hondenangst dat ze hem het grootste stuk weer zouden afpakken, stootte hij de waterkoeler om en zette hij de vloer van de winkel blank. De eigenaar ging als een razende tekeer en joeg Paris de winkel uit. Die ging maar al te graag, zonder het stuk vlees in zijn bek los te laten. Margot greep Paris bij zijn halsband, gaf hem een paar tikken op zijn neus en sleepte hem terug de winkel in om haar excuses aan te bieden. Ze stapte dapper op de winkelier af, die probeerde te redden wat er te redden viel.

'Het spijt me ontzettend. Ik zal alles vergoeden. Schrijft u alstublieft op wat het allemaal kost, dan zal ik het u terugbetalen zodra ik kan.'

De winkelier keek haar woest aan en vertelde haar in niet mis te verstane taal – in het Italiaans – dat ze haar excuses ergens kon stoppen waar de zon nooit schijnt. Margot keek schuins naar een meisje met lang, rood haar dat de volle laag had gekregen van Paris' escapades en lachend haar kletsnatte kleren inspecteerde. Dat was Sonya.

'Sorry,' zei Margot. 'Het is mijn hond niet, maar...'

Sonya wrong haar rode haar uit. 'Je bent Engelse, hè?'

Margot haalde haar schouders op. 'Soort van.'

'Je klinkt heel anders dan de koningin.'

'Het spijt me van je blouse. Is hij voorgoed bedorven, denk je?'

Sonya liep naar haar toe. Ze had er een handje van om de regels van de persoonlijke ruimte met voeten te treden. Ze kon op een wildvreemde afstappen, zoals Margot in dit geval, en zo dicht bij haar gaan staan dat hun neuzen elkaar bijna raakten. Ze had al veel te jong de harde les geleerd dat mensen reageerden op confrontatie. Soms ging dat goed en soms ook niet, maar ze kreeg hoe dan ook de aandacht die ze wilde.

'Hallo, soort van Engelse, heb je iets te doen vanavond?'

Margot deed een stapje achteruit. Ze kon het wit van Sonya's ogen en de rode lippenstift op haar tanden zien.

Sonya zette een stapje naar voren. Paris likte haar arm. 'Je hond vindt me wel leuk, geloof ik.'

Margot kalmeerde. 'Het spijt me van je shirt. Ik vond het juist zo mooi.'

Sonya bekeek haar paarse shirt met ruches, dat kletsnat tegen haar borst plakte. 'Geeft niet, ik heb kleren genoeg. Hier.' Ze toverde uit het niets een zwart visitekaartje tevoorschijn en stak het onder de halsband van Paris. 'Je kunt het goedmaken door vanavond op mijn feestje te komen.'

Ze schonk Margot een ondeugende knipoog en liep druipnat Fifth Avenue weer op.

Margot verscheen die avond zonder hond op de stoep van Sonya's herenhuis in Carnegie Hill en tuurde stupide naar het adres op het zwarte visitekaartje. Ze was vast en zeker verkeerd. Ze drukte op de bel. De deur zwaaide open en daar stond Sonya, stralend in een nauwsluitende jurk met luipaarddessin. 'Soort van!' riep ze, en ze trok Margot naar binnen. Ik giechelde. Soort van. De brutaliteit.

Sonya stelde Margot voor aan haar gasten – ze moest hun namen over de muziek van Bob Marley heen schreeuwen, die uit twee enorme speakerboxen door het hele huis galmde – tot ze bij de man kwam die ze voorstelde als 'meneer Shakespeare, de man die op al mijn feestjes het liefste zit te lezen'. De adem stokte in mijn keel. Het was Toby.

'Hallo,' zei Margot, en ze stak haar hand uit naar de man die verscholen achter een boek in een leunstoel zat. 'Hallo,' zei hij vanachter zijn boek, tot hij opkeek en nogmaals 'Hallo!' zei, maar nu met een uitroepteken erachter.

'Toby,' zei Toby terwijl hij opstond.

'Margot,' zei Margot. 'Volgens mij kennen we elkaar.'

'Ik laat jullie alleen,' zei Sonya, en ze zweefde weg.

Margot en Toby staarden elkaar aan en wendden toen verlegen hun blik af. Margot ging zitten om te zien welk boek hij zat te lezen. Toby friemelde aan de lusjes van zijn broekband en liet zich naast haar op een stoel zakken. Een blik op Sonya die aan de andere kant van de kamer stond te flirten en te lachen bevestigde mijn vermoedens: hij had haar altijd leuker gevonden dan mij, meteen vanaf het begin.

'Dus jij bent Toby,' zei Margot.

'Ja, dat klopt,' zei Toby.

Was het echt zo stuntelig gegaan? Ik herinnerde me onze eerste ontmoeting altijd als veel dynamischer. Het ging nog even zo door.

'Is Sonya jouw vriendin?'

Toby knipperde met zijn ogen, deed zijn mond open en toen weer dicht.

'Eh, hoe moet ik onze relatie beschrijven? Ze jatte mijn speen toen ik klein was. Ik geloof dat ze ooit in haar blootje mijn ledikantje in geklommen is, maar afgezien daarvan is onze relatie platonisch.'

Margot knikte glimlachend. Gaia kwam bij hen staan en leunde over Toby's schouder.

Margot is de ware, Toby.

Zo zei ze dat, zonder omwegen. Het mooiste was dat Toby het hoorde. Hij keek Gaia's kant uit en zijn hart bonsde toen die gedachte in hem opwelde en wortelschoot in zijn ziel. Ik stond er sprakeloos van bewondering en schaamte naar te kijken. Gaia wist dat ik Margot was geweest, ze was erbij toen ik haar zoon van moord beschuldigde. Desondanks spoorde ze hem aan om met haar verder te gaan.

Toby keek Margot aan, brandend van verlangen om haar beter te leren kennen. Ze was verdiept in zijn boek.

'Zo te zien hou je van lezen.'

Ze sloeg een bladzijde om. 'Jep.'

'Weet je, iedereen is tegenwoordig zo anti-Shakespeare, maar hoe kan iemand *Romeo en Julia* nou slecht vinden?'

Ik schoot in de lach. Praten over koetjes en kalfjes was Toby nooit goed afgegaan.

Margot had echter zin om het gesprek plat te walsen. Ze keek op van haar boek, sloeg haar benen over elkaar en keek hem ernstig aan.

'*Romeo en Julia* is een chauvinistische fantasie van een romance. Wat mij betreft had Julia beter een vat brandende olie over dat balkon kunnen gooien.'

Toby's glimlach verdween als sneeuw voor de zon. Hij sloeg zijn ogen neer en zocht naarstig naar een weerwoord. Margot rolde met haar ogen en stond op om weg te gaan. Gaia haastte zich naar Toby toe en begon in zijn oor te fluisteren. Ik zag Margot de kamer rondkijken, op zoek naar iemand anders om mee te praten, iemand die meer genegen was een spelletje *hard to get* met haar te spelen, en ondanks mezelf wilde ik Toby het liefst te hulp snellen.

Toby hunkerde van verlangen om Margot beter te leren kennen en in de chaos van zijn emoties drongen Gaia's gefluisterde raadgevingen niet tot hem door. Hij was gespannen en nerveus en snapte niet waarom hij zich ineens aangetrokken voelde tot iemand die totaal zijn type niet was.

Uiteindelijk greep ik in. *Toby*, zei ik resoluut, *zeg tegen haar dat ze de boom in kan.*

Ik herhaalde het nog tweemaal. Gaia keek me aan alsof ik gek geworden was. Ten slotte stond Toby op.

'Margot,' riep hij haar luid na. 'Margot!' riep hij nogmaals. Ze draaide zich om. Net op dat moment was de plaat afgelopen. Allerlei mensen draaiden zich naar hen om. Toby stak zijn wijsvinger naar haar uit.

'Je hebt het mis, Margot. Dat toneelstuk gaat over zielsverwanten die boven alle conflicten uitstijgen. Het gaat over líéfde, niet over chauvinisme.'

De muziek begon weer: de eerste maten van *I Shot the Sheriff.* Sonya trok iedereen overeind om te swingen op de muziek. Margot staarde dwars door de menigte heen naar Toby, die zijn ogen geen seconde afwendde. Ze overwoog heel even om hem keihard af te straffen met de een of andere rotopmerking. Iets in zijn blik weerhield haar daar echter van. En dus liep ze de voordeur uit en ging ze ervandoor, terug naar haar kamertje boven Babbington Books.

16

EEN VLOEDGOLF VAN VERLOREN ZIELEN

In de maanden daarna kreeg ik het hard te verduren met een aantal demonen. Sonya's engel, haar vader, Ezekiel, die in haar leven nauwelijks een rol had gespeeld, werd met de regelmaat van de klok verdreven door Sonya's afhankelijkheid van twee demonen, Luciana en Pui, en ijsbeerde dan geduldig door de hal van haar huis. In tegenstelling tot Grogor was dit stel vrijwel niet te onderscheiden van de bonte schare schoonheden die in- en uitliepen bij Sonya. Hoewel ik wist dat ze heel veel tijd en energie in Sonya staken, kon ik hen lang niet altijd zien.

Dit was de periode waarin ik een aantal harde lessen leerde: demonen konden zich buitengewoon goed verstoppen. Net als de miljoenen insecten die zich ophouden in de gaten en kieren van je huis, kruipen demonen in de kleinste hoeken en gaten van de levenden. Toen ik op een keer zat te kijken hoe Sonya haar halsketting met een zware hanger van paarlemoer afdeed en hem op haar toilettafel legde, staarden Luciana en Pui me aan vanuit de hanger. Zo nu en dan maakten ze een ritje in haar designerhandtas; andere keren kronkelden ze zich als een talisman rond haar onderarm. Aangezien Sonya ietwat laten we zeggen wispelturig was in haar levenskeuzes – je kon haar bijvoorbeeld op maandag in de weer zien met yogaoefeningen en aloë vera-sapjes, om op dinsdag over haar te struikelen omdat ze bewusteloos in haar eigen van drugs vergeven kots lag – lagen Luciana en Pui de ene dag in hun menselijke gedaante loom op Sonya's enorme bank te niksen, en zaten ze de volgende dag als inktvlekken op haar ziel. Ze lieten haar echter geen seconde alleen.

Het duurde niet lang of Sonya nodigde Margot uit om bij haar in te trekken. Ze zei dat ze het deed omdat ze het zo zielig vond voor Margot, die zich met drie baantjes uit de naad werkte en dan ook nog in dat smerige flatje van Bob moest wonen. In werkelijkheid was Sonya eenzaam. Ook de aanwezigheid van Luciana en Pui hield verband met haar eenzaamheid. Ze begreep nooit waarom ze zich plotseling een stuk minder eenzaam voelde als ze bezweek voor de drugs. Ze schreef het toe aan het effect op haar hersenen. Mis. Het kwam omdat Luciana en Pui zich om haar heen slingerden als klimop rond een boom, als de meest toegewijde, laaghartige metgezellen.

Ik maakte van meet af aan duidelijk dat ik niet van plan was om door de hal te ijsberen terwijl die twee Sonya's ziel verwoestten. Het was hun schuld dat zij zo'n slechte invloed had op Margot. Ze gebruikte zo nu en dan al wat hasj en soms ook crack en ik zag de ellende aankomen als de koplampen van een stoomlocomotief die kwam aandenderen terwijl Margot op de rails lag. Luciana en Pui namen het niet best op dat ik de confrontatie met hen aanging. Ze veranderden van gedaante, rezen in de vorm van cobra's op als twee zuilen van rode rook en spuwden vuurbollen op me af. Net als in het echte leven was ik in een situatie verzeild geraakt waarvoor ik geen opleiding had genoten en waar ik nooit voor gewaarschuwd was. En net als in het echte leven reageerde ik instinctief. Ik hief mijn beide handen om het vuur te doven, waarop ik mijn ogen sloot en me voorstelde dat het licht in mijn lichaam oplaaide, wat ook gebeurde, en toen ik mijn ogen weer opende, was het licht zo sterk geworden dat ze het opgaven; ze trokken zich terug als de schaduwen rond het middaguur en hielden zich een tijdlang koest, in elk geval zolang ik in de buurt was.

Ezekiel keerde in blakende gezondheid terug in Sonya's leven. Ze overwoog om helemaal met drugs te stoppen, gezonder te gaan leven en misschien zelfs een leuke man te zoeken. Voor altijd.

'Wat vind jij van Toby?' vroeg ze op een ochtend bij de koffie aan Margot.

Margot haalde haar schouders op. 'Wel aardig. Beetje stil.'

'Ik denk erover om iets met hem te beginnen.'

Margot kuchte overdreven. 'Met hem? Ga je dan ook, weet ik het, koekjes bakken en lid worden van een naaikransje?'

Sonya – en je moet je die vrouw voorstellen, zoals ze in een zijden kimono met luipaarddessin en een rode push-upbeha over haar koffie verkeerd gebogen zat, haar ongestreken haar als een hoofdwond in warrige lokken langs haar ivoorkleurige gezicht – was gepikeerd. Ze was vooral gepikeerd omdat de gedachte aan koekjes bakken en naaikransjes haar wel aanstond.

'Ik word een dagje ouder, geloof ik.'

'Heb je al eens iets met Toby gehad?'

Sonya schudde haar hoofd. Voor de verandering loog ze niet. 'We hebben samen op de kleuterschool gezeten. Hij is meer een broertje voor me. Getver, hoe kom ik er ook bij? Maarre, ik dacht dat jullie iets met elkaar hadden een paar maanden geleden, op mijn feestje?'

'Ik heb hem beledigd.'

'Dus?'

'Dus niks. Sindsdien heb ik hem niet meer gezien.'

'Zou je dat willen?'

Daar moest Margot over nadenken. Toen knikte ze.

En zo werd er nonchalant een afspraakje voor Toby en Margot geregeld.

Hij kwam haar halen bij de boekhandel. Bob zat op zijn gebruikelijke plekje in een luie stoel achter de toonbank een mix van wiet en tabak te roken en las zich in over de nieuwe Cadillac Fleetwood Brougham. Hij wierp één blik op Toby en schoot zijn peuk naar hem toe.

'Ik kom voor Margot.'

Een kuchje van achter de toonbank. Toby keek naar de plank met 'recente aanwinsten'.

'Je hebt hier goede boeken staan. Vreemd dat ik nog nooit van deze zaak heb gehoord.'

'Tja.'

'Is Margot er?'

'Moet je aan haar vragen.'

Ik heb altijd bewondering gehad voor Toby's oneindige geduld. Ik keek zijdelings naar Zenov, die tegen de toonbank hing, en gebaarde dat hij Bob een klap voor zijn kop moest geven. Zenov schudde zijn hoofd met een gezicht van wat-kan-ik-eraan-doen?

Toby legde zijn handen op zijn rug om Bobs voorstel te overwegen. En toen:

'Margot?!' Toby, uit volle borst. Bob tuimelde van zijn stoel en belandde met zijn billen op de vloer.

'Margot Delacroix, dit is Toby Poslusny, ik kom je halen voor ons afspraakje. Ben je thuis, Margot?' Hij stond er kalmpjes en onbewogen bij en brulde met de autoriteit en het volume van een bezielde dominee, zonder zijn blik van Bob af te wenden.

Bob krabbelde op, terwijl Zenov zachtjes stond te lachen. 'Eh, ik ga wel effe kijken of ze...'

'Dank je.' Toby knikte Bob vriendelijk toe.

Margot kwam een paar minuten later achter het tussenschot vandaan in een groen, tulen feestjurkje uit de jaren vijftig dat haar twee maten te klein was. Ze was nog bezig de spelden in haar haren te steken en had een blos van de zenuwen. Ik zag Toby van kleur verschieten; hij zoog haar jurk en de slanke hals in zich op. Haar benen. 'Hoi,' zei ze. 'Sorry dat je even moest wachten.'

Toby gaf haar een knikje en stak uitnodigend zijn arm uit.

Ze stak de hare erin en zweefde de winkel uit. 'Morgen moet er gewoon weer gewerkt worden,' sputterde Bob hun waarschuwend na, maar de deur sloeg dicht voordat hij zijn zin kon afmaken.

Ze zeggen weleens dat de eerste twee weken van een relatie tekenend zijn voor de hele rataplan. Volgens mij zijn twee weken niet eens nodig. Eén afspraakje en de hele plattegrond ligt als een blauwdruk voor je neus.

Toby deed niet aan doorsnee. Hij was geen man voor een etentje of de bioscoop. Hij huurde een roeiboot op de Hudson. Margot vond het allemaal te gek. Een belangrijke mijlpaal in de relatie. Toen verloor Toby een roeispaan en begon hij W.B. Yeats te declameren. Dat vond Margot fascinerend. En toen – nou ja, ze kon toch niet anders? – kwam ze met een snufje cocaïne op de proppen. Dat vond Toby walgelijk.

'Doe weg dat spul. Daar doe ik niet aan.'

Margot keek hem stomverwonderd aan. 'Maar, je bent toch een goede vriend van Son?'

'Jawel, maar daarom ben ik nog geen junkie...'

'Ik ben geen júnkie, Toby. Ik wil het gewoon een beetje leuk hebben, meer niet.'

Hij wendde zijn blik af. Ik keek eveneens beschaamd weg. Ik kon mezelf wel schieten. Ik gruwde van dit moment, dat de eerste van vele smetten wierp op wat een schitterende relatie had kunnen zijn. En zoals gewoonlijk was het mijn schuld.

Margot ergerde zich aan hem. 'Nou, als jij niet wilt, des te meer heb ik.' Ze snoof beide lijntjes op.

Toby keurde de gebouwen aan de andere kant van de rivier. Het licht van de straatlantaarns danste over het water en zond rood- en goudgekleurde linten in de richting van de boot. Hij legde met een glimlach zijn overgebleven roeispaan neer, trok zijn jasje en zijn schoenen uit en vervolgens zijn shirt. 'Wat doe je?' vroeg Margot. Hij kleedde zich verder uit, tot op zijn onderbroek. Daarna ging hij staan, strekte zijn magere, bleke armen uit, boog zijn knokige torso naar zijn knieën in de houding van een duiker en sprong in de rivier.

Margot liet haar coke vallen en leunde met stomheid geslagen over de rand van de boot. Hij bleef heel lang onder water. Ze zat friemelend met haar handen te wachten. Ze vroeg zich af of ze om hulp moest roepen. Uiteindelijk trok ze haar jasje en haar schoenen uit en sprong hem na. Daarop kwam hij schaterlachend boven.

'Toby!' schreeuwde ze klappertandend. 'Neem me niet in de maling!'

Toby lachte en spetterde water naar haar. 'Mijn lieve Margot, je neemt jezelf in de maling.'

Ze keek hem aan. Wat is hij wijs, dacht ik. Wat een mafkees, dacht Margot.

'Wat??'

Hij zwom op zijn hondjes naar haar toe. 'Denk je nou heus dat jij er leuker op wordt als je cocaïne gebruikt?' vroeg hij. 'Want als je dat denkt, ben je heel wat minder slim dan ik dacht.'

Het water droop van zijn neus en zijn stem beefde van de kou. Margot staarde hem aan, en net toen ze met de gedachte speelde om hem te kussen, bracht hij zijn gezicht naar het hare en kuste hij haar. Het was – en daar kan ik voor instaan – de zachtste, meest oprechte kus van haar leven.

De maanden daarop bracht ik door in Toby's piepkleine zolderruimte boven het nachtcafé en sloeg ik Toby en Margot nauwlettend gade, terwijl ze steeds dieper in een gezamenlijk spiritueel ravijn wegzakten dat veel weg had van echte liefde. In het begin probeerde ik mezelf wijs te maken dat ze verliefd waren op de liefde zelf, dat het meer met de omstandigheden dan met liefde te maken had dat ze – al hadden ze geen geld, geen toekomst en weinig met elkaar gemeen – bij elkaar bleven. En toch... toen ik ze zo zag zitten, allebei in een handdoek gehuld, op dat krakkemikkige balkonnetje op de vijfde verdieping met uitzicht over de West Village, als een oud echtpaar aan de koffie met de ochtendbladen, dacht ik: wacht eens even. Wat ontgaat me hier? En wat is me in de eerste ronde ontgaan?

Voelde ik me als het vijfde wiel aan de wagen? Nou ja, laten we zeggen dat het scheelde dat Gaia er ook bij was. We hadden alle tijd om elkaar beter te leren kennen. Tijdens de intieme momenten van Toby en Margot, gewijde momenten die gekoesterd moesten worden en waarop ik hun privacy wilde respecteren, spraken Gaia en ik over Toby's kindertijd. Ze was gestorven aan baarmoederhalskanker toen hij vier jaar oud was. Tot dan toe was Toby's beschermengel zijn tante Sarah geweest. 'O,' zei ik verwonderd. 'Ik dacht dat beschermengelen altijd slechts aan één persoon werden toegewezen.' 'Nee,' zei Gaia. 'Zo lang en wanneer we nodig zijn. Iemand kan wel twintig verschillende beschermengelen in zijn of haar leven hebben. De kans is groot dat ook jij meerdere beschermelingen krijgt.'

Daar ging mijn hoofd van tollen.

Toby had me verteld dat hij maar één herinnering aan zijn moeder had. Ze leerde hem fietsen. Hij was bang om te vallen en bleef in de deuropening staan, met het stuur stevig in zijn knuisten. Hij herinnerde zich dat ze had gezegd dat hij het eerst moest proberen tot het tuinhekje, dan tot de hoek van de straat, daarna een blokje om enzovoort. Toen hij het tuinhekje had gehaald – dat hele eind van vier meter – klapte ze zo hard dat hij helemaal doorfietste naar de andere kant van de stad, tot ze hem naar huis moest slepen. Hij zei dat hij sindsdien een vergelijkbare tactiek toepaste bij het schrijven: eerst tot het einde van de pagina, dan tot het einde van het hoofdstuk enzovoort, tot hij een heel boek had geschreven. Daarbij had hij altijd dat beeld van zijn applaudisserende moeder in zijn hoofd.

Gaia glimlachte. 'Ja, dat fietsverhaal herinner ik me nog heel goed.'

'Echt?'

'Nou en of. Maar het grappige is dat Toby toen geen vier jaar oud was. Hij was al vijf. En ik leefde niet meer, ik was zijn beschermengel.'

Ik keek haar verbluft aan. 'Weet je dat zeker?'

Ze knikte. 'Toby kan me al zijn hele leven zo nu en dan zien.

Hij weet niet dat ik zijn moeder ben, of zijn engel. Soms denkt hij dat ik iemand ben die hij nog kent van school, of misschien een vroegere buurvrouw of gewoon een stom mens dat veel te dicht naast hem komt staan in een boekhandel. Niet vaak, maar het komt voor.'

Ik keek nog eens goed naar Toby en Margot, die op zijn oude leren bank lagen en hun vingers in elkaar vlochten, losmaakten en weer van voren af aan begonnen. Ik vroeg me hoopvol af of Toby mij ooit zou kunnen zien. Stel dat dat gebeurde? Zou ik hem dan mijn excuses kunnen aanbieden? Zou ik het ooit kunnen goedmaken?

De huwelijksvoltrekking vond plaats in de Bloemenkapel in Las Vegas, negen heerlijke maanden na dat rampzalige eerste afspraakje. Ik probeerde vruchteloos om Margot over te halen tot een bruiloft in Engeland, een feestelijke plechtigheid om Graham de enige kans om zijn dochter weg te geven niet te onthouden. Ik heb mijn hele leven verhalen verzonnen over die bruiloft en hem hier en daar wat opgeleukt zoals ik hem achteraf graag had willen hebben. Wat er in werkelijkheid gebeurde is dat Toby op een avond naar de Ierse pub kwam waar Margot werkte. Hij had gesolliciteerd naar een vaste aanstelling aan de New York University en het zag ernaar uit dat hij hem zou krijgen. Daarom trakteerde hij zichzelf op een Chevy uit 1964 en kocht hij een cadeautje voor Margot, een eenvoudige ring met een diamant.

Ze keek hem aan. 'Meen je het serieus?'

Hij knipoogde.

'Hij is te groot voor mijn ringvinger, zie je?'

Zijn gezicht betrok. 'Echt?'

'Hij past om mijn duim. Dan denk ik toch dat het geen verlovingsring is.' Nu was zij degene die knipoogde, en ze slaakte een diepe zucht. Is dit het echt, dacht ze. *Ja*, zei ik tegen haar. *Dit is het*. Ze keek Toby aan. 'Moet je me niet iets vragen?'

Hij zakte op een knie en nam haar hand in de zijne. 'Margot Delacroix...'

'Ja?' Ze knipperde uitdagend met haar ogen. Ik stond naast haar en sloeg hen oplettend gade. Ik wilde dat ze ophield, dat ze dit moment serieus nam en het in zich opzoog om nooit te vergeten. Ik wilde dat ik haar plaats kon innemen, om welgemeend en hartstochtelijk ja te zeggen.

'Margot Delacroix,' herhaalde Toby serieus. 'Twistzieke, verwende, irritante,' – haar gezicht betrok – 'gepassioneerde, uitbundige, mooie Julia van mijn hart,' – ze lachte alweer – 'vrouw van mijn dromen, wil je alsjeblieft, alsjeblieft geen vat kokende olie over me heen gooien en mijn vrouw worden?'

Ze keek hem met twinkelende ogen aan en beet op haar onderlip. Het duurde even voordat ze iets zei.

'Toby Poslusny, Romeo van mijn ziel, introverte slaaf van de literatuur, lijder aan het martelaarssyndroom...' Hij knikte. Allemaal waar, eerlijk is eerlijk. Maar er was nog meer. Ze liet hem wachten. '... lieve, geduldige Toby.'

Er verstreek een volle minuut.

'Margot?' Toby trok aan haar hand. Zijn knie begon pijnlijk aan te voelen.

'Heb ik nog geen ja gezegd?'

Hij schudde van nee.

'Ja!' Ze maakte een sprongetje. Hij slaakte een zucht van opluchting en krabbelde overeind.

Terwijl ze bewonderend naar haar ring keek, kwam er plotseling een lumineus idee bij haar op. Achteraf bezien was het eerder een vlaag van verstandsverbijstering. Ben je er klaar voor? Daar gaan we: 'Laten we in Vegas gaan trouwen.'

Ik zweer je dat ik alles heb gedaan om haar tot andere gedachten te brengen. Ik heb zelfs het Lied der Zielen voor haar gezongen. Ze wilde er niets van weten.

Toby dacht er beter over na. Hij schetste het beeld van een bruiloft in het wit in een schattig kerkje in Engeland, versierd met lelies en rozen, en Graham die haar naar het altaar leidde. Ik mimede de woorden met haar mee. Saai, zei ze. Waarom zouden we zo lang wachten?

Toby vond een tussenoplossing. Ik zal hem er eeuwig dankbaar voor zijn dat hij het fatsoen had om de eerste de beste telefooncel in te lopen en Graham te bellen om hem om Margots hand te vragen. Nee, Margot was niet in verwachting, stelde hij hem gerust. Hij hield gewoon van haar. En hij wilde geen moment langer wachten. Stilte aan de andere kant van de lijn. Ten slotte sprak Graham, zijn stem verstikt van de tranen. Natuurlijk schonk hij hun zijn zegen. Hij zou voor de hele bruiloft betalen en ook voor de huwelijksreis naar Engeland. Margot gilde 'Dankjewel!' en 'Ik hou van je, papa!' door de hoorn. Ze nam de tijd niet eens om normaal met hem te praten, waarvoor ik haar het liefst een schop onder haar kont had gegeven. Ze sleepte Toby mee naar de auto en ze lieten de hoorn bengelen, zonder verder naar Grahams beste wensen te luisteren.

En zo gingen ze op weg naar Vegas. Het was drie dagen rijden. Ze wipten nog even bij Sonya aan voor een bruidsoutfit – een jurk met luipaarddessin, een paar roodleren stiletto's en een gouden oorring uit Margots sieradendoosje, bij wijze van trouwring voor Toby. Eten en drinken voor onderweg? Wat een onzin. Ze waren verliefd. Meer hadden ze niet nodig.

De zon zakte juist achter de heuvels in de verte, toen Nan plotseling naast me zat, op de achterbank van Toby's auto.

'Hé, hallo, Nan,' zei ik. 'Kom je me vertellen dat ik alsnog moet voorkomen dat ze elkaar het jawoord geven?' Ik was nog een beetje nijdig van de vorige keer. Ze tuurde met gefronste wenkbrauwen recht voor zich uit.

'Is er iets mis?'

Ze boog zich naar me toe zonder haar ogen van het landschap voor ons af te wenden, waar de duisternis begon in te vallen.

'Margot en Toby rijden dadelijk dwars door een hellehuis.'

Ik keek haar vragend aan. 'Wat is een hellehuis?'

'Een troep samenscholende demonen. Dit hellehuis is uitzonderlijk groot. Ze weten dat Toby en Margot op weg zijn om te gaan trouwen en zullen er alles aan doen om dat te voorkomen.'

'Hoezo?'

Ze schonk me een vluchtige blik. 'Trouwen betekent liefde en een gezin. Er is niets waar demonen een grotere hekel aan hebben, behalve misschien aan het leven zelf.'

Ik volgde haar blik door de voorruit. Buiten de oranje knipoog van de ondergaande zon en de voorbijflitsende koplampen van het tegemoetkomende verkeer was er niets te zien.

'Misschien zijn we er al doorheen.'

Nan schudde haar hoofd en bleef bezorgd naar buiten turen.

Plotseling begon de auto wild te schudden en zwiepten we over de weg. Ik klemde me vast aan de rugleuning van Toby's stoel en probeerde tegelijkertijd Margot te beschermen.

'Nog even,' zei Nan kalm, maar de auto helde vervaarlijk naar links en ik dacht werkelijk dat we om zouden kiepen of op het tegemoetkomende verkeer zouden crashen. Nan greep mijn hand beet.

'Wat moeten we doen?' schreeuwde ik.

'Nu!' riep Nan. Ze greep me bij mijn arm en een oogwenk later zaten we samen met Gaia boven op de auto, die slippend over de snelweg scheurde. We klemden ons vast aan de motorkap en trokken hem uit alle macht terug naar de rechterbaan. Er werd luid getoeterd en verschillende auto's moesten uitwijken naar de berm. Toby worstelde met het stuurwiel en wist op het nippertje een botsing te voorkomen met een vrachtwagen, die driftig met zijn koplampen seinde.

Toen hij de macht over het stuur terug had, reed Toby naar de kant en parkeerde hij de auto op een zandpad, naast een bord met WELKOM IN NEVADA. De motor kwam sputterend tot rust en ik probeerde tot bedaren te komen. Ik hoorde Margot en Toby lachen in de auto.

'Wauw, dat was eng!'

'Ik ga even onder de motorkap kijken.'

Stemmen uit de auto. Opgewonden. Verontrust.

Nan was naar de rand van de kale vlakte gelopen, haar silhouet tekende zich af tegen het licht van de ondergaande zon. Ik hield een hand boven mijn ogen en probeerde te ontdekken waar ze naar keek.

'Zie je iets?'

Geen antwoord. Achter de contouren van de paarse heuvels zag ik schimmen onze kant op komen. Ik liep hun met uitgestrekte armen tegemoet, klaar om mijn felste licht op ze af te sturen. Tot ik hen duidelijker in het vizier kreeg. Eerst dacht ik dat ze het puikje van de hel waren. Ze straalden zoveel licht uit dat ik mijn ogen moest neerslaan. Een honderdtal gouden, vlammende wezens, veel groter dan ik, met vleugels van vuur. Ik wilde me omdraaien om Nan te roepen, maar ze stond al naast me.

'Aartsengelen,' zei ze. 'Ze laten ons weten dat ze er zijn.'

'Ja,' zei ik. 'Maar waarom?'

'Heb je niets gevoeld?' vroeg Nan. 'Kijk eens naar je vleugels.'

Mijn vleugels waren vol en donker geworden en zaten helemaal om me heen gewikkeld, zodat het water over mijn borst naar mijn voeten stroomde, als overtollig water uit een reservoir. En plotseling voelde ik het, hevig en onheilspellend alsof ik voor de poorten van de hel stond: we werden opgejaagd.

Toby sloot de motorkap en veegde zijn handen schoon aan een oude lap. 'Vrees niet, jonkvrouwe, alles komt goed,' riep hij naar Margot, die giechelend uit het raampje hing. Hij sprong weer in de auto en startte de motor.

Ik maakte aanstalten om in te stappen, maar Nan hield me tegen en wees op de auto. 'Kijk.'

Er kringelde donkere rook onder de motorkap vandaan, die razendsnel aanzwol tot een zwarte wolk, en ik vroeg me af waarom Toby de motor niet afzette om te kijken wat er aan de hand was. Hij reed gewoon weg, terwijl de rook over het dak en langs de kofferbak wervelde, tot er een dikke rookwalm om de auto hing, vergelijkbaar met het schild dat ik die dag bij Toby had gezien.

Op dat moment verscheen er een gezicht in de rook.

Grogor.

Ik vloog de auto achterna en sprong via de motorkap op het dak. De laatste zonnestralen verdwenen aan de horizon, zodat ik in het duister achterbleef, zonder te zien dat de rook rond mijn voeten steeds dikker werd. In de verte hield Nan een bol van licht boven haar hoofd. Ze wierp hem naar me toe en naarmate hij dichterbij kwam, werd hij steeds feller. Toen ik omlaag keek, zag ik dat de rook om me heen iets minder compact werd, terwijl hij op andere plaatsen juist dichter werd en aanzwol als een modderstroom. 'Ruth!' hoorde ik Nan vanuit de verte roepen. Onverhoeds steeg er hoog boven me uit een muur van zwarte rook op, als een vloedgolf. Toen de bol van licht me bereikt had en recht boven mijn hoofd bleef zweven, zag ik dat het geen rook was: het waren honderden pikzwarte handen die me vastgrepen. 'Nan!' schreeuwde ik. Mijn vleugels klopten. De vloedgolf spoelde met de kracht van een lawine over me heen.

Toen ik bijkwam, lag ik aan de kant van de weg en kon ik me niet bewegen. Waar was Nan gebleven? Ik tilde met moeite mijn hoofd op. Midden op de snelweg, dwars tussen de auto's en de vrachtwagens door, was een ware oorlog aan de gang. Honderden demonen bonden de strijd aan met de aartsengelen die ik op de vlakte had gezien en bestookten hen met reusachtige vlammende balken en brandende pijlen, die de aartsengelen met zwaarden afweerden. Zo nu en dan zag ik een aartsengel op de grond vallen en verdwijnen. Gaan ze dood? Hoe kan dat?

Achter me hoorde ik iemand naderen. Ik probeerde overeind te komen. 'Nan!' gilde ik, maar ik wist al dat zij het niet was. Het was Grogor.

De voetstappen kwamen naast mijn hoofd tot stilstand. Ik

schoof iets opzij en keek op. Twee benen, niet van rook, geen gezicht met een weggeschoten mond, maar een heel menselijk wezen. Een lange man in een scherp gesneden, donker pak. Hij trapte zachtjes tegen mijn been om te checken of ik me inderdaad niet kon bewegen. Toen knielde hij naast me neer.

'Waarom sluit je je niet aan bij het winnende team?' vroeg hij.

'Waarom word jij geen priester?' antwoordde ik. Hij lachte vreugdeloos.

'Wil je liever zo aan je eind komen?' Hij gebaarde naar een aartsengel die in de borst werd geraakt door een vuurbal. Ik keek vol ontzetting toe hoe ze neerviel en opging in een verblindende lichtflits.

'Alsof het al niet erg genoeg is dat jullie werkeloos toekijken hoe de mensen overal een zootje van maken,' vervolgde hij afkeurend. 'Maar volgens mij ben jij er wel achter, Ruth. Jij zou de boel liever veranderen, verbeteren. En waarom ook niet?'

Plotseling voelde ik mijn vleugels inwéndig kloppen, de stroom vloeide naar binnen. En in die stroom hoorde ik een boodschap, een stem in mijn hoofd: *Sta op.*

Net toen ik overeind krabbelde, bracht een explosie van helrood licht en een donderende klap de grond onder mijn voeten aan het beven, alsof er een onderaardse bom was ontploft. Toen ik opkeek, zag ik dat de aartsengelen de demonen omsingeld hadden met geheven zwaard, met de punten naar de hemel gericht. Plotseling trok er een explosie van vuur door het wolkendek, waarna de demonen in een dikke stofwolk uiteenbarstten. Een ogenblik later was Grogor verdwenen.

Nan kwam aanrennen, dwars door de vlammenzee heen. Ze greep me bij de hand en trok me overeind. 'Is alles goed met je?' vroeg ze.

'Ik dacht dat ze ons geen kwaad konden doen.'

Ze nam me nauwlettend op. 'Natuurlijk kunnen ze ons kwaad doen, Ruth. Waarom zouden we ons anders tegen hen moeten verdedigen?'

'Ik dacht dat je zei dat ik niets te vrezen had.'

Ze klopte het stof van mijn gewaad. 'Wat heeft Grogor tegen je gezegd?'

Ik schudde mijn hoofd. Ik wilde het niet herhalen, ik wilde niet toegeven dat ik eigenlijk vond dat hij gelijk had. Nan trok een wenkbrauw op.

'Je kunt het je niet veroorloven om schuld, twijfel of angst te voelen, of welke andere belemmerende emotie je als mens ook hebt gehad. Je bent een engel. God staat achter je en de hemel ligt voor je open.'

'Ja, dat zeg je steeds.'

Boven de heuvels gloorde de dageraad. De andere engelen verdwenen zoetjesaan in de roze gloed.

'De storm is geluwd,' zei Nan. 'Ga Margot achterna. Ik kom je snel weer opzoeken.' Ze draaide zich om naar de heuvels.

'Wacht even,' zei ik. Ze draaide zich weer om.

'Ik hou van Toby,' zei ik. 'En als ik geen manier kan vinden om de dingen te veranderen, dan zie ik hem nooit meer terug. Help me alsjeblieft, Nan,' smeekte ik. Ik was wanhopig.

'Het spijt me, Ruth. Het is zoals ik het je heb gezegd. Je hebt één leven gekregen om je keuzes te maken. In dit leven draait het niet om het maken van nieuwe keuzes. Het gaat erom Margot te helpen haar keuzes te maken.'

'Is dat alles?' schreeuwde ik. 'Krijg ik maar één kans? Ik dacht dat God zo'n voorstander van tweede kansen was.'

Maar ze was al weg en ik stond in mijn eentje op Route 76 naar de hemel te kijken, op zoek naar God.

'U houdt toch zoveel van me?' jammerde ik. 'Mooie manier om me dat te laten zien.'

Ik hoorde niets, alleen de trage klank van de eerste regenbui en het geluid van de wind, dat klonk als *shhhh.*

17

EEN ZAADJE

Even later zat ik in Vegas. Gaia deed een poging om me alles over de huwelijksvoltrekking te vertellen, maar ik zei, nogal knorrig, moet ik toegeven, dat het nergens voor nodig was. Ik wist het nog precies. Het defecte neonbord van de kapel waarop een gebroken hart opvlamde, als een slecht voorteken. De kitscherige plastic bloemen en de muzak van een elektronisch orgel in de lobby, de toupet van de ambtenaar die in de airconditioning flapperde als de vleugel van een dode vogel. Toby legde zijn geloften ginnegappend af. Ik weifelde voordat ik ja zei en wilde het liefst vragen wat het huwelijk betekende, hoe je geacht werd te weten dat dit de ware was. Hoe het voelde om echt van iemand te houden in plaats van, zoals zo vaak in mijn geval, tot over je oren te verdrinken in een diepgewortelde behoefte om te horen dat je niet deugt. Ik bedacht dat dit misschien niet het beste moment was om dit soort discussies aan te gaan en dat ik maar beter gewoon ja kon zeggen, dan zouden we nog lang en gelukkig leven. Natuurlijk.

De huwelijksreis ging een week later van start. Ze namen al hun spaargeld op en kochten twee tickets naar Newcastle upon Tyne in het noordoosten van Engeland. Margot holde door de kleine aankomsthal en sleepte Toby met zich mee, vol verlangen naar Graham, die ze drie jaar niet had gezien.

Ze liepen helemaal door tot de uitgang, maar Graham was nergens te bekennen.

'Zou hij het vergeten zijn?' vroeg Toby. 'Misschien kunnen we beter een taxi nemen.'

Margot schudde haar hoofd en zocht bezorgd de hal nog eens af. 'Natuurlijk is hij het niet vergeten. Hij heeft maar één dochter, hoor, geen vijftig.'

Toby knikte en ging op zijn koffer zitten.

Toen ik hem aan de andere kant van de aankomsthal zag verschijnen, als een schim van zichzelf, boog ik me naar Margot toe en zei: *Daar is hij.*

Ze draaide zich om en keek recht naar de gedaante bij de ingang.

'Is dat hem?' vroeg Toby, die haar blik volgde.

'Nee. Die man is veel te mager. En hij loopt met een stok. Papa zou inmiddels op ons af komen rennen.'

De gedaante bleef een moment staan om naar haar te kijken. Hij kwam langzaam dichterbij, veranderde met elke wankele stap van een schaduw in een man, tot ze hem herkende als een broodmagere, sterk verouderde Graham.

Het kostte Margot de grootste moeite om de bejaarde man met zijn schuifelende tred te verenigen met het beeld dat ze in haar hoofd had van haar papa. Ik herinnerde me dit moment zo pijnlijk helder dat ik het amper kon aanzien, want Margot kreeg heel wat verbijsterende veranderingen te verstouwen: de man met de kerstmanbuik, de brede schouders en grove slagershanden was tijdens haar afwezigheid vervangen door een versie van Graham die eruitzag als iemand die zojuist door de Sahara was gestrompeld. Van zijn dikke bos haar restten alleen nog wat plukjes piekhaar, zijn blozende wangen waren ingevallen en zijn ogen – dat was nog het ergste – stonden humorloos en gelaten.

'Papa?' stamelde Margot, als aan de grond genageld.

Toby hoorde de paniek in haar stem. Hij keek van Margot naar de gestalte die met zijn armen losjes uitgeslagen op hen afsjokte, en liep hem tegemoet.

'Graham, neem ik aan,' zei hij, en hij greep opgewekt Grahams slappe hand beet, waardoor hij hem nog net kon opvangen voordat hij zou struikelen.

Margot sloeg haar handen voor haar gezicht. *Rustig aan*, zei ik tegen haar. *Hou je in, lieverd. Papa heeft er helemaal niets aan als jij de waterlanders laat stromen.*

Dat waren dappere woorden, want zelf was ik me ook wezenloos van hem geschrokken, niet door zijn fysieke toestand, maar door zijn aura: het licht rond zijn hart was in tientallen slierten gebroken, die slap afhingen en nog maar heel zachtjes pulseerden, als het sijpelende bloed uit een wond die maar niet wil genezen. Boven zijn hoofd was het energieke vuurwerk van zijn intelligentie en creativiteit afgezwakt tot wat vochtige lontjes, die slap naar beneden hingen alsof het mistte.

Het lag in de aard van het beestje dat Graham Toby goedkeurend op de rug klopte voordat hij hem opzijschoof om Margot te omhelzen. Met de tranen op haar wangen drukte ze haar gezicht tegen zijn schouder en pakte ze hem stevig vast.

'Papa,' zei ze zachtjes, en ze ademde zijn geur in.

Graham zei niets. Hij snikte het uit in haar haren.

Eenmaal thuis kroop Margot meteen in bed om van haar jetlag af te komen, terwijl Toby door de boekenplanken neusde, vol boeken met Grahams foto op de achterflap, maar die geschreven waren door een zekere Lewis Sharpe. Gaia, Bonnie, de twee mannen en ik zaten bij het knapperende haardvuur toen Graham vroeg: 'Hoe heb je het voor elkaar gekregen om haar jawoord te krijgen?'

Toby kuchte in zijn vuist. 'Ach, het aanzoek. Nou, ik haalde de ring tevoorschijn, om het wat kracht bij te zetten, natuurlijk, en toen stelde ik de vraag der vragen...'

Graham glimlachte slapjes. Hij boog licht naar voren en legde zijn ellebogen op zijn schoot. Ik zag dat zijn rechtermondhoek iets afhing. 'Nee, dat bedoel ik niet. We hebben het over Margot. Het is makkelijker een kolibrie te vangen met een lasso dan een eerbare vrouw te maken van Margot, dat zei mijn vrouw steevast. Margot is altijd een wild veulen geweest. Wat is er veranderd?'

Toby liet Grahams woorden tot zich doordringen, en het duurde even voordat hij antwoord gaf. Ik keek verdrietig naar de foto's van Margot en Irina op de schoorsteenmantel. Ik had nooit geweten dat papa zo over me dacht.

'Tja,' zei Toby, aan zijn kin krabbend. 'Ik weet dat Margot zo kan overkomen. Wat dat betreft slaat u de spijker op zijn kop. Toch denk ik dat ze dit diep vanbinnen juist het liefste wil van de hele wereld. Ze doet zo nonchalant en onverschillig omdat het leven haar heeft geleerd dat het pijn kan doen als je je aan iemand hecht.'

Graham knikte. Hij tastte traag naar de whiskyfles op het bijzettafeltje en schonk hun allebei in.

'Ik moet je iets vertellen,' zei hij stilletjes.

Iets in de klank van Grahams stem alarmeerde Toby en hij schoof met een knikje dichterbij.

'Ik ben stervende,' zei hij.

Er viel een lange stilte toen de ernst van deze woorden tot hem doordong. 'Ik eh... dat is... dat vind ik heel erg, meneer.'

Graham wuifde met zijn handen als om aan te geven dat hij zich overgaf. 'Daar gaat het niet om. Dat is slechts de inleiding.' Hij schraapte zijn keel. 'Ik heb er vrede mee dat ik stervende ben. Mijn vrouw is ergens daarboven en ik verheug me erop om haar weer te zien. Maar,' hij ging op het puntje van zijn stoel zitten en kwam zo dichtbij dat Toby de gloed van het vuur in zijn ogen weerkaatst zag, '... ik kan pas rustig sterven als ik weet dat jij de zorg voor Margot van me overneemt.'

Toby leunde achterover en las de bezorgdheid op Grahams gezicht. Nu was alles duidelijk. Hij krabde over zijn kin en glimlachte. Grahams ernstige vraag werd verlicht door het gevoel van vreugde dat hem overspoelde. Hij vond het fijn dat Graham het zo belangrijk vond. Hij was blij dat Graham hem zoiets kostbaars toevertrouwde als zijn enige dochter.

Uiteindelijk gaf hij het enige antwoord dat hij kon garanderen: 'Ik zal haar nooit laten vallen. Dat beloof ik.'

Het vuur doofde langzaam uit. Graham glimlachte om Toby's woordkeuze, liet zich achteroverzakken in zijn fauteuil en viel prompt in slaap.

Later, toen Toby naast Margot in bed lag, nog steeds in de tijdzone van New York, keek hij naar haar slapende gezicht en dacht na over Grahams verzoek. Hij wreef over zijn wangen en zocht naar de beste manier om het haar te vertellen. Toen dacht hij aan wat Graham over haar had gezegd. Makkelijker om een kolibrie te vangen met een lasso dan een eerzame vrouw van Margot te maken. Hij grijnsde. En plotseling kwam uit het niets de ijslaag weer opzetten. Gaia en ik keken elkaar aan. De laag was dikker dan we ooit hadden gezien, hard en glazig. We sloegen Toby gade terwijl hij op zijn beurt aandachtig naar Margot lag te kijken en ik besefte: hij heeft een enorm risico genomen door met mij te trouwen. Toby's grootste, verlammende angst was om mij te verliezen, en niet alleen vanwege de belofte die hij Graham had gedaan. Ik heb altijd geweten dat hij op jonge leeftijd zijn moeder had verloren, maar nu zag ik dat dat verlies zijn leven op alle fronten had beïnvloed. Het hing met grote letters boven al zijn overtuigingen en overschaduwde zijn levensvisie. Stel dat Margot hem zou verlaten? Stel dat het allemaal ineens afgelopen zou zijn? Wat dan?

Op dat ogenblik besloot ik dat ik alles zou doen om te zorgen dat het werkte. Ik zou elke dag opnieuw het Lied der Zielen zingen, de hele dag door als het moest. Ik zou al Toby's goede eigenschappen in haar oor fluisteren, haar inblazen wat ze moest doen om hun huwelijk tot een paradijs te maken in plaats van tot het vagevuur.

Maar wie hield ik voor de gek? Wat wist ik nou van een goed huwelijk?

Een week later moesten ze terug. Margot nam onwillig en huilend afscheid van papa, niet op het vliegveld, maar in de deuropening van zijn huis. Hier zag hij er tenminste minder verschrompeld uit dan in de drukte en het lawaai van de buitenwereld; thuis leek hij minder geknakt, alsof de onveranderde omgeving van de open haard, de foto's van mama en de soezende aanwezigheid van Gin, opgerold in zijn hoekje, hem opbeurden.

Terug in New York wachtte Toby en Margot echter een aantal verrassingen:

1. Toby's aanvraag voor een vaste aanstelling was afgewezen en zijn colleges waren gecanceld. Ze hadden hem niet meer nodig.
2. Zijn zolderetage was bij het nachtcafé getrokken en ingericht als restaurant. Wat ooit zijn woonkamer was geweest, stond nu vol tafeltjes met menukaarten erop. Toby's spullen waren in dozen gepakt en naast de vrieskist voor het vlees gezet, zodat al zijn boeken en schriften voorgoed naar dode koeien stonken.

Ze konden uit twee dingen kiezen: bij Bob intrekken of bij Sonya. Ze had hun de bovenverdieping van haar huis aangeboden tot Toby werk zou vinden. Ze verhuisden hun spullen naar Sonya en de eerste paar dagen was het heel gezellig. Sonya liet hen met rust. Margot bleef bij de Ierse pub werken en spaarde stiekem kwartjes en dubbeltjes op om zo snel mogelijk weer naar Engeland te kunnen. Toby bleef tot in de kleine uurtjes op het balkon zitten roken, starend naar de mensen in het huis aan de overkant, en probeerde in het reine te komen met het ergste van alles wat hun de laatste tijd overkomen was: hij had een writer's block.

De jongen sprak Margot aan toen ze op weg was naar haar werk. Ze was onlangs met haar studie gestopt – ze nam een jaartje vrij, maakte ze iedereen en vooral zichzelf wijs – en werkte zeven dagen in de week om te sparen. Ze had echter last van heimwee en voelde zich eenzaam en neerslachtig. Toby zwoegde om zijn roman te voltooien – een literair opus in briefvorm over een tragische held die ironisch genoeg probeert om zijn faalangst te overwinnen – en was tegelijkertijd op zoek naar werk. Hij probeerde het zelfs in de haven. De mannen in hun vuile overalls wierpen één blik op hem en stuurden hem weg. Ze zaten niet verlegen om iemand die korte verhalen kon schrijven. Ze hadden iemand nodig die zakken kolen van veertig kilo kon versjouwen, liefst honderd per dag.

Daarom leek – of beter gezegd, wás – de komst van de jongen zo geweldig getimed door Luciana en Pui. Ja hoor, ze waren er nog steeds, ondanks Sonya's recente bekering tot het geloof en een gezonde levensstijl. Ze was boeddhist en veganist geworden. Afgezien van de irritante neiging om iedereen om haar heen te bekeren (wist je dat je kanker krijgt van melk?) was ze gezonder en gelukkiger dan ooit en heel wat prettiger in de omgang dan vroeger. Ze had ook een betere invloed op Margot gekregen. Ik zou bijna vergeten dat ik jarenlang een wrok tegen haar gekoesterd had. De wrok die nu wortel begon te schieten in Margot.

Het zaadje van die wrok zat in de zak van die jongeman. Een proefmonster, zei hij, van het spul dat hij Sonya vroeger verkocht. Als Margot het lekker vond, als het iets voor haar was, dan kon hij de week daarop terugkomen en kreeg ze een fikse korting van hem. Margot nam hem van top tot teen op. Hij was niet ouder dan zeventien. Hij zag er helemaal niet louche uit – iets wat ik totaal anders zag, dat kun je van me aannemen. Best een aardige vent, eigenlijk. Hoe heet dat spul, wilde ze weten. Lyserginezuurdiethylamide, zei hij, ook wel de gelukspil genoemd. En hij zwaaide ten afscheid.

Handenwringend probeerde ik me dit moment te herinneren. Het probleem met drugs is dat ze de geest vertroebelen. Tot slot zei ik een gebedje en sprak ik haar ernstig toe. *Margot*, zei ik. *Dat spul is puur gif. Dat wil je niet in je lijf stoppen. Het maakt je leven kapot.* In de meeste clichés schuilt veel wijsheid.

Ze hoorde me niet. En toen de jongen een week later terugkwam, en de week daarop en de week daarop, kocht Margot steeds meer van zijn zaadjes. Ze schoten wortel en er groeiden afgrijselijke bloemen uit.

Toby's boek was af. Hij had zijn writer's block genezen door zich dagen- en nachtenlang letterlijk op te sluiten in het zijkamertje en verwoed door te tikken op Grahams oude schrijfmachine. Hij had niet gemerkt dat Margot veranderd was. Hij tikte het woord 'Einde' – een gewoonte van hem, ook al haalde de uitgever het altijd weg – en klom op zijn stoel om uitgelaten in de lucht te boksen. Hij haalde alle sloten van de deur en riep: 'Margot? Margot, mijn lief, het is af. Kom, we gaan ergens eten.'

Hij trof haar aan in de woonkamer, waar ze als een dolle boeken uit de boekenkasten trok en op de grond smeet, de kussens van de bank zwiepte en schoenen van de vloer raapte en uitschudde alsof ze hoopte dat er iets in zat. Om haar heen zweefde een wolk van witte veertjes uit de matras die ze had opengesneden.

'Margot?'

Ze negeerde hem en ging door met zoeken.

'Margot, wat is er met je? Margot!' Hij greep haar bij de schouders en keek haar bezorgd aan. 'Lieverd, wat ben je kwijt?'

Haar verstand, wilde ik zeggen, maar het was geen moment voor grapjes. Toby had zelfs nog nooit een joint gerookt en hij had dan ook geen idee wat er aan de hand was. Margot was in de greep van een verslaving, waarvan ik maar al te goed wist dat het jaren zou duren om ervan af te komen. Zo zag het er dan ook uit. Vergelijkbaar met het lotskoord dat ik bij Una en Ben had gezien, zat Margots verslaving strak om haar hart gewonden en waaierde zich vandaar uit om haar organen, aderen en bloedcellen te drenken in behoefte.

Margot staarde Toby wezenloos aan.

'Blijf van me af.'

Hij liet haar los en keek haar onthutst en verdrietig aan.

'Je kunt me gerust vertellen wat je kwijt bent, dan gaan we er samen naar zoeken.'

'Nee, dat kan niet. Hij komt er zo aan.'

Stilte.

'Wie komt er zo aan?'

'Ik weet niet hoe hij heet.'

'Wat komt hij dan doen? Komt hij hiernaartoe? Margot?'

Hij probeerde haar weer beet te pakken, maar ze duwde hem van zich af en holde naar beneden. Toby, Gaia en ik volgden in haar kielzog.

Sonya zat in de keuken te lezen, achter een kom misosoep. Margot stapte op haar af en hield haar hand op.

'Ik heb honderd dollar nodig.' Dat was een flink bedrag in de jaren tachtig.

Sonya staarde haar aan. Ze dacht eerst dat ze een grapje maakte, tot ze Margots ogen zag en haar bezwete gezicht en trillende hand in zich opnam. Ze zette haar soep neer en kwam overeind.

'Margie, wat heb je gebruikt, lieverd? Dit is helemaal niets voor jou...'

Toby kwam tussenbeide. 'Volgens mij is ze ziek. Heerst er geen gele koorts of zoiets?'

Sonya legde hem met een handgebaar het zwijgen op. 'Dit is geen gele koorts, schatje.'

'Schatje?' Margot. De paranoia sloeg keihard toe. Ze keek van Toby naar Sonya en weer terug. Ze wilden haar niet geven wat ze nodig had. Ze speelden onder één hoedje. Ze wilden van haar af. Nee, wacht. Ze gingen met elkaar naar bed.

'Ze moet zo snel mogelijk naar de dokter.' Sonya tegen Toby.

'Ben je met haar naar bed geweest?' Margot tegen Toby.

'Kan iemand me vertellen wat hier aan de hand is?' Toby tegen de lucht.

Een klop op de deur. Aha, meneer de zeventienjarige drugdealer. Kom erin.

Sonya beende de woonkamer door en zwaaide de deur open. Ze herkende hem onmiddellijk.

'Patrick?'

'Hoi.' Hij keek langs Sonya heen naar Margot.

'Ik heb jullie al gezegd dat ik... Je komt toch niet voor Margot?'

Daar moest Patrick over nadenken. 'Eh... niet dan?'

Toby liet Margot los en ging naast Sonya staan.

'Wie is die vent? Wat moet hij van Margot?'

Patrick had iets in zijn hand.

'Geef op,' schreeuwde Sonya, en voordat hij het in zijn zak kon steken, schoot Toby naar voren en griste het voorwerp uit zijn handen.

Een gouden medaillon.

'Is dit voor Margot?' vroeg Toby stilletjes. Hij wierp een blik over zijn schouder naar Margot, het hart klopte in zijn keel en de ijslaag kwam razendsnel opzetten.

'Nee, het is van mij,' zei Sonya, en ze pakte het uit zijn handen. 'Kijk maar.' Ze deed het medaillon open en liet de twee fototjes van haar ouders zien. 'Hoe kom je hieraan, Patrick? Heb je het van me gestolen?'

Patrick begon te stotteren. 'Het is minder waard dan ze had gezegd,' zei hij met een gebaar naar Margot. En daarop maakte hij zich als een haas uit de voeten.

Ach ja, een van mijn fraaiste momenten. Ik kon me er uiteraard niets van herinneren. Ik had alle gevoel voor de werkelijkheid verloren. Margot liep rondjes op het berenvel voor de haard en wapperde huilend met haar handen. Toby ging naar haar toe.

'Lieverd? Margot?' Ze bleef staan en hief haar ogen naar hem op. 'Het spijt me, lieverd. Het is mijn schuld. Ik heb veel te lang aan dat stomme boek van me gewerkt...' Hij nam met een teder gebaar haar gezicht in zijn handen, de tranen brandden in zijn ogen. 'Ik maak het allemaal weer goed, dat beloof ik je.'

Hij boog zich naar haar toe om haar een kus te geven. Ze duwde hem ruw weg en stapte op Sonya af.

'Je kunt niet zomaar met andermans man naar bed,' gilde ze. Ze haalde uit en sloeg haar keihard in het gezicht.

Sonya deinsde terug, met haar hand tegen haar wang. Ze inspecteerde haar lip, die bloedde op de plek waar Margots trouwring haar had geraakt.

'Jullie kunnen je spullen pakken en vertrekken.' Ze keek naar Toby.

Hij knikte. 'Mag ik haar eerst naar de dokter brengen?'

Dat was het moment waarop Luciana en Pui uit hun hoek van de kamer kropen en als wolven om Margot heen begonnen te cirkelen. Ze fluisterden haar toe, flemend als jonge poesjes:

Hij heeft Sonya altijd leuker gevonden dan jou. Dat is de enige reden waarom hij met jou is getrouwd. Om dichter bij haar te kunnen zijn. Mooie, grappige Sonya. Heel anders dan jij.

Net toen ik op het punt stond om die twee eens flink de waarheid te zeggen, trok er een bekend gevoel door mijn vleugels en voerde de stroom een stem naar mijn hoofd: *Leg je hand op haar hoofd en denk aan Toby*. En dus ging ik pal voor Margot staan, legde mijn hand op haar voorhoofd en vulde haar gedachten met alle goede herinneringen aan Toby en haar, van die avond dat ze gingen roeien op de Hudson, de tocht naar Vegas, zijn belofte haar eeuwig trouw te blijven en het gevoel, diep in haar hart, dat hij dat altijd zou blijven.

Ze zakte op haar knieën en huilde met diepe, droge snikken.

Sonya rommelde wat in de keuken en kwam even later terug met een glas water en een Xanax. 'Voor haar,' zei ze tegen Toby.

'Nee,' riep hij uit. 'Geen drugs meer.'

Ze drukte het glas in zijn ene hand en de pil in zijn andere. 'Ze valt ervan in slaap, dan kun jij intussen bedenken wat je hiermee aan moet. Ze ziet eruit alsof ze in geen dagen geslapen heeft.'

Ze had gelijk, Margot had nachtenlang niet geslapen. Toby had er niets van gemerkt.

Hij gaf Margot met tegenzin de pil.

Is dit de gelukspil, Toby? Ja, Margot, het is de gelukspil. Oké, Toby. Drink je glas leeg, Margot. Goed, Toby.

Even later lag ze opgerold op de bank te slapen.

Sonya kwam de keuken uit met een mok koffie voor Toby. 'Het spijt me, Tobber, maar ik pik het niet dat ze mijn spullen jat. Dit is nog van mijn moeder geweest.' Ze hield het medaillon omhoog.

Toby kroop naast Margot op de bank en zat zachtjes te huilen, terwijl Sonya uitlegde wat dit middel aanrichtte, wat hem te doen stond en hoe hij haar kon helpen om af te kicken. Voor het eerst in decennia dacht ik: ze was een ware vriendin. De beste die ik ooit heb gehad.

Ik nam het haar niet kwalijk toen ze voet bij stuk hield en Toby en Margot de deur wees, nadat Margot twee weken het bed had gehouden, twee weken zonder drugs. Ze beloofde dat ze vrienden zouden blijven. Ze hielp hen zelfs met de verhuizing naar het appartement op Tenth Avenue.

Na deze zondeval was de reis terug een klim zonder touwen tegen een steile rotswand op. Margot weigerde om hulp te zoeken en kickte af op de ouderwetse manier: in bed, met de deur op slot, omringd door boeken, water en kussens om in te schreeuwen toen de eerste afkickverschijnselen zich voordeden. Toby zette koffie voor haar en hield haar op de hoogte van de gebeurtenissen in de buitenwereld. Pat Tabler gaat weg bij de Yankees, hij is verkocht aan de Cubs. Reagan heeft vandaag de eerste vrouwelijke rechter van het Hooggerechtshof benoemd. Simon en Garfunkel hebben een gratis concert gegeven in Central Park. Nee, ik hoefde er niet heen. Ik wilde liever hier blijven om koffie voor je te zetten.

Toen ze haar eerste schreden buiten de slaapkamer en op weg naar genezing zette, vond Toby een baan op een middelbare school. Op advies van Gaia zette hij Margot aan het werk en vroeg haar om zijn nieuwe boek te redigeren voordat hij het naar de uitgever stuurde; ze bloeide op, nu ze zich weer helemaal in een tekst kon vastbijten. Net als ik. Ik vond het een feest om het manuscript van Toby's eerste boek te lezen, waarvan de eerste druk trouwens binnen twee maanden was uitverkocht. Ik las met Margot mee, deed suggesties, zette haar redactionele blik op scherp en zorgde dat ze elke scène, elk personage onder de loep nam. Voor het eerst in tijden luisterde ze naar me.

En toen, op een ochtend, merkte ik het. Schoolkinderen renden door de straat met uitgesneden pompoenen en spookmaskers. De herfstbladeren waaiden tegen de buitentrap. *Je bent zwanger*, zei ik tegen Margot. Nee, hoor, dacht ze. *Doe dan een testje*, zei ik. *Je zult het zien. Je zult het zien.*

18

BERICHTEN IN HET WATER

Volgens mij klopt het wat mensen zeggen: het moederschap is de tweede keer in alle opzichten leuker.

Of misschien was ik er ditmaal meer aan toe. Ik weet het niet. Maar zodra ik dat lichtpuntje diep binnen in haar zag, zette ik al mijn wilskracht in om te zorgen dat het aan zijn morsecode begon, aan zijn trillende ritme van het bestaan. Ik keek ademloos toe hoe Margots lichaam de tere melodie van dit nieuwe leventje keer op keer bedreigde met virussen, toxinen en hormoonwisselingen. Het lichtpuntje hield echter dapper stand, als een piepkleine gedaante die zich stevig vastklemde aan een zinkende mast in rode rukwinden.

Ze vertelde het aan Toby. Gaia juichte en maakte een sprongetje van vreugde – ik had het haar nog niet verteld, alleen om deze reactie te zien – en Toby deed een stapje achteruit, zag de teleurstelling op Margots gezicht en deed zijn best om zijn opwinding in toom te houden.

'Een baby, nou, dat is niet niks. Dat is... Dat is fantastisch, hè? Vind je niet?'

Margot haalde haar schouders op en sloeg haar armen over elkaar. Toby pakte haar bij de schouders en trok haar tegen zich aan.

'Het is goed, lieverd. We hoeven het niet te houden als je niet wilt.'

Ze duwde hem van zich af. 'Ik weet heus wel dat je geen kind van me wilt...'

Projecties van haar eigen gevoelens. Ik stapte uit het verblindende licht van de zon en trok me terug in de schaduw.

'Ik heb al geprobeerd om het weg te halen,' zuchtte ze, haar ogen vol tranen. Leugens. Ze testte hem uit.

Toby's gezicht betrok. Een lange stilte. Een ernstige uitdrukking op zijn gezicht. Hier is de aardverschuiving begonnen, dacht ik.

'Meen je dat?'

'Uh-huh. Ik heb geprobeerd... mezelf van de trap te laten vallen. Maar het heeft niet geholpen.' Nog meer leugens. Ze sloeg haar armen om zich heen.

Opluchting en woede streden om voorrang op Toby's gezicht. Hij sloot zijn ogen. Gaia sloeg haar armen om hem heen en sprak hem toe: *Ze wil van je horen dat je haar niet in de steek laat.*

Ze keerde hem de rug toe en ging naar het raam, en hij liet haar gaan, met zijn armen slap langs zijn lichaam. 'Ik zal je nooit in de steek laten, Margot. De baby is van ons samen.' En dan, iets minder overtuigd: 'We zijn getrouwd.'

Met de grootste omzichtigheid ging hij naar haar toe. Toen ze niet terugdeinsde, sloeg hij zijn armen achterlangs om haar heen en legde zijn handpalmen op haar buik.

'Onze baby,' zei hij zachtjes. Haar gezicht lichtte op en ze keerde zich langzaam naar hem toe om zich te laten omhelzen.

Ik was een groot deel van Margots zwangerschap bezig me pijnlijk helder te herinneren wat ik allemaal had gedaan om de werkelijkheid te ontvluchten, slingerend tussen schaamte en extase. Schaamte als ze marihuana zat te roken bij Sonya, terwijl Toby aan het werk was. Schaamte over de leugens die ze uitkraamde ('Is dat niet slecht voor de baby, Margie?' 'Nee hoor, als ik relaxt ben, krijgt de baby meer vitaminen binnen.' Enzovoort). Schaamte over het zichtbare effect van de drugs op het zwakker wordende lichtje in haar lichaam. Schaamte over haar gedachten (misschien moet ik toch proberen van de trap af te vallen, wie weet heb ik mazzel en raak ik het kwijt enzovoort). Tot ze het van de ene dag op de andere toch leuk begon te vinden en ze bijna net zo blij werd als ik. We glunderden van blijdschap bij de schaduwen van Theo's gezicht die zich loom begonnen af te tekenen in het licht in Margots buik, voelden dezelfde verwondering toen er een voetje tegen haar buikwand schopte en dezelfde opwinding over het plotselinge, volle besef dat er echt een baby in haar groeide, dat dit echt was.

Luciana en Pui waren verhuisd naar de vensterbank van het appartement van Toby en Margot. 'Als katten voor het muizenhol, hè?' schreeuwde ik hun toe, en dan keken ze me dreigend aan en stookten ze Margot op om naar Sonya te gaan voor een extra portie vitaminen voor de baby. Dan zorgde ik dat Theo begon te schoppen en besloot Margot dat ze geen zin had om naar Sonya te gaan. Ze besloot om naar Inwood Hill Park te lopen voor frisse lucht en om eens iets anders te zien. En dat deed ze, elke dag.

Ik herkende de oude, roodbruine deur van het appartement tegenover dat van Margot, met de lange slierten omgekrulde verf aan de onderkant. Het was Margot opgevallen dat de kranten en melkflessen niet naar binnen werden gehaald. Ze wist vrij zeker dat er iemand woonde. Ze zag 's nachts geregeld licht branden in de woonkamer, en 's morgens was het altijd weer uit. De gordijnen waren steevast gesloten. In een buurt als deze waren de mensen erg op zichzelf. Margot weifelde. Moest ze niet eens een kijkje gaan nemen? *Ja*, zei ik. Ze keek naar haar dikke buik. *Het is oké, meid*, zei ik. *Er gebeurt je niks. Toe maar, ga maar.*

De voordeur stond op een kier. Voor de zekerheid klopte ze aan. Geen reactie. 'Hallo?' riep ze. Ze duwde de deur wat verder open, haar vingers gleden door het stof. 'Is er iemand thuis?'

De lucht sloeg haar in het gezicht als een vuile lap. Vuilnis, vocht en uitwerpselen. Ze snoof en sloeg haar hand voor haar mond en neus. Ik aarzelde. Ja, ik wist wie daar woonde, maar ik wist niet meer zo zeker of ik deze ontmoeting wel moest aanmoedigen. Plotseling klopten er weer berichten in het water dat langs mijn rug stroomde: *Ze is hier dringend nodig. Stuur haar naar binnen.*

Voordat Margot zich kon bedenken, hoorde ze een schorre stem roepen: 'Wie is daar?'

Een vrouwenstem. De stem van een stokoude, ernstig zieke vrouw. Rose Workman. Ik rende voor Margot uit de donkere, sjofele kamer in naar de gedaante op de bank, popelend om Rose' gezicht weer te zien, gerimpeld als een vel papier dat verfrommeld in de vuilnisbak was gegooid om dan weer gladgestreken te worden, de zware ringen aan haar lange, zwarte vingers als munten die op haar knokkels balanceerden en allemaal een eigen verhaal hadden. Verhalen die ik nooit was vergeten.

De gedaante op de bank was Rose Workman niet. Een dikke blanke man, naakt tot aan zijn middel, gooide een deken van zich af en gromde naar me. Het was een demon. Ik deinsde geschrokken en verbouwereerd achteruit.

'Hallo? Wie is daar?' Rose' stem vanuit de keuken, haar tikkende wandelstok ondersteunde het ritme van haar schuifelende voeten in het schemerduister. Margot liep aarzelend naar haar toe.

'Dag mevrouw,' zei ze, zowel opgelucht als met iets van walging. 'Ik woon hiernaast. Ik kwam even gedag zeggen.'

Rose schoof haar bril naar haar voorhoofd en nam Margot aandachtig op. Ze schonk haar een brede glimlach, liefdevol als een thuiskomst, waarbij haar ogen als donkere spleetjes in de diepe rimpels van haar gezicht verdwenen. 'Kom binnen, kindje, kom binnen. Ik krijg nooit visite, vrouwtje.'

Margot volgde haar naar de keuken en nam de haveloze, vochtige wanden in zich op, de laag stof op de gammele eettafel, de echo van haar hakken op de kale vloerplanken. Toen ze de oude man op de bank voorbijliep, rilde ze. Ze wilde hier weg. En ik ook.

De demon sprong op en kwam dreigend op me af. 300 pond wit vlees met prikogen vol haat in een woedend gezicht, en naakt tot aan zijn middel. Hij torende gemelijk boven me uit en gaf me een flinke zet. 'Jij hebt hier niks te zoeken,' bulderde hij. Ik plantte mijn voeten stevig op de grond, hield één oog op Margot en Rose in de keuken en keek intussen om me heen of ik Rose' engel ergens zag. Hij maakte aanstalten voor de volgende aanval, maar ik hield mijn hand op en weerde hem af met een vlammende kanonskogel.

'Als je me nog één keer aanraakt, maak ik gehakt van je,' zei ik resoluut. Hij trok een wenkbrauw op en snoof. Een vlot weerwoord was kennelijk niet zijn sterke punt. Met een van woede vertrokken gezicht stak hij zijn wijsvinger naar me uit.

'Bemoei je met je eigen zaken,' mopperde hij, waarop hij weer op de bank ging liggen en de deken over zich heen trok. Ik stommelde geschokt de kamer rond en probeerde uit te dokteren hoe het kon bestaan dat hier wel een demon rondhing, maar geen engel.

Even later kwam Margot de keuken uit met een schaaltje koekjes in aluminiumfolie. Rose had haar arm om Margots schouders gelegd en vertelde haar het verhaal dat bij de ring aan haar linkerwijsvinger hoorde. Het had te maken met haar oudste zoon, die gesneuveld was in de oorlog. Ze liepen naar de voordeur.

'Sorry dat ik zo snel weg moet,' zei Margot. 'Ik heb met mijn man afgesproken in het park. Maar ik kom gauw weer.'

'Dat is je geraden ook,' zei Rose, en ze wuifde haar weg. Ik volgde haar, volledig uit het lood geslagen. Geen engel? Had Nan niet gezegd dat God geen van Zijn kinderen alleen laat?

De volgende dag klopte Margot weer bij Rose aan, evenals de dagen erna, tot ze soms wel driemaal per dag bij haar langsging. Net zoals ik vroeger van die bezoekjes genoot en me liet koesteren door de opgewekte geruststellingen van een vrouw die dertien kinderen op de wereld had gezet, en geboorte en moederschap tot mijn vreugde beschouwde als een geschenk in plaats van de hel die ik me erbij voorstelde, zo gruwde ik nu bij het zien van die afgebladderde voordeur en kon ik de dreigende woorden en schimpscheuten, de voortdurende aanvallen vanaf de bank, missen als kiespijn.

Uiteindelijk deed ik een beroep op Nan. Ik had haar sinds de strijd in Nevada niet meer gesproken en ik dacht dat onze wegen zich wellicht gesplitst hadden. Maar ik miste haar. En ik had haar vooral hard nodig.

Even later stond ze naast me. Ik begon met een knieval.

'Nan, het spijt me,' zei ik fluisterend. 'Het spijt me echt heel erg.'

Ze wuifde mijn excuses weg, altijd even kieskeurig over wat ze wel en niet wilde horen.

'Het geeft niet,' zei ze, na een stevige omhelzing. 'Je bent voor het eerst engel, je moet nog veel leren.'

Ik legde haar de situatie met de demon uit.

'Waarom heeft Rose geen engel?' vroeg ik. 'En wie is die walrus op de bank?'

Ze keek me oprecht verbaasd aan. 'Maar… weet je dan niet… Margot is Rose' engel.'

Pardon?

Ze schoot in de lach, maar toen ze mijn gezicht zag, werd ze weer ernstig. 'Wist je dat een mens meer dan één beschermengel kan hebben?'

Uh-huh.

'Wist je dan ook dat Rose' beschermengel onlangs een nieuwe beschermeling heeft gekregen?'

Nee. Maar ga door.

Ze zuchtte. 'Lieve Ruth, wanneer ga je deze nu eens gebruiken?' Ze tikte tegen mijn vleugels. 'Momenteel treedt Margot op als Rose' beschermengel.'

Ik keek haar stomverwonderd aan. Er was iets niet helemaal koosjer aan dit verhaal. Zoals het feit dat Margot een sterfelijk wezen was, bijvoorbeeld.

Nan haalde haar schouders op. 'Nou en?' zei ze. 'Niet alleen de doden treden op als engelen, lieverd. Waarom zou je anders ouders hebben? Of vrienden, broers en zussen, verpleegkundigen, dokters…'

'... Ik snap het,' loog ik. Ik snapte er niks van.

'Het is jouw taak om haar te beschermen tegen Ram.'

'De demon?'

'Ja. Je bent er waarschijnlijk al achter dat hij een sterke invloed heeft op Rose.'

Daar moest ik over nadenken. Wat ik ervan begrepen had, was dat hij om wat voor reden dan ook zijn intrek had genomen in Rose' leven, als een echtgenoot die ze niet durfde te verlaten. Voor zover ik het kon overzien, deed hij verder weinig. Rose ging naar de kerk. Ze had geen verslavingen. Ze had niemand vermoord. Ze kon het zelfs niet over haar hart verkrijgen om de kakkerlakken te vertrappen die naar hartelust over de keukenvloer stoven.

'Beter kijken,' adviseerde Nan. 'Dan zie je vanzelf wat hij wil en hoeveel grip hij op Rose heeft.'

Het gebeurde op de dag dat Rose Margot vertelde hoe ze aan de gouden muntring aan haar ringvinger was gekomen.

'Deze ring,' zei ze, terwijl ze er bedachtzaam op tikte, 'kwam in mijn leven op een middag toen ik nog een meisje was, hooguit twaalf jaar oud. Ik was op de boerderij van mijn vader, je weet wel, appels aan het rapen in de boomgaard naast de schuur. Het was zo heet dat je midden in het weiland een stuk vlees kon braden, gewoon in de zon, ik zweer het je. Zelfs de koeien hadden het niet meer, hun watertroggen waren al kurkdroog voor ze het veld over gestrompeld waren. Ik wist dat het niet mocht, maar ik kon het niet laten. Ik ging naar de rivier, kleedde me helemaal uit, zei een gebedje op en liet me in dat koele, zwarte water glijden. Ik ging zelfs met mijn hoofd onder water. Ik kan dat water nog steeds voelen, zo lekker als het door mijn haren en langs mijn blote benen stroomde... Ik had daar de hele middag wel willen blijven, als ik mijn adem maar lang genoeg had kunnen inhouden. Achteraf moest ik mijn adem heel wat langer inhouden dan ik had gewild. Eerst dacht ik dat ik door de stroming werd meegetrokken, je weet wel, verder de rivier af. En toen kreeg ik een warm gevoel in mijn enkel, dat overging in een brandende pijn, zo'n pijn dat ik begon te gillen als een speenvarken met kerst. Toen ik mijn ogen opendeed, zag het bloed eruit als vlammen in het water. Dwars door de bellen en het bloed heen zag ik een staart, de staart van een kaaiman, zo lang als een vrachtwagen. Het schoot me te binnen dat mijn vader me had geleerd dat hun oogbollen kwetsbaar zijn en dus probeerde ik dichter bij zijn snuit te komen en stak ik mijn duim keihard in zijn oog. Hij liet me een fractie van een seconde los en ik begon keihard te watertrappelen en kwam weer boven water, lang genoeg om adem te happen. Maar toen kreeg de kaaiman mijn andere been te pakken en trok hij me helemaal onder water. Ik bleef zo lang onder water dat ik dacht: nog één tel en ik ben bij Jezus. En net op dat moment werd ik door een man de snikhete dag in getrokken, naar de hitte van een nieuw begin. Van hem heb ik deze ring gekregen.'

Waren die verhalen waargebeurd of niet? Ik weet alleen dit: telkens wanneer Rose ze vertelde, scheen het licht om haar heen zo helder dat Ram van de bank af gleed en mopperend naar de achterdeur vertrok, grommend als een beer met hoofdpijn.

'Deze heb ik van mijn eerste man gekregen,' zei Rose met een blik op een foto vol spinrag van een knappe man. 'Hij zei tegen me: "Blijf altijd je verhalen vertellen, vertel ze maar aan de hele wereld". Hij ging een mooie pen voor me kopen en schriften met een leren kaft, en zei dat ik ze op moest schrijven. Dat deed ik, en ik ben er nooit meer mee gestopt.'

'Waar zijn die schriften?' vroeg Margot.

Rose wapperde met haar handen. 'Die ga ik niet allemaal zoeken, hoor. Het zijn er veel te veel.'

Margot raapte een gloednieuw schrift met een harde kaft van de vloer. 'Is dit het laatste?'

Rose hield haar kromme vingers omhoog. 'Ja, maar mijn hand doet te veel pijn. Ik kan niet meer schrijven.'

Margot begon hardop te lezen. Terwijl ze dat deed, waaierden de kleine parallelle werelden die in en uit Rose' aura vloeiden uit, tot ze de hele kamer vulden. Ik keek naar een filmmontage van beelden van Rose als kind, dat van haar ouders verhalen moest vertellen aan de gasten van hun pension in Louisiana; van Rose als moeder, driftig schrijvend naast een wiegje, en vervolgens van Rose zoals ze nu was, maar slanker en gezonder, gezeten aan een tafel onder de kruisvensters van de Low Library van de Columbia University, omringd door mannen in kostuums en dames in nette japonnen, glimlachend alsof ze voor een fotograaf poseerde, en iemand die haar een certificaat uitreikte. Toen ik me inspande om te lezen wat erop stond, wist ik niet wat ik zag: de Pulitzerprijs voor literatuur.

Het beeld veranderde in een close-up van datzelfde certificaat, dat ingelijst aan de wand van Rose' woonkamer hing, maar niet deze; de woonkamer in het visioen was driemaal groter en had een marmeren schouw, vaste vloerbedekking en ivoorkleurige, satijnen gordijnen voor de erkerramen. Een dienstmeisje was de talloze gouden lijstjes met foto's van Rose' dierbare zoons en kleinkinderen aan het afstoffen en – hier moest ik van huilen – de foto's toonden beelden van zoons bij hun afstuderen, foto's van hun diensttijd, en een van hen schudde de hand van president Reagan. Voor zover ik wist had geen van haar kinderen zelfs maar de middelbare school afgemaakt.

Het visioen vervaagde en ik stond bij te komen van de schok, toen ik besefte dat Ram weer binnen was gekomen.

Margot bladerde het schrift door. 'Dit is niet te geloven,' zei ze. 'Waarom heb je het nooit laten uitgeven?'

Dat was het moment waarop Ram zich ermee ging bemoeien. Hij ging naast Rose zitten en nam teder haar hand in de zijne: *Je bent niet goed genoeg, Rosie.*

Rose herhaalde zijn woorden en schudde haar hoofd: 'Ik ben niet goed genoeg, kindje.'

Boeken zijn voor rijkelui, niet voor jouw soort.

Rose, als een robot: 'Boeken zijn voor rijkelui, niet voor mijn soort.'

'Wat een flauwekul,' riep Margot uit. Ram keek op. 'Dit is schitterend. Je kunt prachtig schrijven.'

Ram ging harder praten: *Geld interesseert je niet. Geld haalt het slechtste in de mens naar boven.*

Rose herhaalde Rams woorden met een betrokken gezicht.

Margot keek beduusd. 'Wat jammer dat je er zo over denkt,' zei ze zachtjes. Toen kreeg ze een idee. Ik had er niets mee te maken. 'Mag ik je schriften aan mijn man laten zien? Hij is ook schrijver.'

Ram stond op. Hij trok zijn grote scheur open en begon Margot uit te schelden. Rose hield haar handen voor haar oren alsof ze een toeval kreeg. Margot stak haar hand naar haar uit.

'Rose, wat is er?'

Rose jammerde. 'Ga weg, alsjeblieft.' Daarna boog ze zich met bevende handen naar voren, klemde haar knobbelige vingers om die van Margot en vouwde ze om de rug van het schrift op haar schoot. Ram keek toe en stampte boos met zijn voet op de vloer. Rose opende haar mond om iets te zeggen, maar ze voelde Rams ongenoegen zwaar in de lucht hangen.

'Ga weg,' fluisterde ze opnieuw.

Margot keek verward van Rose naar het schrift en deed een aarzelende stap in de richting van de deur. Ram legde zijn hoofd in zijn nek en tuurde naar de oude houten ventilator boven haar hoofd.

'Als je het lef hebt,' dreigde ik, en ik ging tussen hen in staan. Met een zelfgenoegzame grijns sprong hij omhoog en gaf hij er een flinke ruk aan.

Aan de kant, riep ik Margot toe, voordat ik Ram aanvloog en hem tegen de grond werkte.

Toen Margot de deur van het appartement achter zich dichttrok, zag ik bij de ventilator het pleisterwerk van het plafond komen. Rose brulde het uit. Ram schoot met trillende neusvleugels overeind en keek me dreigend aan. Hij boog door zijn knieën en maakte zich klaar voor de aanval, totdat plotsklaps, zonder enige waarschuwing, het water op mijn rug veranderde in vuur. Rams mond viel open en hij dook in elkaar, om zich vervolgens als een kakkerlak te verschuilen in de fotolijst van Rose' eerste man.

Daarop gebeurde er iets onbegrijpelijks. Rose ging pal voor me staan, met een serene glimlach op haar gezicht. Ze keek me recht in de ogen.

'Ik ben er klaar voor,' zei ze. 'Zorg dat die man me niet langer lastigvalt. Neem me mee naar huis.'

Ik nam haar uitgestoken handen in de mijne. Ik voelde haar in alle rust mijn lichaam in wandelen, tot ze via mijn vleugels oploste in het niets.

Die nacht bleef ik in Rose' appartement. Ik dwaalde door de kamers, bekeek de foto's die haar zo dierbaar waren geweest, huilde om de lege keukenkastjes, de ratten die tam onder haar bed zaten, het smerige water dat uit de oude kraan sijpelde. Ik pijnigde mijn hersenen om te begrijpen waarom ze voor deze plek had gekozen, waarom ze het zichzelf had aangedaan om schuw onder het juk van een demon te kruipen in plaats van het leven te leiden dat voor haar bestemd was. Het antwoord kon ik niet vinden.

In plaats daarvan deed ik wat nodig was. Toen Margot de volgende dag langskwam en Rose op de bank zag liggen, toen ze met stokkende adem huilend door haar knieën zakte, nam ik haar in mijn armen en fluisterde in haar oor dat ze flink moest zijn, dat ze tot bedaren moest komen en de schriften hier niet mocht achterlaten. Nadat ze de ambulance had gebeld, ging ze naar boven en opende ze de kast naast Rose' bed. Er zaten geen kleren in, alleen tientallen schriften volgekrabbeld met Rose' handschrift. Ze had een paar koffers nodig om ze allemaal in te stoppen en voordat de ambulance kwam, sleepte ze ze samen met Toby de gang door naar hun eigen flat.

Niet lang daarna belde Toby's uitgever. Hij had wel interesse in Rose' schriften, maar ze moesten flink geredigeerd worden en daar had hij geen tijd voor. Was Margot de volgende dag misschien beschikbaar? Ze wierp een blik op haar dikke buik en deed een schietgebedje dat de baby nog even zou blijven zitten.

Ja, zei ze. Ik ben beschikbaar.

Ik moet het even kwijt: dit was een droom die werkelijkheid werd. Het had jaren in me gerijpt, als een geheim dat ik gezworen had nooit te verklappen, zo ongeveer als de baby, denk ik. Ik had nooit geweten wat ik wilde worden als ik groot was – misschien omdat ik niet wist of ik überhaupt wel groot zou worden – maar nu, nadat ik de boeken van Graham en Irina had doorgevlooid en urenlang over Toby's verhalen gebogen had gezeten om de waarheid in de fictie te vinden, de bloem in de knop, wist ik precies wat ik wilde doen.

Het grappige is dat ik met mijn neus in de perfecte baan viel. En ik zag het niet eens. Toen in elk geval niet. Ik liep die ochtend zelfverzekerd en vastberaden naast Margot.

Schattebout, zei ik, *als ik alles over mocht doen, was dit het enige wat ik precies zo zou doen*. Het leek eindelijk te gaan zoals ik het wilde.

Het kantoor van de uitgever was gevestigd aan Fifth Avenue, boven de befaamde delicatessenzaak die Paris jaren geleden zo onnavolgbaar blank had gezet. Ze verborg haar gezicht toen ze langs de eigenaar liep en we namen de trap naar de derde etage.

Hugo Benet, de directeur van Benet Books en de man met de witste, rechtste en grootste tanden die ik ooit had gezien, was een oudgediende in de uitgeverswereld. Hoe hij zijn best ook had gedaan, in al die tijd sinds hij uit zijn geboortestad Toronto was vertrokken was hij er nooit in geslaagd een goede assistente te vinden. De schriften waren een gouden vondst, verzekerde hij Margot. Hij was van plan om ze in delen uit te geven, maar uiteraard moesten ze eerst gedegen geredigeerd worden. Had zij misschien zin om die taak op zich te nemen?

Dat wist ze niet zeker.

Natuurlijk wel, zei ik.

'Natuurlijk,' zei ze, waarop ze het vocht langs haar dijen voelde lopen. Er ging een scheut van pijn door haar buik en ze moest haar tanden op elkaar klemmen om het niet uit te schreeuwen.

19

DE BUS

Tien uur later besloot Margot dat ze helemaal klaar was met bevallen. Ze bedacht dat het moederschap toch niets voor haar was, ze wilde helemaal geen kind en mocht ze dan nu naar huis, alsjeblieft.

De volgende wee overspoelde haar voordat ze haar smeekbede aan zuster Mae goed en wel had afgerond. Nee, mevrouw Poslusny, zei zuster Mae streng. Nog één keer persen en het kind is er. Als u uw energie zou gebruiken om te persen in plaats van zo tekeer te gaan, zou het een stuk sneller gaan. Dank u.

Margot schreeuwde moord en brand. Toby liep buiten op de gang te ijsberen en zei voor het eerst in jaren het sjema op.

Zuster Mae stak haar handen tussen Margots benen om de ligging van de baby te controleren. Die lag nog steeds hoog boven de baarmoederhals. Wat ze voelde was echter niet het hoofdje, maar een beentje. Ze wierp een blik op Margot. 'Ik ben zo terug,' zei ze, en ze haastte zich de kamer uit, op zoek naar een arts.

De volgende wee trok als een stalen tank door Margots lijf. Tjonge, ik wist nog precies hoe het voelde. Ze zeggen dat je het meteen weer vergeten bent, maar dat is niet waar. Hoewel het natuurlijk wel zo is dat je geheugen flink wordt opgefrist als je het nogmaals mag zien en beleven, zoals in mijn geval. Ik zag de bloederige kaken van de wee flink toehappen, sloot mijn ogen en legde mijn handen op haar buik. Op dat moment kreeg ik gezelschap van een andere engel. Een jonge man, begin twintig, met cappuccinokleurig haar dat langs zijn wangen streek en een kalme intensiteit in zijn blik. Hij kwam me heel bekend voor. Ik kneep mijn ogen tot spleetjes om hem eens goed te bekijken.

'Kennen wij elkaar?'

Hij wierp een huiverende blik op het tafereel in het ziekenhuisbed. 'James,' zei hij nerveus, zonder zijn ogen van Margot af te wenden. 'Ik ben Theo's beschermengel.'

Margot krijste het uit en deed verwoede pogingen om uit bed te kruipen.

Hou vol, zei ik. *Ik ga proberen om Theo te draaien.*

'Theo?' kreunde ze. Ik keek op. Ze had me gehoord. Nog een schok: ze keek me aan alsof ze me kon zien.

'Zuster!' Ze stak met een smekend gebaar haar handen naar me uit. 'Geef me iets tegen de pijn. Het kan me niet schelen wat. Ik hou het niet meer uit.'

Mijn ogen werden zo groot als schoteltjes, dat kan ik je wel vertellen. Het was ruim tien jaar geleden dat ze me voor het laatst had gezien. Een fractie van een seconde vroeg ik me af wat ze van me zou denken. Tot ze opnieuw begon te jammeren en me weer bij de les haalde.

De baby ligt in een stuit, zei ik kalm. *Ik ga proberen hem te draaien. Probeer zo stil mogelijk te blijven liggen.* Ik wierp een vluchtige blik op de deur. Stemgeluiden aan het einde van de gang. De zuster was in aantocht met de arts.

'Hoe weet je nou dat het een jongen is?' hijgde ze.

Ik negeerde haar en legde mijn hand op haar buik. Ik keek schuins naar James, die een beetje benauwd terugkeek. 'Kom hier staan,' zei ik. 'Jij bent toch Theo's engel?'

James knikte.

'Zorg dan dat die kleine zich omdraait, zodat hij goed komt te liggen.'

James legde zijn handen op de mijne en sloot zijn ogen, waarop er gouden licht door Margots lichaam stroomde. Ik kneep mijn ogen stijf dicht en toen de volgende wee zich aandiende, greep ik hem bij zijn kladden, trok eraan alsof het een ijzeren staaf was en rukte hem naar me toe. En net zoals Rose door me heen was gewandeld, schoot die ijzeren staaf dwars door me heen naar mijn vleugels, om zijn weg voort te zetten naar een ander deel van het universum. Margot haalde opgelucht adem.

Ik kon de baby zien, de kleine Theo die zich angstig en verward begon om te draaien. Margot gilde weer, de weeën vielen over haar heen als instortende wolkenkrabbers. Ik ging dichter bij haar hoofd staan en legde mijn hand op haar hart.

Probeer zo kalm mogelijk te blijven, zei ik. *Theo wil graag dat je zo rustig mogelijk ademhaalt, in en uit, in en uit.*

Ze ademde zo diep en beheerst in en uit als ze kon, en net toen James erin geslaagd was om de baby in de juiste positie te leggen en hem het laatste stukje op weg hielp naar de kille poorten van de buitenwereld, kwam de zuster binnen met de arts.

'Wel heb je ooit,' riep de zuster uit, want het babyhoofdje stond al en ze was nog net op tijd om Margot nog één keer uit alle macht te zien persen, waarna het kindje uit haar gleed met het hoofdje eerst.

'Mevrouw Poslusny,' zei de zuster met stokkende adem, 'u hebt een prachtige zoon.'

Margot tilde met moeite haar hoofd op. 'Theo,' zei ze. 'Volgens mij heet hij Theo.'

Theo Graham Poslusny, tien pond zwaar, kroop gretig tegen Margots borst en bleef drinken tot de avond viel.

Ze moest een paar weken in het ziekenhuis blijven omdat er complicaties waren met de placenta, en 's nachts rolden ze de baby naar de kinderafdeling, zodat zij kon slapen. Ik weet dat ik James zijn werk moest laten doen terwijl ik voor Margot bleef zorgen, maar ik kon er niets aan doen. Ik was smoorverliefd op dat blèrende roze wezentje in zijn plastic wiegje, dat plukje vuurrood haar dat schuilging onder het wollen mutsje dat Rose een paar maanden geleden had gebreid. Hij was zo hongerig dat hij de hele nacht naar een onzichtbare borst bleef zoeken, maar de verpleegkundigen kalmeerden hem met een speen en ik streelde zijn mooie gezichtje.

Uiteindelijk sprak James me erop aan. Dat was heel dapper van hem.

'Hoor eens,' zei hij, nadat hij een tijdje in stilte naast me bij Theo's wiegje had gestaan. 'Het is mijn taak om op Theo te passen. Jij wordt geacht bij Margot te blijven.'

Ik keek langs hem heen naar Margot. Ik kon haar dwars door het gesloten gordijn rond haar ziekenhuisbed zien liggen. Ze was diep in slaap.

'Vind je soms dat ik niet goed op haar pas? Ik kan haar van hieruit prima in de gaten houden. Of ben je vergeten dat ik een engel ben? We kunnen dit soort dingen nu eenmaal, weet je nog?'

Hij hield zijn hoofd scheef en fronste zijn wenkbrauwen.

'Vind je het goed als ik je vertel wat mijn relatie met Theo is?'

'Ik hoef helemaal niet te weten wat jouw relatie met Theo is. Ik wil maar één ding, dat je voorkomt dat hij levenslang krijgt voor moord.'

Vanuit mijn ooghoek zag ik dat hij achteruitdeinsde. Misschien heb ik hem iets te hard aangepakt, dacht ik. Hij was vast een ver familielid van Toby, een oom of zo. In elk geval had hij het niet verdiend om zo afgebekt te worden. Maar om eerlijk te zijn wilde ik Theo helemaal alleen voor mezelf houden. Ik kreeg een kans waarvan ik nooit had gedacht dat ik hem zou krijgen, en waarvan ik niet eens wist dat ik hem wilde, om helemaal opnieuw het wonder te ervaren van mijn eerstgeborene. Ik voelde me net een wolvin die grauwend alle roofdieren op afstand hield. Ik wilde dat James de tweede viool ging spelen. Hij was echter toegewijder dan dat.

Ik draaide me om en keek hem aan. 'Sorry, oké?' zei ik en ik stak mijn hand uit in een gebaar van oprechte spijt. Hij keek me diep in de ogen en zweeg. Zo bleven we elkaar aanstaren, terwijl ik steeds dieper wegzonk in de echo van mijn nonchalante woorden en James zwijgend weigerde mijn halfhartige excuses te aanvaarden. Tot slot, toen Theo klaaglijk begon te huilen, stond hij op. Ik wilde Theo over zijn wang strijken, maar James was me voor. Hij legde zijn hand op Theo's hoofd tot hij weer indommelde.

'Je hoeft me niet aardig te vinden,' mompelde James zonder me aan te kijken. 'Ik vraag je alleen om je vertrouwen.'

Ik knikte. De tweede spijtbetuiging vormde zich geluidloos in mijn mond; James keerde me de rug toe en ik sloop bedremmeld terug naar Margot.

Een paar dagen later kwam Margot thuis in een brandschoon appartement met een pas geschilderde babykamer, die voorzien was van elk babyprulletje waar ze 'o' en 'ah' over had geroepen in de babywinkel. Toby was zijn tijd ver vooruit en stond erop dat hij een week vaderschapsverlof kreeg. Toen zijn verzoek geweigerd werd, bleef hij toch een week thuis en werd hij ontslagen. Maar de aanblik van een pasgeboren baby geeft de hele wereld hoop. Werkloos, blut en met de gillende sirenes van politieauto's overal om hem heen meende Toby dat zijn gezinnetje onoverwinnelijk was.

Het beste moest nog komen: hij vertelde Margot dat hij van zijn laatste spaargeld een ticket voor Graham had gekocht en dat hij de volgende avond aankwam op JFK om kennis te maken met zijn kleinzoon. Daarop zong ik voor het eerst in tijden het Lied der Zielen. *Bel papa*, zei ik tegen Margot en dat idee plonsde als een steen in haar poel van blijdschap. Papa bellen? dacht ze. Daar heb ik helemaal geen tijd voor. Ik moet nog zoveel doen voor hij hier is. Ik bleef aandringen en uiteindelijk gaf ze toe.

Ik luisterde en stortte tranen van vreugde en verdriet bij het telefoongesprek dat ik nooit had gevoerd, opgelucht dat op de een of andere manier iemand van hogerhand me had toegestaan om de puzzelstukken net iets anders neer te leggen, net voldoende om de dingen te zeggen die ik nooit had gezegd.

'Papa!'

Het knerpende geluid van een droge hoest en gekuch. Ze had zich weer eens vergist in het tijdsverschil. Maar dat maakte niet uit.

'Papa, ik heb het net van Toby gehoord. Hoe lang blijf je? Neem je morgenochtend de eerste vlucht?'

Stilte. 'Ja, ja, Margot, mijn lieverd. Het vliegtuig vertrekt om zeven uur, de taxi komt me om vier uur halen…' Theo begon te huilen.

'Hoor ik daar mijn kleinzoon?'

Toby gaf Theo aan Margot en ze hield de hoorn bij Theo's gezichtje, zodat ze hem in Engeland konden horen huilen. Even later nam Toby hem weer van haar over. Hij klampte zich onmiddellijk vast aan Toby's pink en begon te sabbelen.

'Volgens mij heeft hij honger,' fluisterde Toby. Ze knikte.

'Papa, ik moet ophangen. Ik ben dolblij dat je komt. Goede reis, pas goed op jezelf, oké?'

Stilte. 'Papa?'

'Ik hou van je, lieve meid van me.'

'Ik hou ook van jou, papa. Tot morgen.'

'Tot morgen.'

Margot lag de hele nacht te woelen van opwinding en ik ijsbeerde door de kamer, dolblij dat het me gelukt was om het stukje dat altijd had ontbroken te vinden en tegelijkertijd ziek van verdriet over wat er ging komen. Want ik wist dat ik maar bitter weinig kon veranderen. Zelfs nu was er zoveel waar ik totaal geen controle over had.

Het telefoontje kwam aan het eind van de ochtend. Mevrouw Bieber, Grahams buurvrouw, vertelde Margot omzichtig en teder dat er een uurtje geleden een taxichauffeur had aangebeld, die Graham koud en bewegingloos had aangetroffen op de stoep, met zijn koffer in de hand. Hij was rustig heengegaan en had geen pijn geleden, zei ze.

Margot was ontroostbaar. Ik zat bij haar, met de deur van de kleine badcel op slot, en huilde dezelfde tranen, die zachtjes op haar handen drupten.

Weet je, ik was jaren geleden tot de conclusie gekomen dat ik de gevoelens die ik kort na de geboorte van Theo had aan mezelf te wijten had. Nu ik echter zag dat haar hormonen volkomen de kluts kwijtraakten en haar zenuwcellen het tempo zo hoog opvoerden dat ze met elkaar in botsing kwamen, woonde ik op de eerste rang het lichamelijke proces van een postnatale depressie bij. Telkens wanneer Theo begon te krijsen – en dat deed hij vaak, soms uren achtereen – trok er een rode golf door haar lichaam en schoten haar zenuwcellen in de versnelling, tot ze over haar hele lichaam zat te trillen. Het leek wel of ze de godganse dag aan het voeden was, elke dag opnieuw. Ze leed aan bloedarmoede – hoewel de artsen beweerden van niet – en aan een infectie aan de baarmoederhals die men over het hoofd had gezien. Ze kreeg van de ene dag op de andere een bloedhekel aan Toby. Ze haatte hem omdat hij over het magische vermogen beschikte om rustig door te slapen, al huilde de baby nog zo hard in het wiegje dat pal naast hem stond. Ze haatte hem omdat hij niet veranderd was in een zogende, bloedende babymachine. Ze haatte hem omdat ze uitgeput, overstuur en doodsbang was, alleen al bij de gedachte aan nog een dag in deze chaos.

Ik zag dat Toby deed wat hij kon om haar te helpen. En toen, een fijne verrassing. Toby's boek, *Zwart ijs*, belandde op de nationale bestsellerlijst. Ja, dat wist ik wel. Ik hoorde het alleen pas maanden later. Toby nam het telefoontje aan, bedankte zijn uitgever en keek lijdzaam toe hoe Margot Theo moeizaam en voor de zevende keer binnen een uur aanlegde, haar gezicht rood van de tranen. Ik zag nu wat ik indertijd nooit heb begrepen: Theo kreeg amper melk binnen. Hij maakte wel zuiggeluiden, maar hij kreeg niets dan lucht naar binnen. Hij had krampjes van de honger. Margots borsten waren gezwollen van een overschot aan melk.

'Doe iets,' siste ik James toe.

Hij wierp me een geïrriteerde blik toe. 'Ik doe mijn best.'

Gaia schoot ons te hulp. 'Zal ik het eens proberen?' Ze fluisterde Toby iets toe.

Hij legde de telefoon neer en ging naar Margot toe.

'Lieverd?'

Ze negeerde hem. Hij sloeg zijn arm om haar heen.

'Margot?'

'Wat is er, Toby?'

'Waarom ga jij niet even een uurtje iets leuks doen? Dan pas ik zolang op de baby.'

Ze keek hem aan. 'Jij hebt geen borsten, Toby. Hij heeft over tien minuten weer een voeding nodig.'

Toby glimlachte. 'Ik kan hem een flesje geven. Toe, vooruit, ga naar de kapper of zoiets. Verwen jezelf.'

Ze keek hem aan. 'Meen je dat?'

'Absoluut.'

'Maar we hebben helemaal geen geld.'

Hij sloeg zijn ogen neer. Hij kon niet liegen, zelfs geen leugentje om bestwil. 'Laten we zeggen dat ik iets gespaard heb, voor momenten als deze.'

'Echt?'

'Echt.'

'Hoeveel dan?'

'Niet verder vragen, Margot. Pak mijn chequeboekje nou maar en ga iets doen, naar de kapper, de schoonheidsspecialiste, de pedicure of wat vrouwen zoal doen. Wegwezen, jij.'

Ze was de deur uit voordat iemand 'Zweedse massage' kon zeggen.

Ik ging haar achterna de trap af, de straat op en op weg naar de bushalte. Mijn vleugels pulseerden van de berichten die erdoorheen stroomden: *Zorg dat ze lopend gaat. Laat haar niet in die bus stappen.*

Hoezo? dacht ik. Ik zag de bus al aankomen. Waarom? vroeg

ik voor de duidelijkheid, maar ik kreeg geen antwoord. Best, dacht ik, als je niks zegt, hoef ik ook niet te luisteren.

We gingen achterin zitten. Margot hield een washandje tegen haar hoofd, de pijn in haar borsten trok langzaam weg in de koele lucht die door het open raampje naar binnen stroomde. De bus stopte op Eleventh Avenue. Er stapte een handjevol passagiers in. Een van hen liep helemaal door naar achteren en ging tegenover ons zitten. Mijn maag keerde zich om.

De vrouw was het evenbeeld van Hilda Marx. Het knaloranje opgestoken haar, doorspekt met grijs, de rode haviksneus, de buldogachtige onderbeet. Ik zag dat Margot haar adem inhield en de vrouw aanstaarde toen ze haar jas afklopte – een zwarte trenchcoat, net zoiets als Hilda altijd aantrok als ze de deur uit ging – en wat smakgeluiden maakte, net zoals Hilda dat deed. Het duurde even voordat ik zag dat het Hilda niet was. Iemand die een eindje verderop in de bus zat, herkende haar en noemde haar Karen, en toen ze glimlachend een praatje aanknoopte, zag ze er heel anders uit. Aan haar stem te horen was ze geboren en getogen in New Jersey.

Hoe had ik dit kunnen vergeten? Ik keek hulpeloos toe hoe Margot in gedachten terugkeerde naar het St. Antonius. Ze kreeg kippenvel bij de herinneringen aan de graftombe, de angst en vernedering en hopeloosheid waarmee haar herinneringen doordrenkt waren kwamen bovendrijven als een scheepswrak dat naar de oppervlakte komt, met alle opgezwollen lijken met hun gezicht naar de zon geheven. Ze tuurde met stokkende adem naar de vloer. Ik legde mijn handen op haar schouders om haar tot bedaren te brengen. *Je bent hier, dit is het heden. Die tijd ligt ver achter je. Je bent veilig.* Ze haalde een paar keer achter elkaar diep adem en deed haar best om de beelden te verjagen die door haar hoofd spookten: Hilda die haar sloeg met een zak kolen. Hilda die haar de graftombe uit sleepte, alleen om haar meteen weer terug te brengen. Hilda die haar vertelde dat ze niks waard was.

Bij de volgende bushalte stapte ze uit en begon haastig te lopen, zonder te weten waar ze was of waar ze naartoe ging. Ze was allang vergeten dat ze een massage wilde. Dat idee was vervangen door een vurig verlangen naar drank. Ze had het best leuk gevonden om Xiao Chen te bellen en te vragen of ze meeging naar hun oude stamcafé bij de universiteit. Omdat dat nu eenmaal niet ging, besloot ze om dan maar in haar eentje te gaan.

Oké, zei ik hardop. Tegen God, denk ik. Ik luister. Stuur me een bericht, een aanwijzing om te weten wat ik nu moet doen. Ik weet namelijk wat er gaat gebeuren. Ik weet dat ze vijftig dollar spendeert aan een hele serie shotjes en ik weet dat ze het aanlegt met een vent van wie de naam me even ontschoten is, en ik weet dat ze rond middernacht ergens op een stoep belandt en totaal vergeten is dat ze een man en een huis heeft. O ja, da's waar ook, en een kind.

Wat denk je? Niks. Nog niet de minste fluistering. Geen enkel bericht in mijn vleugels, geen greintje instinct. Ja, ik heb Margot toegesproken. Ik heb tegen haar geschreeuwd. Ik heb het Lied der Zielen gezongen... maar ze had me uitgezet. Het ergste was dat Grogor haar bij de ingang van de kroeg zat op te wachten. Toen Margot naar binnen liep, legde hij zijn arm om haar middel en voerde haar mee. Ik kon slechts machteloos toekijken.

Dat was de reden waarom Toby Margot niets vertelde over het succes van *Zwart ijs*, want na dit akkefietje hebben ze wekenlang geen woord tegen elkaar gesproken. Een vroegere collega van NYU belde hem vanuit de kroeg waar Margot de ene cocktail na de andere achteroversloeg en met een student zat te flikflooien. Het telefoontje ging als volgt: het is elf uur 's avonds en in de keuken van Toby en Margot rinkelt de telefoon. Toby heeft geen poedermelk meer en alle winkels zijn gesloten. Theo ligt te krijsen.

'Hallo?' Hij houdt meteen de hoorn van zijn oor, want er klinkt luide muziek aan de andere kant.

'Hé, jongen, je spreekt met Bud. Hoor eens, Tobber, jij bent toch onlangs vader geworden?'

Een hartslag. 'Uh-huh.'

'En... je bent toch getrouwd met een blonde meid die Margot heet?'

'Uh-huh.'

'Waar denk je dat ze uithangt, op dit moment?'

Toby kijkt om zich heen. Hij was in slaap gevallen. Hij kijkt of ze in de slaapkamer is.

'Weet ik niet. Hoezo?'

'Jongen, ik weet niet hoe ik dit een beetje tactisch kan brengen, maar volgens mij zit ze hier.'

'Waar?'

En dus haalt Toby de baby uit zijn wiegje, pakt hem lekker warm in en rijdt naar de plek waar Margot de hand vasthoudt van een vreemde vent en haar ingewanden uit haar lijf kotst onder een lantaarnpaal.

Ik keek hulpeloos en berouwvol toe – berouwvoller dan je je ooit kunt voorstellen – toen Toby de auto aan de kant zette en voordat hij uitstapte checkte of alles in orde was met Theo. Gaia en James bleven in de auto zitten. Ik sloeg mijn ogen neer. Toby ging verhaal halen bij Margot en ze besefte dat hij er was maar weigerde te antwoorden, tot hij uiteindelijk 'Theo heeft je nodig' zei, en iets van die verantwoordelijkheid, die liefde, tot haar doordrong. Ze waggelde naar de auto en het scheelde weinig of ze was boven op Theo gevallen, die op de passagiersstoel lag.

Er zijn geen woorden voor.

Er zijn geen woorden voor om te beschrijven wat er die nacht met me is gebeurd.

Ik weet alleen dit: ik wilde alles veranderen. Ik wilde het scherm tussen mijzelf en Margot kapot scheuren en ik wilde in haar lichaam kruipen en Toby om vergeving vragen. Ik wilde Theo oppakken om met hem te vluchten. Ik wilde hem meenemen, zo ver mogelijk van dit vreselijke mens, deze gebroken vrouw vandaan, en tegelijkertijd wilde ik al haar wonden genezen, ik wilde de tijd terugdraaien en ik wilde God spreken om Hem uit te schelden voor alles wat haar overkomen was en waardoor ze zo was geworden.

Vanaf die nacht lag hun huwelijk, dat al dodelijk verwond was voordat het goed en wel begonnen was, bloedend in de stilte tussen Toby en Margot; Toby schreef, Margot redigeerde Rose' schriften en Theo keek van het ene bedroefde gezicht naar het andere en vervolgens naar mij. Ik vertelde hem dat ik van hem hield, dat ik van zijn vader hield. Dat het me speet.

En ik bad dat iemand, ergens, me zou horen.

20

DE KANS OM IETS TE VERANDEREN

Toen die noodlottige nacht zijn scherpe kantjes had verloren en verschrompeld was tot een akelige herinnering, en toen Toby eindelijk naar Gaia wilde luisteren en bereid was om Margot te vergeven, besloten ze om het opnieuw te proberen.

Dat was de gelukkigste dag van mijn leven, zowel voor als na mijn dood.

Margot had in een bushokje een affiche van Toby's boek zien hangen. Ze kwam thuis met een zware zak boodschappen en werd verwelkomd door zijn rug.

'Waarom heb je niks verteld over je boek?'

Een hartslag. 'Wat?' Hij draaide zich niet om.

Ze zette de boodschappen met een klap op de vloer. 'Je boek,' herhaalde ze. 'Je "internationale bestseller". Waarom ben ik de laatste die dit hoort? De hele wereld weet ervan, behalve ik. Ik ben je vrouw.'

Toen pas draaide hij zich om. Ze besefte plotseling dat het ruim een week geleden was dat ze hem voor het laatst in de ogen had gekeken.

'Mijn vrouw,' fluisterde hij, alsof hij een woord uitprobeerde in een vreemde taal. 'Mijn vrouw.'

Haar gezicht verzachtte zich. En plotseling, zonder te weten waarom, barstte ze in tranen uit. 'Mijn vrouw,' herhaalde Toby. Hij stond op om naar haar toe te gaan.

'Het spijt me zo,' stotterde ze door haar tranen heen.

'Mij ook,' zei Toby, en hij nam haar in zijn armen. Ze deinsde niet terug.

Ik kan je wel vertellen dat ik er voortaan voor waakte om de berichten in mijn vleugels te negeren. Ik luisterde en vroeg nooit meer wie, wat, waar, hoe of waarom. Het maakte me niet uit van wie die berichten afkomstig waren, van God, een andere engel of mijn eigen geweten. Want als ik geluisterd had, als ik ervoor had gezorgd dat Margot was gaan lopen, had ik de ijsberg die hun huwelijk bijna tot zinken had gebracht kunnen ontwijken.

Het was niet alleen hun huwelijk dat averij had opgelopen. Toby was veranderd. Er lag een droefheid in zijn ogen die er eerder niet was geweest. Hij lengde zijn koffie aan met whisky. Eerst een scheutje, toen een half glas. Hij keek naar andere vrouwen en dacht: Stel dat? Stel dat ik met de verkeerde vrouw ben getrouwd?

Het was ondraaglijk. De herinneringen aan onze scheiding kwamen in sneltreinvaart naar boven, met alle vijandigheid en verraad van dien. En ik dacht: het is mijn schuld. Ik heb hem zelf in haar armen gedreven.

En toch bleef er een vraagteken boven die kwestie hangen, als het zwaard van Damocles. Ik heb hem er nooit echt op kunnen betrappen. Sterker nog, de redenen waarom ik dacht dat hij me had bedrogen, waren grotendeels vervlogen. Harde bewijzen waren er niet, en toch wist ik het zeker: hij was met Sonya naar bed geweest. Daarom had ik hem naar de hel gewenst.

Kort na Theo's eerste verjaardag, toen Margot en Toby's vreugde over Theo's eerste stapjes vertroebeld werd door het besef dat hun mollige kleine jongen nu bij het raam in de woonkamer kon, vier verdiepingen boven een betonnen stoep, verhuisden ze naar een appartement in de West Village, niet ver van Toby's oude zolderappartementje, maar dan vijfmaal groter. Met de aanzienlijke royalty's voor Toby's boek kon Margot het inrichten zoals ze wilde, naar haar ideale beeld van comfort en veiligheid: een gietijzeren bed, veel te veel meubels en hun eerste televisietoestel. Voor het eerst in haar leven voelde ze zich geborgen. Ze was gelukkig.

En dus was de rest van het gezinnetje ook gelukkig. James en ik slaagden er zelfs in om een dikke punt achter onze machtsstrijd te zetten. James, Gaia en ik vormden ons eigen engelengezinnetje en pasten op het andere drietal – Theo, Toby en Margot – die de schroothoop van hun verleden langzaam maar zeker achter zich lieten, op weg naar een veelbelovende, minder destructieve toekomst. Toby schreef 's avonds aan zijn nieuwe boek, terwijl Margot, die inmiddels de schriften van Rose weer in handen van de uitgever had gesteld, de tekst redigeerde en corrigeerde. Overdag gingen ze met Theo naar het park, leerden ze hem alle namen van de dieren in de dierentuin en hielden hem stevig tussen hen in als hij geschrokken begon te huilen van het geluid van sirenes, geweerschoten of burenruzies.

Na verloop van tijd wist Toby Margot over te halen om haar vriendschap met Sonya nieuw leven in te blazen.

'Ik denk er niet over,' riep ze verbolgen uit. 'Ben je gek geworden? Ze heeft ons zonder pardon op straat gezet.'

Toby overwoog om het gestolen medaillon te berde te brengen, maar zag er wijselijk van af.

'Best,' zei hij. 'Maar... ik vind het zo vervelend voor je dat je niemand hebt. Moeders hebben een netwerk nodig om hen te ondersteunen.' Hij had weer eens naar Oprah zitten kijken. Hij zuchtte. 'Volgens mij zou het goed voor je zijn als je vrouwelijk gezelschap had. En jij en Son waren vroeger als...'

'Als wat?'

'... zussen. Jullie waren zó!' Hij kruiste zijn middelvinger over zijn wijsvinger. 'Hecht, weet je wel?'

Ja, dacht ik. Dat waren we. Ooit.

Margot stond erop dat Toby zou bellen. Toen ze zeker wist dat Sonya haar niet zou afkatten, nam ze de telefoon van hem over. Uiteindelijk, terwijl Toby aan de andere kant van de kamer de woorden stond te mimen, kreeg ze het voor elkaar om 'waarom kom je niet een hapje eten?' te zeggen, hoewel het meer weg had van een mededeling dan van een vraag. Ze vond het verschrikkelijk om te moeten smeken.

Zelf stond ik er ook niet helemaal achter. Mijn verdenkingen waren er geen spat minder op geworden. Maar ik deed niets. Ik keek hoe ze er met z'n drieën een gezellige avond van maakten, lui op de nieuwe leren banken hingen en een toost uitbrachten op Toby's succes, terwijl de inmiddels vier jaar oude Theo zoet lag te slapen. En ik wachtte af.

Sonya had de afgelopen jaren in Parijs gewoond. Slanker en langer dan ooit op haar vijftien centimeter hoge plateauzolen doorspekte ze haar verhalen met Franse woorden en de namen van beroemdheden en bekende fotografen. Margot zat niet op haar gemak in haar leunstoel. Ze keek naar haar afgedragen tweedehands trui met gaten onder haar armen, naar de spijkerbroek die bijna versleten was op de knieën. Vervolgens keek ze naar Sonya, met haar lange badpakbenen en van top tot teen gehuld in Franse couture. Ze is beeldschoon, dacht Margot. *Hou toch op*, zei ik tegen haar. *Ze is boulimisch en eenzaam.*

Was ik maar wat meer zoals zij. Toby zou een stuk beter af zijn met haar. En toen zag ik het, voor het eerst, als een anorexiapatiënt die eindelijk naar de foto's van haar broodmagere lijf kijkt en zegt: inderdaad, ik was helemaal niet dik. Ineens begreep ik het. Het was niet Toby die niet van me hield. Ik was het die niet van mezelf hield.

Daarom hield ik mijn tirade dapper vol. *Toby houdt van je*, bleef ik als een mantra herhalen. Ze hield haar ogen echter strak op Sonya gevestigd, die oeverloos tegen Toby doorkletste over de artistieke kliek op Montmartre en zo nu en dan een onzichtbaar stofje van zijn broekspijp veegde, en zonk steeds dieper weg in haar zelfondermijnende duisternis. Tot Sonya het presteerde om Toby's hand te pakken en enthousiast uitriep: 'Beloof me dat je me komt opzoeken in Parijs, Tobber, alsjeblieft!'

Gaia deed er alles aan om de uitdrukking op Margots gezicht onder Toby's aandacht te brengen. Hij had echter in hoog tempo vier gin-tonics achterovergeslagen en boog zich steeds dichter naar Sonya toe, beloofde dat hij haar zou komen opzoeken in Parijs en maakte, alsof het nog niet erg genoeg was, een grapje over een verleden waar Margot part noch deel aan had gehad. Eindelijk wist Gaia het vlies te breken dat om Toby's verstand heen zat en drong ze door tot zijn geweten. Na één blik op Margot wurmde hij zijn hand los uit die van Sonya.

'Gaat het, lieverd?' vroeg hij zachtjes.

Ze wendde nijdig haar gezicht af. Toen klonk er een kreet uit Theo's slaapkamer.

'Ik ga wel,' zei Margot, en ze liep de kamer uit.

Toby was niet zo dronken dat hij Margots stemming niet aanvoelde. Hij ging weer naast Sonya zitten, gaapte en keek overdreven op zijn horloge.

'Hé, Son, hartstikke leuk om je weer te zien, maar het is al laat en…'

Sonya keek hem strak aan en dronk haar glas leeg. Ze boog zich naar hem toe, zonder zijn blik los te laten.

'Heb je Margot verteld over ons gesprek in dat restaurantje?'

Margot stond in de gang en hoorde haar naam fluisteren. Ze bleef stokstijf bij de deur staan en spitste haar oren.

Sonya schoof traag haar lange benen van de bank en kroop nog dichter naar hem toe.

'Nee,' zei Toby. 'Hoezo?'

Sonya haalde glimlachend haar schouders op. 'Hoor eens, jij bent getrouwd, ik ga jou niet vertellen wat je moet doen. Maar ja…' Ze wierp een blik op de deur.

'Wat?'

Haar glimlach werd breder. 'Ik vroeg me af wiens idee het was om me voor het eten uit te nodigen. Het jouwe of het hare?'

Ik herinnerde me deze vraag alsof hij voorgoed in mijn neuronen stond gegrift. Margot stond aan de deur te luisteren en de vragen die deze woorden opriepen haakten zich stevig vast in haar verdenkingen.

Toby keek Sonya onzeker aan, zonder te begrijpen waar ze naartoe wilde. 'Van mij, geloof ik.'

Sonya knikte. 'Mag ik vragen of je nog andere ideetjes hebt?'

Ze liet haar hand over Toby's been glijden tot vlak onder zijn kruis. Ze begon te giechelen. Toby legde zijn hand op de hare en kneep erin.

'Son,' zei hij, 'waar ben je mee bezig?'

Margot hoorde de flirtende stem van Sonya en legde haar hand op de deurknop.

Ik kreeg het zo benauwd dat ik bijna flauwviel. Gaia stond naast me en zei 'blijf kijken, blijf kijken' en ik fluisterde terug dat ik dat niet kon. Margot stond achter de deur en voelde zich precies zo. Aan de ene kant wilde ze het liefst naar binnen stormen, aan de andere kant wilde ze hard wegrennen.

En dus bleef ik kijken. Toby, de man die altijd zijn woordje klaar had, stamelde onsamenhangend.

'Was dat een ja?' Sonya legde hem de woorden in de mond. Ze trok zijn hand naar haar dij. Hij trok hem terug en was in één klap weer helder. 'Son, laat dat.' Hij rechtte zijn rug en schudde zijn hoofd. Gaia keek me met een ernstig gezicht aan. Is hij niet met haar bed geweest? dacht ik. Echt niet?

Sonya lag nonchalant in de kussens van de bank, sloeg haar lange benen over elkaar en speelde met de ruches van haar jurk. 'Ik wil nog één ding van je weten,' zei ze ernstig. Toby keek haar aan. 'Die keer dat je zei dat je van me hield… meende je dat toen?'

Ik zag dat Margot in de gang haar hand voor haar mond sloeg. Ik keek aandachtig toe.

'Dat was jaren geleden…' mompelde Toby zonder haar aan te kijken.

'Meende je het?' Sonya was vasthoudend. Wanhopig zelfs. Ezekiel kwam uit zijn hoekje en legde een hand op haar schouder. Er lag kwetsbaarheid in haar vraag, een verdriet waarvan de oorzaak niets met Toby te maken had.

Toby keek haar aan. 'Ja.'

Ze schoot naar voren, sloeg haar rechterbeen om hem heen, ging schrijlings op hem zitten en boog zich voorover om hem te kussen.

En ja, op dat moment kwam Margot de kamer binnen.

Op dat moment brak de pleuris uit.

Op dat moment eindigde mijn huwelijk.

De volgende ochtend kon hij zijn koffers pakken. Haar emoties wierpen een bolwerk op tegen al mijn smeekbeden, tegen al Toby's verontschuldigingen. En dus pakte hij wat kleren in en vertrok naar een van zijn vrienden. Een maand later verhuisde die vriend naar buiten de stad en nam hij het huurcontract over. Margot was als verdoofd. Ik was er kapot van. Na zes maanden vroeg Margot een scheiding aan. Op de ochtend waarop hij die brief ontving, rukte Toby een spiegel van de wand en smeet hem tegen de grond in een mozaïek van frustratie. Mijn gezicht verscheen in elke scherf, heel even maar, voordat het versmolt met zijn tranen.

Mijn diepe teleurstelling over hun scheiding ging al snel over in pure wanhoop toen ik bedacht wat ik nog wist van mijn leven vlak voordat ik stierf. De omstandigheden rond mijn dood waren nog steeds niet duidelijk: de ene dag leefde ik nog, de volgende keek ik neer op mijn dode lichaam en een moment later stond ik in het hiernamaals met Nan te babbelen. De periode daarvoor stond me echter zo helder als gletsjerwater voor de geest: Theo zat in de gevangenis. Voor de rest van zijn leven. En mijn instinct vertelde me dat er een beschuldigend vingertje naar mij wees.

Niet lang daarna maakte Grogor zijn opwachting. Hij dook op in Theo's slaapkamer – een uitgesproken dreiging, vond ik – waardoor Theo het uitschreeuwde in zijn slaap. Dat hield Margot lang genoeg bezig om ons de tijd te gunnen voor een onderonsje.

Ik weet niet waarom en ik wil het ook niet weten, maar Grogor zag er niet meer uit als het brandende monster met de griezelige bakkes dat ik kende. Hij was extreem menselijk geworden. Lang, met een vierkante kaaklijn en pikzwart haar tot over zijn oren – het soort man dat ik vroeger aantrekkelijk had gevonden. Hij had zelfs een stoppelbaardje en een voortand met een hoekje eraf. Zo menselijk dat het me overrompelde.

'Ik kom in vrede,' zei hij glimlachend, met zijn handen in de lucht.

'Wegwezen, Grogor,' zei ik en ik stak een hand vol licht naar hem op. Ik was ons vorige gevecht nog niet vergeten.

'Niet doen, alsjeblieft,' zei hij, en hij legde zijn handpalmen in een gebaar van berouw tegen elkaar. 'Ik kom mijn excuses aanbieden. Ik meen het oprecht.'

Ik zond een felle lichtstraal zijn kant op, die hem zo hard raakte dat hij de kamer door zeilde. Hij kwam tegen een ladekast tot stilstand en probeerde hoestend en proestend overeind te krabbelen.

'Als je niet opdondert, vermoord ik je,' zei ik.

'Wil je me vermoorden?' grijnsde hij terwijl hij opkrabbelde. 'Dat wil ik weleens zien.'

'Best,' zei ik schouderophalend. 'Ik schiet je met alle liefde aan flarden.' Ik hield een kleinere lichtbol op en richtte op zijn benen.

'Niet doen!' riep hij uit, en hij dook ineen. Ik hield mijn hoofd schuin. Hij stak een hand op. 'Ik heb een gunstig aanbod voor je. Luister naar me.'

Hij ging rechtop staan, trok zijn jasje recht en kwam ter zake. 'Ik weet dat je de dingen wilt veranderen. Ik weet dat Margot een prachtig leven verpest, een leven waar je graag een paar goede herinneringen aan zou willen hebben, een leven waarin je een betere toekomst voor Theo zou willen zien...'

Ik draaide me om en keek hem aan. Mijn vleugels seinden razendsnel berichten door. *Gooi hem eruit. Nu meteen. Het zijn allemaal leugens, verpakt als waarheden. Gooi hem eruit.*

'Donder op, Grogor, voordat ik echt boos word.'

Hij glimlachte. 'Begrepen.' Hij liep naar het raam en draaide zich nog eenmaal om.

'Mocht je van gedachten veranderen, dan kan ik je verzekeren dat het kan. Je kunt Theo's lot voorkomen.'

En met die woorden verdween hij.

Theo kwam op slag weer tot bedaren. Margot streelde zijn gezichtje en hij doezelde weg, zijn gezichtje stil als de ochtendnevel. Margot zat naast hem en probeerde niet aan Toby te denken. Ik keek naar haar en dacht: ik kan nog altijd dingen veranderen. Ik kan zorgen dat het goed komt.

Dat was de bedoeling. Ik had eraan moeten denken dat de weg naar de hel geplaveid is met goede bedoelingen.

21

DE VERMOEDELIJKE DADERS

De volgende keer dat Nan me kwam opzoeken, stelde ik haar de vraag die me sinds het bezoek van Grogor niet meer had losgelaten.

'Wat zou er gebeuren als ik Margots levensloop veranderde?'

We zaten op het dak van Margots appartement en keken uit over de rechthoeken oranjekleurig licht dat uit de ramen van de huizen in de stad scheen, de silhouetten die zich her en der tegen het schijnsel aftekenden – in een omhelzing, een ruzie of alleen – als insecten gevangen in amber.

Het duurde lang voordat ze mijn vraag beantwoordde, op vermanende toon. 'Je weet heel goed dat we hier niet zijn om de symfonie opnieuw te orkestreren. We zijn hier om erop toe te zien dat de symfonie gespeeld wordt op de manier waarop de componist hem heeft geschreven.'

Ik had altijd moeite met haar metaforen. 'Je hebt ook eens gezegd dat ik de puzzelstukken net iets anders kan neerleggen, toch? Stel dat ik het totaalplaatje verander? Stel dat ik het mooier zou maken?'

'Wie is je komen opzoeken?' Altijd even schrander.

'Grogor,' gaf ik toe.

Ze trok een lelijk gezicht. 'De demon die jouw moeder heeft vermoord?'

'Je zei zelf dat ze is gestorven aan schuldgevoel.'

'Heeft Grogor je verteld wat het kost om het plaatje te veranderen?'

'Nee.'

Ze wierp haar handen in de lucht. 'Er hangt altijd, altijd een prijskaartje aan. Daarom veranderen wij niets, tenzij we daar opdracht toe hebben gekregen: de piloot bestuurt het vliegtuig, niet de passagiers. Maar dat weet je best. Of niet soms?'

Ik knikte haastig. 'Tuurlijk, tuurlijk, het is maar een vraag.'

'We zijn hier met vier opdrachten: waken, behoeden, vastleggen...'

'Liefhebben,' maakte ik de zin voor haar af. Ja, dat wist ik allemaal al.

'Gewoon uit nieuwsgierigheid,' vroeg ik na een beleefde stilte. 'Hoe hoog is de prijs?'

Ze kneep haar ogen tot spleetjes. 'Waarom wil je dat weten?'

Ik legde haar uit – zo goed als ik kon aan iemand die niet in de gekmakende positie verkeerde haar eigen beschermengel te zijn, en niet voortdurend hoefde te lijden onder hartverscheurende spijtgevoelens – dat er nu eenmaal een paar dingen in mijn verleden waren die ik graag een tikje beter had willen doen. En dat ik vooral voor Theo zo graag meer wilde. Heel wat meer dan levenslange gevangenisstraf wegens moord.

'Dit is de prijs,' zei ze, en ze hield haar lege handpalm voor me op. 'Op dit moment ligt de kans om naar de hemel te gaan binnen handbereik. Engelen zijn niet alleen dienaren, weet je. We krijgen een taak toegewezen om te bewijzen dat we het waard zijn om naar de hemel te gaan, omdat de meesten van ons dat soort taken tijdens hun leven niet voldoende hebben opgepakt.' Ze sloeg haar andere hand op haar uitgestrekte handpalm. 'Als je je bestaan als engel opgeeft, kom je nooit in de hemel.'

Ik begon te huilen. Ik vertelde haar dat ik verliefd was op Toby en dat Margot een scheiding had aangevraagd. Dat maakte een hereniging met Toby onwaarschijnlijk, misschien zelfs wel onmogelijk.

Ze zuchtte. 'Ik heb ooit in jouw schoenen gestaan. Ik zat boordevol vragen, berouw en verdriet. Op een dag maak je kennis met God. Dan ga je naar de hemel. En in de hemel is niets dan vreugde. Probeer je daaraan vast te houden.'

Maar telkens wanneer ik Toby's verlangende, verdrietige gezicht zag als hij Theo kwam halen, telkens wanneer ik Margots dromen over haar leven met Toby zag, haar toenemende verbittering over Toby's verraad en haar tranen, echoden Grogors woorden in mijn oren, tot de leugens die erachter schuilgingen verzonken in het niets.

Kunnen we ooit het exacte moment aangeven waarop we de koekjesvorm in het deeg van ons leven hebben gedrukt, het moment dat het zijn definitieve vorm zou geven? Als we terug konden gaan om ons leven over te doen, zouden we die cruciale momenten dan kunnen aanwijzen? Als al die momenten van wangedrag in ons leven op een rijtje naast elkaar werden gezet als de vermoedelijke daders, zouden we ze dan zonder pardon kunnen identificeren? *Ja, meneer agent, het is de verdachte die zojuist die sarcastische opmerking maakte. Ja, meneer, dat is hem, de man die op mijn vader lijkt. O ja, die herken ik ook, dat is degene die mijn leven regelrecht de goot in kieperde.*

Ik had het nagenoeg opgegeven om mijn eigen cruciale momenten aan te wijzen. Margot was zoals ze was en ik kon weinig anders doen dan wat me van meet af aan was opgedragen. Ik had vooral moeite met het vierde en belangrijkste punt van mijn taakomschrijving: haar liefhebben. Ze maakte het me dan ook niet gemakkelijk. Probeer je de volgende scène maar eens voor te stellen: Margot kleedt zich aan om naar haar werk te gaan. Ze snakt naar een borrel. Ze vist een fles achter de kachel vandaan en smijt hem tegen de wand. Hij is leeg. De glassplinters vliegen alle kanten uit. Theo schrikt wakker. Hij is te laat voor school. Hij is zeven, een jongen met de kalme ogen en het rode haar van zijn vader. Hij heeft het temperament van Margot: opvliegend als buskruit en aanhankelijk als een schoothondje. Hij adoreert zijn vader. Hij probeert net als hij verhalen te schrijven, maar hij kampt met dyslexie. Zijn verdraaide letters en rare spelling maken hem woest.

Margot brult dat Theo moet opstaan. Ze gaat voorbij aan het feit dat zij degene is die hem had moeten wekken, en hij krabbelt uit bed en gaat naar de badkamer. Net als hij wil gaan plassen, schuift Margot hem opzij en steekt haar hand achter de stortbak. Hij schreeuwt. Zij schreeuwt terug. Ze heeft barstende koppijn en hij maakt het alleen maar erger. Hij maakt alles erger, zegt ze tegen hem. Dat is altijd al zo geweest. Wat bedoel je? gilt hij. Jij hebt een alcoholprobleem, niet ik. Ze haakt in op zijn vraag. Wat ik bedoel? Ik bedoel dat mijn leven een stuk beter zou zijn zonder jou. Mijn leven zou een stuk beter zijn als jij nooit geboren was. Best, zegt hij. Dan ga ik wel bij papa wonen. Hij kleedt zich aan om naar school te gaan, smijt de deur achter zich dicht en als hij na school weer thuiskomt, zwijgen ze elkaar dood.

Theo's cruciale moment was niet het moment waarop Margot verkondigde dat ze wilde dat hij nooit geboren was. Dat had hij wel vaker gehoord. Nee, Theo's beslissende moment kwam later, maar het begon met de aanblik van Margot, koortsachtig op zoek naar een fles wodka. Hoewel hij allang tot de conclusie was gekomen dat zijn moeder een zuiplap was, dat ze voor geen meter spoorde en dat het onbegrijpelijk was dat zijn vader ooit met haar was getrouwd, bleef de vraag toch knagen: wat is er zo lekker aan dat ze ernaar zoekt als naar de bron van de eeuwige jeugd?

En aan de kiel van die vraag het antwoord, toen hij tien jaar oud was en op een geopende fles Jack Daniels stuitte: okééé!

En in het zog van dat antwoord het gevolg. Stomdronken. Met in die dronkenschap een vechtpartij met een kind dat jonger was dan hij. Een jonger kind met een mes. Een mes dat in Theo's hand belandde. Een mes dat eindigde in de buik van het kind.

Daarom besloot de afdeling jeugdrecht van de stad New York om Theo een maand naar een jeugdgevangenis te sturen, waar hij achter de tralies belandde met andere jeugdige delinquenten. Jongeren die daar zaten wegens verkrachting en het toebrengen van ernstig lichamelijk letsel, iets waar ze in de gevangenis rustig mee doorgingen. Ze leefden zich uit op hun medegevangenen. Theo was een van hen.

Dit alles hoorde ik van James. Hij keerde een maand later met Theo terug, met een gezicht als versteend hout en bloedende vleugels. Op het moment dat ik Theo weer zag, huilde ik met James mee. Rond Theo's bronzen, glanzende aura had zich een gekarteld harnas van pijn gevormd, zo log en beklemmend dat hij het gewicht amper kon dragen. Toen ik hem goed bekeek, zag ik dat er van uit dat harnas eigenaardige tentakels staken, die zich naar binnen werkten en dwars door zijn aura heen zijn hart doorboorden. Het zag eruit alsof er een stugge, bikkelharde parachute om hem heen hing, vastgegespt aan zijn ziel. Dit was de zwaarste emotionele vesting die we ooit bij iemand hadden gezien: Theo maakte zichzelf tot een gevangene van zijn eigen pijn.

Hij sprak dagenlang geen woord tegen Toby of Margot. Hij zette zijn spullen in zijn kamer, haalde alle vleesmessen uit de keukenlade en verstopte ze onder zijn bed. Toen de hulpverlener langskwam, dreigde Theo dat hij uit het raam zou springen als hij zelfs maar een poging deed om met hem te praten.

Die nacht moest ik met lede ogen toezien hoe Theo's nachtmerries de kamer bevolkten. Levendige herinneringen aan zijn kwelgeesten in de gevangenis. Twee jongens die hem in zijn maag stompten, met een boksbeugel die door een bezoeker naar binnen was gesmokkeld. Een andere jongen die zijn hoofd onder water hield tot hij het bewustzijn verloor. Diezelfde jongen die een kussen op zijn gezicht duwde. Dezelfde jongen die hem verkrachtte.

Alsof dat nog niet voldoende was, wervelden er flarden van parallelle werelden tussen de zwermen nachtmerries door, met beelden van Theo als volwassene, met overal tatoeages en beide polsen vol littekens van mislukte zelfmoordpogingen. In eerste instantie was ik blij dat hij niet in de gevangenis zat. Tot ik zag dat hij een vuurwapen in zijn broeksband stak, de achterbak van zijn auto opende en er samen met een andere man een zware lijkzak uit sleepte. Toen de lijkzak bewoog, trok Theo zijn wapen en schoot hij er vier kogels op los.

Het harnas dat hij om zich heen had getrokken was geen tweede huid meer; het had hem veranderd in een levend wapen.

Wat had jij gedaan in mijn plaats? Zou de prijs je ook maar iets hebben kunnen schelen?

Ik liep de nachtlucht in, begaf me naar het dak van het appartement en riep Grogor.

In een oogwenk doemden er voeten op in de duisternis. Hij liep met een ernstig gezicht naar me toe, met een vlijmscherpe blik in zijn ogen.

'Vertel me waarom.'

'Waarom wat?'

'Waarom je van gedachten bent veranderd.'

Ik keek hem aan. 'Ik moet een tijdje Margot zijn, lang genoeg om het een en ander recht te zetten. Zeg maar wat het kost.'

'Wat het kost? Ik ben geen marktkoopman!'

'Je weet wat ik bedoel.'

Hij kwam dichterbij staan, zo dichtbij dat ik de aderen in zijn hals en de vederlichte lachrimpeltjes die vanaf zijn jukbeenderen uitwaaierden kon zien. Net als bij een echt mens.

'Ik denk dat het woord dat je zoekt "kans" is. Om lang genoeg als sterveling te leven en te doen wat er gedaan moet worden, moet je daar een prop in stoppen.' Hij wees op mijn vleugels.

'En hoe doe ik dat?'

Hij legde zijn hand op zijn borst en boog diep. 'Het zou me een grote eer zijn. Ze moeten verzegeld worden of, anders gezegd, afgescheiden van de rivier der eeuwigheid die langs de troon van God stroomt, zodat God geen zicht meer heeft op wat je doet. Zo krijg je de kans om te veranderen wat er veranderd moet worden. Begrepen?'

'Schei uit, Grogor. Wat nog meer?'

Hij veinsde verbazing. Ik keek hem doordringend aan. Hij sloeg zijn ogen neer en haalde zijn schouders op.

'Afhankelijk van hoe je het bekijkt, zou je kunnen zeggen dat er een risico aan kleeft.'

'En dat is?'

Hij weifelde. 'Wat denk je dat God ervan vindt als een van zijn engelen alle regels aan zijn laars lapt?'

'Ik denk dat ik nooit in de hemel kom.'

Hij applaudisseerde zachtjes. 'Waarschijnlijk kom je nooit in de hemel.'

Maar Theo ook niet.

Dacht je dat ik ook maar een moment heb geaarzeld?

22

ZEVEN DAGEN

En zo, net zoals Assepoester haar lompen afwierp en in haar baljurk stapte, stapte ik uit mijn blauwe gewaad en in de tijd.

Ik gaf Grogor toestemming om handenvol hete pek uit de krochten van de hel over mijn vleugels te smeren, en toen het water niet meer stroomde en ik weer kon voelen, schreeuwde ik het uit van pijn waar de pek mijn huid raakte. Ik stond op mijn blote voeten op de vochtige badkamertegels te rillen van de kou en moest me wankelend vastgrijpen, omdat ik het gewicht van mijn lichaam amper kon dragen, zo zwaar was het, alsof er van grote hoogte een olifant op me was neergekomen.

Ik was een stuk minder elegant dan Assepoester. Maar ik liet wel een glazen muiltje achter.

Iets dergelijks dan, want zodra ik me had uitgekleed, schrompelde mijn blauwe gewaad ineen tot een kleine, blauwe edelsteen. Ik verstopte hem in Margots ladekast. Als een spion in de mensenwereld moest ik alle sporen uitwissen van wat ik had gedaan, tot ik bereikt had wat ik wilde bereiken: mijn band met Theo herstellen en zijn wonden genezen. Het kan arrogant van me zijn. Maar hoe slecht ik het er de eerste keer ook van af had gebracht, ik dacht werkelijk dat het me bij de tweede poging om zijn moeder te zijn wel zou lukken om zijn zielenpijn weg te strijken met de balsem van mijn moederliefde. En dat ik er hoe dan ook in zou slagen om een plan voor de langere termijn op te zetten voor Margot, door haar ervan te doordringen dat hij haar nodig had, haar bewust te maken van zijn kwetsbaarheid en zijn leed.

Ik had mijn timing zorgvuldig gekozen. Margot had van haar scheidingsadvocaat het advies gekregen om vier weken naar een afkickcentrum te gaan, om de rechter te bewijzen dat ze een goede moeder was. Om aan te tonen dat ze recht had op de volledige voogdij, of in het ergste geval gedeelde voogdij. Geen probleem, zei ze, hoewel ze niet eens wist of ze dat allemaal wel wilde. Ze wist alleen dat ze iets wilde winnen, wat dan ook, om te bewijzen dat ze niet alles had verloren.

Dus terwijl Margot zich inschreef bij Riverstone, een chique afkickkliniek in de buurt van de Hamptons, nam ik haar appartement in, rommelde ik door haar kledingkast, dronk ik haar melk en nam ik haar plaats in de wereld in. Theo was bij Toby, die om de hoek woonde.

Op die allereerste dag was ik nog beduusd van het gevoel van huid en haren, de gewaarwording van warmte en kou, de klank van mijn hand als ik ermee op tafel sloeg, de smaak van pizza. Toen ik het broodmes in de gesmolten kaaskorst van die dubbelgrote, op houtvuur gebakken pizza met salami en extra mozzarella zette, sneed ik me in mijn duim. Terwijl het bloed uit dat witte wondje als rode inkt langs mijn arm sijpelde, schoot er een dichtregel van Sylvia Plath door me heen, 'kleine pelgrim, de indiaan heeft je gescalpeerd', en was ik glad vergeten wat ik ook alweer moest doen, tot ik een vaas met zonnebloemen op tafel zag staan en mijn hele arm erin stak, waarop mijn hand begon te kloppen en te steken.

Alles was zo compact. Als ik naar een tafel keek, kon ik er niet doorheen kijken naar de kamer die eronder lag, ik zag geen sporen van de mensen die er eerder hadden gezeten, noch de houtnerven onder het vernis. Ik zag de tijd niet dansen als een zandstorm van golven en deeltjes. Als iemand me die avond had gezien, had hij een inrichting gebeld, dat weet ik wel zeker. Ik bleef een hele tijd langs de muren schuifelen, met mijn wang tegen het stucwerk, verbaasd over de plotselinge, vertrouwde stoffelijkheid van deze wereld, en ik klopte op de bakstenen, vol herinneringen aan de illusie van beperkingen waarvan een sterfelijk lichaam doordrongen is, de diepgewortelde, niet-aflatende acceptatie van een lichaam van vlees en bloed.

Misschien was mijn grootste misdaad wel dat ik Margot in de steek liet, onbeschermd in een periode waarin ze me bitter hard nodig had. Ik zocht schoorvoetend contact met Nan, wetende wat me te wachten stond.

Het duurde even voordat er van heel ver weg een stem klonk, alsof degene die sprak aan het einde van een lange gang stond.

'Besef je wel wat je hebt gedaan?'

Ik keek om me heen. 'Waar ben je?'

'Bij de tafel.'

'Waarom zie ik je dan niet?'

'Omdat je een deal hebt gesloten met een demon. Een deal die je duur kan komen te staan en wellicht niets oplevert.'

Haar stem beefde, doordrenkt van emotie. Ik ging dichter bij de tafel staan. Eindelijk zag ik haar. Ze stond achter de vaas met zonnebloemen, en ik dacht eerst dat ze een straal maanlicht was.

'Ik wist dat je het niet zou begrijpen, Nan,' verzuchtte ik. 'Dit is niet voorgoed. Ik krijg zeven dagen de tijd om te zorgen dat gedane zaken een keer nemen.'

'Je mag blij zijn als je zeven uur hebt,' antwoordde ze.

'Wat?'

Ze slaakte zo'n diepe zucht dat het schijnsel om haar heen ervan begon te trillen. 'Je bent kwetsbaarder dan een scheepje van papier in een tsunami. Begrijp je dan niet dat je overgeleverd bent aan de demonen? Je bent de kracht van de engelen om tegen hen te strijden kwijt, en je beschikt ook niet over de door God gegeven afweermechanismen van de mens, omdat je geen van beide bent. Je bent een marionet in handen van Grogor. Hij gaat echt niet zitten wachten tot God je doorstuurt naar de hel. Daar zorgt hij zelf wel voor.'

Haar woorden drongen langzaam tot me door. Mijn knieën knikten toen ik besefte dat ze gelijk had.

'Help me,' fluisterde ik.

Ze nam mijn handen in de hare. Haar huid, donker en gerimpeld als altijd, glinsterde in een ragfijne nevel rond de mijne.

'Ik zal doen wat ik kan.'

Toen liet ze me weer alleen, hulpeloos uit het raam starend over de stad, hunkerend naar de aanwezigheid van aartsengelen.

Ik sliep tot laat in de ochtend uit, rolde uit bed op de houten vloer en verbrandde me aan het douchewater, omdat ik vergeten was dat rood warm betekent en blauw koud. Ik schoot in Margots spijkerbroek en ging op zoek naar wat make-up. Ik keek in de spiegel: ik zag er jonger uit dan Margot nu was, iets slanker en veel gezonder. Mijn haar was langer en donkerder, mijn wenkbrauwen lichter en jammer genoeg ook borsteliger dan de hare. Ik vond een lipstick, een pincet en een blusher, goot een fles bleek leeg over mijn hoofd en hoopte er het beste van. Daarna pakte ik de schaar. Eenmaal klaar, was ik alle angst voor demonen vergeten en ging ik vastbesloten op pad om mijn plan ten uitvoer te brengen.

Ik liep de frisse ochtend van Manhattan in met de bedoeling om de bus te nemen naar Theo's school, maar ik vond het gevoel van de wind in mijn gezicht zo lekker dat ik al die dertig blokken te voet aflegde. Een toevallige voorbijgangster zei goedemorgen tegen me en ik antwoordde 'Heerlijk, hè?', en even later vroeg een dakloze om geld en bleef ik staan om hem te zeggen dat hij blij mocht zijn dat hij leefde en keek hij me beteuterd na toen ik lachend doorliep, dolblij dat ik met mensen kon praten en dat ze me konden horen en iets terugzeiden.

Bij het hek van Theo's school hield ik mijn pas in. Ik moest goed nadenken hoe ik het verder zou aanpakken. Dit was geen droom meer, geen brief die ik kon herschrijven, geen uitvoering die ik kon overdoen. Ik had het gevoel dat elk woord, elke handeling nu in steen werd gehouwen. Nee, het was sterker dan dat, het had vérstrekkende gevolgen. Het was alsof ik een steen ging bewerken die al bewerkt was. En als ik niet voorzichtig was, zou die steen in duizend stukjes breken.

Ik bedacht dat ik het beste bij het hek kon wachten tot de school uitging, om Theo te vragen of hij een blokje met me om wilde lopen. Maar stel dat Toby ook zou komen? Stel dat Theo ervandoor zou gaan zodra hij me zag? Ik besloot de school binnen te gaan en hem uit de klas te halen. Als hij van de leraar met me mee moest, zou hij dat heus wel doen. Zij het met tegenzin.

Ik liep naar de receptie. Ik herkende Cassie, de vrouw met de zware oogleden, en glimlachte naar haar. Ze glimlachte niet terug; ik wist me te herinneren dat we elkaar regelmatig dwars hadden gezeten. Ze nam me van top tot teen op, perste haar lippen op elkaar en zei: 'Waarmee kan ik u helpen?'

Ik kon mijn lachen niet inhouden. Ik vond het nog steeds te gek dat mensen zomaar tegen me praatten. Ze dacht waarschijnlijk dat ik high was.

'Hallo, goedemorgen. Eh, tja. Ik ben Ruth... Nee, sorry. Ik ben Margot. Margot Delacroix.'

Ze keek me met grote ogen aan. Tjonge, dat ging niet best. Ik heet Margot. Margot, Margot, zei ik tegen mezelf. Tot ik besefte dat ik het hardop had gezegd. Cassie gaapte me met open mond aan.

'Ik ben de moeder van Theo Poslusny,' vervolgde ik bedachtzaam, alsof Engels mijn tweede taal was. 'Ik kom hem halen. Een noodgeval in de familie.'

Ik klemde mijn lippen op elkaar. Ik kon maar beter zo min mogelijk zeggen, bedacht ik. Cassie pakte de telefoon en draaide een nummer. Het was fiftyfifty of ze een inrichting belde of Theo's leraar.

'Ja, hoi, met de receptie. De moeder van Theo staat hier. Ze wil hem spreken... Ja, hoor, wat je wilt.'

Ze legde de hoorn weer op de haak, keek me nog eens met half toegeknepen ogen aan en zei toen: 'Hij komt eraan.'

Ik salueerde en klikte mijn hakken tegen elkaar. Het leek wel of ik Tourette had, echt waar. Ik keek om me heen, zag een stoel en rende ernaartoe, om hem met mijn enkels over elkaar geslagen en gekruiste armen op te wachten.

En dan Theo. Theo met zijn rugzak over zijn schouder, zijn blauwe shirt half uit zijn broek, zijn rode haar in spikes vol gel en krullend in de nek als bloemblaadjes. Theo met de sproeten van zijn vader, zijn neus nog zacht en rond, met kapotte, modderige gympen en zijn gezicht een grimas vol verwarring, achterdocht en wrok.

En ja, ik barstte in tranen uit. Hoewel ik de neiging om op mijn knieën te vallen en hem om vergeving te vragen, zelfs voor de dingen die hij nog niet had meegemaakt, wist te onderdrukken. Ik bracht de golf van schuldgevoelens die ik voor zijn voeten wilde uitbraken tot bedaren en moest me tot het uiterste inspannen om gewoon 'Hoi, Theo' te zeggen, alsof de woorden niet in mijn mond pasten, alsof ze te groot geworden waren door het gemis, door de jaren van wachten en het hartverscheurende verlangen om hem vast te houden.

Hij keek alleen maar. Cassie bracht verlossing.

'Hoi, Theo,' zei ze glimlachend. 'Je moeder zegt dat er een noodgeval is in de familie. Neem rustig overal de tijd voor, oké? Haast je niet, jochie. Ik sta achter je, dat weet je.' Ze schonk hem een knipoog. Ik was blij met deze onderbreking. Die gaf me de tijd om tot mijn positieven te komen en mijn tranen weg te slikken. Theo stond toe dat ik mijn hand op zijn schouder legde en liet zich verbijsterd mee naar buiten voeren.

We waren al een paar straten verder voordat hij iets zei:

'Is papa dood?'

Ik was helemaal vergeten dat ik een noodgeval in de familie had verzonnen. Ik bleef staan.

'Nee, nee hoor, er is niets met Toby aan de hand. Ik wilde gewoon... Ik wilde je gewoon even zien. Iets leuks doen.'

Theo schudde zijn hoofd en begon terug te lopen. Ik holde hem achterna.

‘Theo? Wat is er nou?’

‘Dit doe je nou altijd.’

O ja?

‘Wat?’ vroeg ik. ‘Wat doe ik altijd?’

‘Laat me met rust,’ zei hij, en hij zette de pas erin. ‘Ik wist wel dat je stond te liegen. Wat wil je nou weer van me? Ga je me kidnappen, alleen om papa te pesten? Je wilt me zeker tegen hem opstoken, hè? Nou, dat lukt je toch niet.’

Hij bleef doorlopen. Elk woord voelde aan als een stomp in mijn maag. Ik bleef geschokt staan, kwam weer tot bezinning en holde hem achterna.

‘Theo, luister nou even.’

Hij bleef hijgend staan, maar weigerde me aan te kijken.

‘Stel dat ik tegen je zeg dat we kunnen doen wat we willen. Stel dat je mag kiezen, dat er een wens uitkomt, iets wat je altijd hebt gewild. Wat wil je het allerliefste van de hele wereld?’

Hij keek me vanuit zijn ooghoeken aan om te zien of ik het meende en dacht na.

‘Ik wil wel honderd dollar.’

Ik knikte. ‘Krijg je van me. Wat nog meer?’

‘Een Nintendo. Met tien spelletjes.’

‘Oké. Wat nog meer?’

‘Ik wil een Luke Skywalker-pak, met een cape en laarzen en alles, ook het zwaard.’

‘Goede keus. Wat nog meer?’

Hij dacht diep na. Ik probeerde hem een handje de goede kant op te helpen.

‘Is er iets wat je zou willen doen, samen met mij? Naar de dierentuin? Een hapje eten en dan naar de bios? Roep maar iets, ik trakteer.’

Hij haalde zijn schouders op. ‘Niks.’ En hij begon weer te lopen. Ik stond hem verloren na te kijken, tot ik bedacht dat James bij hem moest zijn. ‘James,’ fluisterde ik. ‘Help me, alsjeblieft.’

Een stem. 'Hij wil met jou en Toby kaarten.'

Kaarten? Was dat alles? En ineens kwam er een herinnering naar boven van ons drietjes. Het was in de tijd dat we het weer goed wilden maken. Theo was hooguit zes. Toby wilde Theo met behulp van een pak kaarten de tafel van twee leren, maar voordat we het wisten, zaten we op de grond om hem de basisregels van pokeren uit te leggen en hadden we de grootste lol toen hij binnen een uur de vloer met ons aanveegde.

Het was maar één avond, één keertje. En toch wilde dit joch ineens liever een potje kaarten dan een reisje naar Disneyland of Sea World. Reken maar.

'Een potje kaarten, misschien?' riep ik hem na. Hij bleef staan. Ik liep snel naar hem toe. 'Je weet wel, net als vroeger, met z'n drietjes, jij en papa en ik.'

'Jij en papa,' zei hij met grote ogen. 'Je haat papa.'

Ik deinsde achteruit. Je moest eens weten, dacht ik. 'Ik haat hem niet,' was het beste wat ik kon verzinnen. 'Ik hou van hem.'

Hij zag aan mijn ogen dat ik het meende. 'Echt niet.' Toen ik het nogmaals zei, geloofde hij me wel. Dat bracht hem aardig van zijn stuk, denk ik. De mogelijkheden tuimelden als knikkers door zijn hoofd en staken diep in zijn hart een kaarsje aan.

'Al dat andere hoef ik niet,' zei hij. 'Ik wil alleen kaarten.'

Poe! dacht ik. Ik had ook niet geweten waar ik honderd dollar vandaan had moeten halen.

Eenmaal thuis belde ik Toby. Toen ik mijn jas ophing, zag ik Nan staan, als een glanzende nevel bij de trap, en ik slaakte een diepe zucht van verlichting. Zij dekte me. Intussen had ik andere zorgen aan mijn hoofd. Ik had niet gepland om Toby te zien tijdens dit reisje. Het draaide allemaal om Theo, hoe ik hem kon veranderen, wat ik kon zeggen of doen om de wonden te genezen die ik hem in zijn jonge leventje had toegebracht.

Ik had het natuurlijk kunnen weten. Een rotsblok breekt soms pas eeuwen na de klap.

Ik belde naar Toby's flat. Ik wist dat hij thuis zat te werken aan een redactioneel artikel over zijn nieuwe boek. Hij hoorde de klank van mijn stem en vroeg meteen: 'Wat is er aan de hand?' Zijn stem klonk koeltjes en achterdochtig.

'Eh, niks, alles is prima. Theo en ik vroegen ons af of je vanavond hier wilt komen voor een spelletje poker.'

Stilte. 'Wat is dit nou weer voor geintje?'

Ik knipperde met mijn ogen. Theo keek grijnzend toe, wat ik bemoedigend vond, en maakte eetgebaren terwijl ik met de hoorn tegen mijn oor gedrukt stond. 'En eh... ik geloof dat Theo wil dat we iets te eten halen.' Theo maakte een kungfubeweging. 'De Chinese variant.'

'Margot.' Toby's stem, streng en ongeduldig. 'Ik dacht dat we hadden afgesproken dat je een maand naar een kliniek zou gaan om af te kicken. Of niet soms? Ga je je nou weer niet aan je belofte houden?'

De woede in zijn stem bracht me van mijn stuk. Ik aarzelde. Gaia, dacht ik. Alsjeblieft, zorg dat hij me een kans geeft. Nog één kans. Voor de allerlaatste keer.

'Toby,' zei ik zachtjes. 'Het spijt me zo.'

Ik zag Theo's gezicht oplichten, of nee, smélten van opgetogen blijdschap. En luisterend naar Toby's ademhaling aan de andere kant van de lijn, vroeg ik me af wat hij ervan zou denken – is ze high? Zwanger? Terminaal ziek? – voordat het bij hem opkwam dat ik het oprecht meende.

'Hoor eens, Margot,' begon hij, maar voor hij verder kon gaan, viel ik hem in de rede.

'Ik heb een afspraak met de kliniek voor volgende week. Ik zweer het je, Toby, volgende week ga ik erheen en dan zorg ik dat ik helemaal afkick,' lachte ik. 'Maar nu moet je hiernaartoe komen, voordat Theo en ik de kaarten schudden zonder jou.'

En zo zat ik voor het eerst sinds jaren samen met mijn man en mijn zoon te pokeren, een spel dat ik zo lang niet had gespeeld dat ze me telkens opnieuw de regels moesten uitleggen, op een toontje alsof ik niet ouder was dan twee, en ze zich samen kapot lachten omdat ik zo dom was geworden. En ik at Chinees, met een vork en niet met stokjes, wat tot nog meer hilariteit leidde, en vervolgens deed ik alles wat ik maar kon verzinnen om Theo aan het lachen te maken, om zijn vederlichte stemmetje te horen dat zorgeloos opklonk in het maanlicht, en zwengelde ik gesprekken aan waarvan ik wist dat hij er enthousiast op in zou gaan, de aderen op zijn voorhoofd gezwollen van opwinding over de nieuwe film van Spielberg en dat hij later ook acteur zou worden, en Toby keek van hem naar mij en terug, en hield met een peinzende glimlach zijn kaarten als een pauwenstaart op.

Toen de klok tien uur had geslagen en Theo's lijfje als een zakje popcorn bijna knapte van opwinding, bracht Toby hem naar bed. Even later kwam hij weer beneden. Hij pakte zijn jasje van de stoelleuning, sloeg het om zijn smalle schouders en zei: 'Welterusten dan maar.'

'Wacht even,' zei ik. Hij bleef staan, met zijn hand al op de deurknop.

'Moet je echt al zo snel weg?' Ik produceerde een lachje. Het klonk gemaakt.

'Wat wil je, Margot?' vroeg hij.

Ik vouwde mijn handen. 'Ik wil je zeggen dat het me spijt.'

Hij zette zijn tanden op elkaar.

'Wát spijt je? Spijt het je dat je dronken en stoned werd waar je kind bij was, elke dag opnieuw, wel... wekenlang? Spijt het je dat je met zijn leraar naar bed bent geweest, zodat hij door de hele school werd uitgelachen? Dat je hem met vuile kleren naar buiten stuurde, vergat hem naar de dokter te brengen toen hij blindedarmontsteking had? Waar precies heb je spijt van?'

Ik deed mijn mond open, maar wist niet wat ik moest zeggen. Hij ging door: 'Of heb je spijt van de manier waarop je mij hebt behandeld, Margot? Tjonge, dan kunnen we wel de hele nacht doorgaan, als ik al die zonden wil opnoemen. Ik zal je wat zeggen: mij spijt het ook. Wat vind je daarvan?'

'Waar heb jij dan spijt van?'

'Het spijt me dat ik je excuses niet kan aanvaarden. Ik geloof je niet. Dat kan ik niet.'

Zonder me nog een blik waardig te keuren liep hij de kamer uit en sloot zachtjes de deur achter zich.

De volgende ochtend bracht ik Theo naar school, nadat ik wakker was geworden in een nat bed. Mijn vleugels keerden terug, ik had niet veel tijd meer.

Terwijl hij naast me liep, nee, huppelde, babbelend over wanneer papa en ik de tweede ronde van de pokerwedstrijd zouden houden, hoe gaaf het was dat hij drie azen en een boer had getrokken en ik alleen maar een paar drieën en negens en of we met zijn verjaardag misschien met z'n allen naar de dierentuin konden gaan, was ik met mijn gedachten bij Margot. Dit plan had een langere levensduur nodig. Ik moest haar op de een of andere manier aanpakken om te voorkomen dat ze alles wat ik tijdens mijn bliksembezoek voor elkaar kreeg teniet zou doen. Ik was bang, doodsbang zelfs dat het ondenkbare zou gebeuren en dat Margot, na alles wat ik had gedaan, na alles wat ik had opgeofferd, het allemaal zou verpesten met de simpele vraag wie Theo die dag van school had gehaald. Stel dat Theo en Toby zoveel hoopvolle verwachtingen zouden koesteren door alles wat ik deed, en dat Margot hen daarna weer hardhandig en onherroepelijk met hun neus op de feiten drukte?

Ik wist de kliniek te vinden, Riverstone, een uitgestrekt wit gebouw in de vorm van een ufo met levensgrote plastic ooievaars op het gazon en bronzen boeddhabeelden die onverstoorbaar tussen de pilaren zaten. Een eendenvijver glansde achter de bosschages die het ronde gebouw omringden. Ik volgde de borden naar de receptie.

Ik moet zeggen dat ik, zwak uitgedrukt, slechts een vage herinnering aan Riverstone had. Als een vijver in de regen herinnerde ik me alleen nog wat spetters van korte, heldere scènes: een minzame therapeute in een ruimte die naar zwembad rook; een blik op mijn handen op een vroege ochtend in het besef dat ik aan elke hand ineens twee vingers meer had – het effect van de kalmeringsmiddelen, denk ik, want de extra vingers vielen er vrij snel weer af – en een vrouw die glimlachend mijn hand vasthield en het over kangoeroes had.

De receptioniste zat in een futuristisch hokje met een glazen koepel eroverheen. Ik stelde me voor als Ruth, blij dat ik eindelijk mijn eigen naam kon gebruiken.

'Bent u mevrouw Delacroix'... zus?' De receptioniste. Ik had me tot het uiterste ingespannen om zo min mogelijk op haar te lijken. Een bril. Een baret. Zware make-up. Het had niet echt geholpen.

'Nicht,' zei ik.

'Ik dacht al zoiets.' Ze glimlachte en trok haar neus op. 'Bezoek is eigenlijk verboden...'

'Het betreft een noodgeval,' zei ik. Dat was waar. 'Er ligt een familielid op sterven en ik wil liever dat ze het nu hoort, dan achteraf.'

De receptioniste trok een meelevend gezicht. 'O. Hm, oké. Ik zal haar therapeut waarschuwen. Maar ik kan u niets beloven.'

Ik werd naar de recreatiezaal gebracht, waar Margot en de andere 'gasten' kennelijk bezig waren met hun 'rustuurtje'. Het zag er oersaai uit. Margot zou wel tegen de muur op vliegen. Dat zou ik in haar geval doen. Er hingen grote platen met gouden lijsten aan de wanden, met woorden als 'acceptatie' en teksten waarvan het glazuur van je tanden springt, zoals 'je attitude bepaalt je altitude'. Ik rolde met mijn ogen en visualiseerde dat ze vervangen werden door 'cynisme' en 'falen is onvermijdelijk'. Niets beter dan een gezond gevoel voor realiteit om het herstel te bevorderen. Zoals het nu was, stelde degene die het hier had ingericht herstel gelijk met een flink aantal witvelours banken en overal glazen bijzettafeltjes met theelichtjes en tulpen erop. Ik wierp een blik op de grote Big Ben-klok boven de deur en mijn hart begon te bonzen. Als ze zeiden dat ik morgen maar moest terugkomen, kon ik wel inpakken.

Bij de witte deuren van de recreatieruimte pakte de therapeute, een kleine, pezige Canadese met dik, zwart ponyhaar, dokter Gale genaamd, me bij de arm en keek me vorsend aan over het randje van haar bril.

'Ik kan u helaas geen toestemming geven,' zei ze. 'Het druist tegen alle regels in. Als u wilt, kan ik een boodschap aan haar doorgeven.'

Ik dacht koortsachtig na.

'Ik moet haar spreken,' zei ik. 'Ik hoop dat u dat begrijpt. Ze komt er nooit meer overheen als ze hoort dat... Nan gestorven is terwijl ze hier zat. Ik ben bang dat ze dan meteen weer naar de fles grijpt...'

'Het spijt me,' zei dokter Gale meelevend. 'Margot heeft een overeenkomst getekend, waarin een clausule is opgenomen over eventuele tragedies in de familie. Het is van belang voor haar herstel. Ik hoop dat u daar begrip voor hebt.'

Een glimlach, vluchtig als een knipoog. Toen draaide ze zich op haar hielen om en liep weg.

Ik sloot mijn ogen en slaakte een diepe zucht. Deze tegenvaller had ik niet voorzien. Ik dacht koortsachtig na: hoe moet ik dit oplossen zonder de hele tent in de fik steken? Oké, dacht ik. Daar gaan we. En ik bad. Laat de engel van deze vrouw haar een zetje in de goede richting geven.

'Dokter Gale?' Ik schreeuwde bijna. Enkele knikkebollende hoofden op de bank draaiden zich naar me toe.

Dokter Gale bleef staan. 'Wilt u niet zo schreeuwen?' snauwde ze.

'Ik moet Margot echt spreken.' zei ik. 'Ik beloof u dat ik niets zal doen dat haar behandeling verstoort. Ze moet echt even iets weten. Ik ben degene die er niet meer zal zijn tegen de tijd dat ze ontslagen wordt. Ik wil haar gewoon graag nog een keertje zien. Voor het laatst.'

Dokter Gale wierp een vluchtige blik om zich heen. Enkele van haar collega's volgden het tafereel aandachtig. Ze wilde net doorlopen, toen ze zich bedacht en op haar schreden terugkeerde.

Ze nam me van top tot teen op. 'Goed,' zei ze. 'U krijgt tien minuten de tijd.' Ze zweeg even en zei toen zachtjes: 'We hebben Margot al een aantal malen een kalmerend middel moeten toedienen, dus het kan zijn dat ze wat duf op u overkomt. Dat is normaal. Probeer alleen niet te luid te praten, en ook niet te snel.'

Ik knikte. Dokter Gale deed de deur open en riep Margot. Geen reactie. Ze probeerde het nogmaals. Er stond heel traag iemand op uit een stoel bij het raam, om vervolgens voetje voor voetje naar ons toe te komen.

'Margot,' zei dokter Gale bedaard. 'Uw nicht is hier. Ik vrees dat ze geen goed nieuws heeft.'

'Mijn... nicht?' Margot. Niet helemaal bij de les. Ze knipperde traag met haar ogen en keek me aan.

Dokter Gale knikte. 'Ik zal u beiden begeleiden naar de bezoekruimte.'

Zodra ze de deur achter zich had dichtgetrokken, boog ik me naar Margot toe om haar hand te pakken. Ze deinsde achteruit en tuurde naar haar knieën. Nu ik haar in levenden lijve zag, kreeg ik het er benauwd van. Ik kon wel huilen toen ik zag hoe ik eraan toe was geweest, hoe broos ze was. Ze was zo kwetsbaar, zo versuft door de drugs en de wanhoop. En ik schaamde me omdat ik haar niet beter kon beschermen. Omdat ik haar niet kon genezen.

Uiteindelijk pakte ik haar hand. Hij lag losjes en slap als een vaatdoek in de mijne.

'Margot, ik wil dat je heel goed naar me luistert,' zei ik resoluut. Ze hief haar hoofd om me aan te kijken. 'Ik moet je iets heel belangrijks vertellen en je moet heel goed opletten, oké?'

Ze had moeite om haar hoofd recht te houden en keek me met half geloken ogen aan. 'Ken ik jou?'

'Soort van.'

Een hartslag. Ze grijnsde. Dat deed haar denken aan haar eerste kennismaking met Sonya.

'Wat een grappig accent. Waar kom je vandaan?'

Ik besefte dat ik zo nu en dan terugviel in het nasale accent van Australië, waar ik jaren had gewoond. Die jaren had Margot nog niet meegemaakt.

'Sydney,' zei ik.

'In Australië?'

'Uh-huh.'

Een langdurige stilte. 'Daar hebben ze 'roes, hè?'

'Roes?'

Ze trok haar hand los en hield beide handen als pootjes voor haar gezicht.

'O, kangoeroes.'

Ze knikte.

'Ja, daar hebben ze kangoeroes.'

Ik had zorgvuldig nagedacht over wat ik wilde zeggen. Ik had overwogen om haar te vertellen dat ik haar was, dat ik haar kwam opzoeken vanuit de toekomst. Ik zag gelukkig bijtijds in dat ik dat beter niet kon doen. Ik kon haar onder geen enkel beding vragen om me te vertrouwen. Ik had nog nooit iemand vertrouwd, mijn hele volwassen leven niet. Zelfs mijn man niet. Zelfs mezelf niet.

Daarom nam ik mijn toevlucht tot datgene wat voor mij ook had gewerkt.

Ik vertelde haar wat Theo was overkomen in de jeugdgevangenis. Ik hield niets voor haar verborgen. Ik vertelde het haar in geuren en kleuren, tot in de kleinste details, tot ik er zelf van moest huilen en Margot uit het raam naar de verte staarde en af en toe knikte als ik haar iets vroeg, of haar gezicht aanraakte toen ik haar met naam en toenaam voorschotelde hoe Theo had geleden, en wat hij nodig had van haar om te zorgen dat het goed kwam.

Tot slot kwam ik ter zake. De ware reden waarom ik hier was.

'Ik wil dat je Toby vergeeft,' zei ik.

Ze richtte haar blik op mij, haar hoofd onvast. Wat ze haar ook hadden toegediend, ze was compleet van de wereld. 'Hij heeft me bedrogen. Met mijn beste vriendin.'

'Nee, Margot, dat heeft hij niet gedaan. Ik zweer je van niet.'

Ze bleef me aanstaren. Ik kreeg zin om haar door elkaar te rammelen. Ze bleef roerloos zitten. Ik peinsde me suf om iets te bedenken waarmee ik door die drugsnevel kon dringen, iets wat door al die jaren van achterdocht en wantrouwen heen zou breken, dwars door alle beschermlagen en verdriet.

Voordat ik iets had bedacht, zei ze: 'Weet je, toen ik klein was, zag ik engelen. Heel lang geleden. Geloof je in engelen?'

Het duurde even voordat ik stomverbaasd knikte.

Ze bleef langdurig zwijgen en staarde diep in gedachten verzonken uit het raam.

Ik boog me naar haar toe om haar hand te pakken.

'Toby is nog steeds verliefd op je. Je hebt de kans, één kans, om zijn liefde terug te winnen. Laat hem niet lopen, want dan is hij voorgoed verloren.'

Ik had de bus gemist en moest rennen om op tijd bij Theo's school te zijn, terwijl de vleugels onder mijn shirt steeds natter werden. Elke seconde telde en ik deed alles wat ik kon. We gingen pannenkoeken eten en daarna naar de bioscoop op Union Square, waar *Young Guns 2* draaide. Ik kocht een hele lading nieuwe kleren voor hem, allemaal met Margots creditcard, en we bleven tot laat op om zijn kamertje anders in te richten, Batmanposters aan de wand te hangen, het kleed schoon te maken, zijn bed te verschonen en de losse panelen van zijn kledingkast stevig vast te schroeven, zodat hij niet meer bang hoefde te zijn dat hij de hele kast 's nachts over zich heen zou krijgen. Ik repareerde zijn rolgordijnen en vouwde al zijn kleren op. Daarna stuurde ik hem naar bed met de belofte dat ik hem zo een glaasje water zou komen brengen, maar toen ik terugkwam, lag hij al te slapen.

Ik ging naar de slaapkamer van Margot. Aan de andere kant van de gang zag ik een schijnsel. Nan, dacht ik. Ik liep ernaartoe. Toen hoorde ik Nans stem uit de kamer links van me komen.

'Ruth!'

Een seconde later lag ik snakkend naar adem op de vloer, met bloedend gezicht en een brandende pijn van wat het ook was dat me te grazen had genomen. Ik krabbelde hijgend overeind. Pal voor me stonden Ram, Luciana en Pui. Ze stonden dicht tegen elkaar aan gekropen, zodat ze er op het eerste gezicht uitzagen als drie schimmige pilaren. Ram had een strijdvlegel met scherpe punten in zijn hand.

Er zat maar één ding op. Rennen.

Ram zette zijn voet naar achteren en maakte zich klaar om me nog een mep met zijn vlegel te geven. Ik vluchtte naar de woonkamer en toen hij vlak bij me was, hield ik mijn handen voor mijn slapen in afwachting van de explosie tegen mijn hoofd. Vanuit mijn ooghoek zag ik dat Nan haar hand uitstak om de klap af te weren. Tegelijkertijd voelde ik twee armen onder mijn oksels en werd ik opgetild: Luciana hield me vast, terwijl Pui haar hand in mijn borst stak. Het voelde of ze me opensneed en ik gilde het uit. Ik hoorde Theo roepen vanuit zijn slaapkamer. James verscheen en ging naar Theo's kamertje. Luciana en Pui hadden hem echter gezien. 'Waag het niet!' gilde ik, maar Pui lachte me in mijn gezicht uit, boog naar voren en dook in me, net zo makkelijk als je een kast in duikt.

Op dat moment zag ik de hel, denk ik. Pui sleurde me ernaartoe, trok me uit mijn lichaam en omlaag, in een duistere val naar een wereld die zo afgrijselijk was dat ik de wreedheid voelde tot in mijn botten.

En toen, duisternis.

Ik hoorde gebonk, gebrul en geschreeuw. Heel ver weg, alsof ik naar een andere wereld, een andere tijd werd gesleept.

Toen ik weer bijkwam, lag ik naakt op de vloer van een witte ruimte. Doodsbang. Was ik er al? Was dit de hel?

Ik trok rillend mijn knieën naar mijn borst. 'Nan?' riep ik. Toen: 'Theo? Toby?' Voetstappen achter me.

Ik keek om. Het duurde even voordat ik me realiseerde dat de glanzende gedaante die voor me stond Nan was. Haar gezicht straalde als het middaguur, haar vleugels stonden wijd open aan weerszijden van haar schouders, als brede bundels rood licht. Haar gewaad was niet wit meer zoals vroeger, en ook niet van stof; het zag eruit alsof ze de oppervlakte van een kalm meertje waarin de ondergaande zon werd weerkaatst had opgenomen en over haar hoofd had getrokken.

'Zeg het maar,' zei ik klappertandend. 'Ga ik nu naar de hel?'

'Dat dacht ik niet,' zei Nan laconiek. 'Ik heb zojuist kunnen voorkomen dat jij de nieuwste bewoner werd.'

'Maar ik ga er wel naartoe, hè? In de toekomst?'

'Alleen God beslist wat de gevolgen van je keuzes zullen zijn.'

Dat maakte me er niet geruster op. Ik wist dat ze nooit tegen me zou liegen. Ik moest het echter onder ogen zien. Nan had me niet gered van de hel, niet voor eeuwig. Ze had mijn komst alleen ietwat vertraagd.

Het lukte me om te gaan staan. Ik stak mijn hand uit naar haar gewaad. 'Waarom ben je veranderd?'

'We veranderen allemaal,' zei ze na een lange stilte. 'Net zoals jij van baby bent uitgegroeid tot volwassene tijdens je leven. Toen ik jou redde, werd ik een aartsengel.'

'Waarom dan?'

'Er zijn verschillende soorten engelen, die God op een specifieke manier dienen. Sommigen van ons worden krachten, anderen deugden. Een paar van ons worden cherubijnen, die mensen beschermen en helpen om God te leren kennen. Nog minder van ons worden serafijnen.'

'En nog weer minder van ons komen in de hel terecht, natuurlijk.'

Een vluchtige glimlach. 'Dit is voor jou,' zei ze. Ik moest mijn hand beschermend boven mijn ogen houden om naar haar uitgestrekte armen te kunnen kijken. Ze hield een wit gewaad voor me op.

'Waar is het blauwe gebleven?'

'Dat kan nooit meer gedragen worden. Dit is wat ervan over is.' Ze overhandigde me een klein, blauw sieraad aan een gouden kettinkje. Ik schoot het witte gewaad aan en hing het kettinkje om mijn hals.

'Wat nu?' vroeg ik. 'Heb ik Theo's levensloop veranderd?'

Ze stak haar hand uit. Daarin verscheen een parallelle wereld, zo groot als een sneeuwbol, die aanzwol tot het formaat van een meloen. Ik ging dichterbij staan en tuurde naar binnen. Daar zag ik, als een weerspiegeling in een plas water, een beeld van Theo in zijn late puberjaren. Bokkig, stuurs. Eerst dacht ik dat hij aan een houten kantoorbureau zat, tot ik me realiseerde dat hij in een oranje gevangenisoverall in de rechtszaal zat en met hangend hoofd het vonnis aanhoorde. Een vrouwenstem zei luid: 'Schuldig.'

Theo werd overeind geholpen en weggevoerd.

'Nee, toch?' jammerde ik. 'Na alles wat ik heb gedaan krijgt Theo toch nog levenslang en moet ik naar de hel?' Ik keek naar Nan, hopend op een antwoord. Dat bleef uit.

Ik liet me op mijn knieën vallen.

Zo lag ik langdurig te huilen en liet ik mijn tranen op de witte vloer druppen. Het was allemaal voor niets geweest. Het is niet te beschrijven hoe ik me op dat moment voelde.

Uiteindelijk droogde ik mijn tranen en kwam ik overeind.

'Wat nu?' vroeg ik. 'Heb ik helemaal niets kunnen veranderen?'

‘Jawel,’ zei Nan. ‘Hoewel je niet overal even blij mee zult zijn. Het kan zijn dat je Margot keuzes ziet maken die al jouw plannen dwarsbomen.’

‘Ik heb geen plannen meer, Nan. Ik ga toch naar de hel.’

‘Het is zoals ik het je vanaf het begin heb uitgelegd,’ zei ze ernstig. ‘Niets staat vast.’

Ik droogde mijn tranen. Ze schonk me hoop. Ditmaal voelde dat echter als een daad van hardvochtigheid.

‘Wat moet ik nu doen?’ verzuchtte ik.

Voor het eerst in tijden glimlachte Nan. ‘Er ligt een taak voor je. Doe je best.’

23

HET MOEILIJKSTE WOORD

Ik was erbij toen Margot thuiskwam uit Riverstone, zonder haar verslavingen, maar ook zonder te weten wie ze was, waar ze vandaan kwam en wat ze hier deed. Ze zette haar tas op de vloer en streek zuchtend het haar uit haar gezicht. Toby en Theo zaten aan de eettafel. Ze keek langs hen heen naar de verwelkte zonnebloemen in de vaas.

'Margot?'

Ze keek op naar Toby. 'Ja?'

'Eh...' hij wierp een blik op Theo. 'Mag ik heel even met je moeder praten?'

Theo knikte en vertrok naar zijn kamer. Ik keek naar Gaia, die in de deuropening stond. Ze liep naar me toe en legde haar arm op de mijne.

'Gaat het wel?' vroeg ze.

Ik knikte, hoewel het helemaal niet goed met me ging.

Ik zag dat Toby een bundel formulieren uit zijn oversized visjasje haalde en op tafel legde. Ik wist wat het was. Hij schraapte zijn keel, rechtte zijn schouders en zocht met één hand naar iets in zijn zakken. Naar zijn zelfvertrouwen, denk ik. Hij liet zijn andere hand een minuut of twee op de formulieren liggen, alsof het pas als hij ze losliet definitief en onherroepelijk zou zijn, voor de rest van zijn leven.

Zeg dat je van hem houdt, Margot, zei ik luid, maar ze bleef naar de zonnebloemen staren.

'Dit zijn... de papieren voor de scheiding,' zei Toby haperend. 'Je hoeft alleen maar je handtekening onder de mijne te zetten en dan kunnen we allebei… verder met ons leven.'

Margot rukte de verdroogde stengels uit de vaas en liep ermee naar de keuken, zonder zelfs maar oogcontact te maken. Toby liep haar achterna. 'Margot?'

'Wat?'

'Hoorde je wat ik zei?'

Ze hield de droge stengels op. 'Ze zijn doodgegaan toen ik weg was.'

'Ja.'

'Heb je het water niet ververst?'

'Nee, want ik woon hier niet, weet je nog? Je hebt me eruit gegooid… Nou ja, laten we daar maar over ophouden.'

Ik zag Theo met gespitste oren in de deuropening van zijn kamertje staan, het verlangen in zijn hart gloeiend als kool. Alsjeblieft, alsjeblieft…

Margot keek naar de zonnebloemen in haar hand. 'Weet je, zelfs als ik ze in bad leg en ze dagenlang laat drenken, blijven ze dood. En dat is het.' Ze keek Toby aan. 'Snap je?'

Hij knikte aarzelend en stak zijn handen diep in zijn zakken. Toen schudde hij zijn hoofd. 'Nee, eigenlijk snap ik het niet. Waar heb je het over, Margot? Eerst zeg je dat het je spijt… en dan zitten we te kaarten alsof we weer helemaal het leuke gezinnetje zijn…'

Ze wierp hem een glazige blik toe en zei 'Kaarten?' alsof ze zich er niets van kon herinneren. Dat maakte hem woest.

Hij verhief zijn stem. 'Ik heb zes jaar gewacht tot je me kon vergeven, zes jaar waarin je had kunnen bedenken dat ik je heel misschien wel niet had bedrogen, dat wat je zag totaal niet was wat het leek, dat ik misschien wel van je hou…'

Ze keek naar hem op. 'Nog steeds?'

'Hield,' zei hij met afgewende blik. 'Ik bedoelde hield.'

Hij wierp de papieren op tafel. 'Zal ik je wat vertellen? De bloemen zijn dood, maar ík wil verder met mijn leven.'

Hij vertrok. De stilte hing als een zelfmoordenaar in de kamer.

De volgende morgen zat er een brief van Hugo Benet bij de post, waarin hij haar bedankte en complimenteerde voor de manier waarop ze de schriften van Rose Workman had geredigeerd, met ingesloten een cheque voor de royalty's die ze al veel eerder had moeten krijgen.

Het was een cheque van 25.000 dollar.

Ze scharrelde nerveus door het huis en ik herinnerde me de leegte die had ingezet nadat ik de alcohol uit mijn leven had verbannen, als een gigantisch brok steen dat uit een rotsingang was verwijderd. Ze keek in de spiegel en vond dat ze naar de kapper moest. Ze wreef over haar gezicht. Een en al rimpels en verdriet.

Ze dwaalde futloos door de gang naar Theo's kamer, zo behoedzaam als een koorddanseres. Er was voor haar geapplaudisseerd toen ze haar verblijf in de kliniek had afgerond, ze hadden haar een groot boeket lelies en orchideeën in de armen gedrukt en met veel bombarie verklaard dat ze nu clean was, alsof ze haar olieden. Ze maakten zelfs een polaroid van haar en de andere 'gasten' bij de ingang van Riverstone, tussen al die boeddhabeelden en ooievaars, en ze had de foto op de schoorsteenmantel tegen de klok gezet als steuntje in de rug: *Je bent clean. Niet vergeten, je bent clean*. Maar dat is het nou juist met afkicken: ze schrobben je zo clean dat het onnatuurlijk is. Hoe kun je ooit zo smetteloos blijven, zo rein, zo schoongeboend van alle menselijkheid? Zo voelde ik me tenminste. Ik had iemand nodig die me liet zien hoe ik een normaal leven moest leiden. Hoe ik moest leven zonder stapels lege drankflessen om me overeind te houden.

Theo lag met opgetrokken knieën in bed en deed of hij sliep. Hij lag te tobben over alles wat Toby had gezegd en de woorden bleven door zijn hoofd malen. James zat op de rand van zijn bed en probeerde hem af te leiden door zijn fantasie te prikkelen. Het haalde niets uit. Theo zag Margot in de deuropening staan en kwam langzaam overeind.

'Hoe zou je het vinden om ergens anders te gaan wonen?'

Ze zei het zo luchthartig mogelijk, alsof ze er heel goed over had nagedacht, alsof ze precies wist wat ze deed.

'Waar dan?'

Ze haalde haar schouders op.

'New Jersey of zo?'

Ze lachte.

'Waar dan? Las Vegas?'

Ze liep naar de wereldkaart aan de wand boven zijn bureau. 'Wist je dat je vader en ik daar getrouwd zijn?'

'Laten we daar dan gaan wonen.'

Ze keek op de kaart, haar armen gekruist. 'Wat zou je zeggen van Australië?'

Theo dacht na. 'Dat is toch wel een miljoen kilometer hiervandaan?'

'Ongeveer tienduizend.'

'Echt niet.'

'Waarom niet? Ze hebben er kangoeroes.'

Theo liet met een zucht zijn benen over de rand van het bed bungelen. 'Wil je echt naar Australië verhuizen? Of is dit weer iets om papa te pesten?'

'Zou je met me mee willen?'

Theo keek fronsend naar zijn tenen en voelde zich verscheurd. Ik keek James aan. 'Zeg maar dat hij gerust nee kan zeggen,' zei ik. 'Zeg maar dat hij bij Toby mag blijven.' James knikte en herhaalde wat ik had gezegd.

Het duurde een poosje voordat Theo opkeek. 'Mam,' zei hij, 'kan ik je komen opzoeken in Australië?'

Dat was zijn antwoord. Margot keek hem glimlachend aan. 'Natuurlijk.'

'Elke zomer?'

'Ja, alleen is het daar dan winter.'

'Mag ik dan een kangoeroe als huisdier?'

'Dat weet ik nog niet. Maar je mag altijd komen en zo lang blijven als je wilt.'

Die verhuizing had ik natuurlijk allang gepland. Hoe hard ik de warme kustlijn van Sydney ook nodig had voor mijn lang ontbeerde gevoel van welzijn, ik haatte mezelf omdat ik Theo in de steek liet. Het was niet eerlijk om hem te laten kiezen tussen Toby en mij. Het was hardvochtig en buitengewoon zelfzuchtig van me dat ik niet naar een andere wijk of een andere staat verhuisde, maar naar een ander continent.

En toch, na alles wat ik had doorgemaakt, na alle gebeurtenissen die bijna tot mijn ondergang hadden geleid, was dit mijn vangnet.

Margot begon haar transformatie met een ingrijpend bezoekje aan de kapper, een donkerbruine bob die over haar wangen viel en smal uitliep in de nek, en ze liet zich bruin sprayen. Ze verzilverde Hugo's cheque, kocht een lading nieuwe kleren bij Saks en maakte een afspraak met een plastisch chirurg. Een ooglidcorrectie om de droefheid weg te nemen. *Je kunt wallen weg laten halen zoveel je wilt*, zei ik tegen haar. *Het verdriet zit in je ziel gegrift.*

Ze besloot om het appartement nog een maand of twee aan te houden, voor het geval het niet zo zou lopen als ze wilde. Ik zei dat het nergens voor nodig was, maar sinds Riverstone reageerde ze niet meer op me. Zelfs toen ik het Lied der Zielen voor haar zong – één keertje maar, om te zien of we nog contact hadden – vertrok ze geen spier. Ze schoot niet overeind om zoekend om zich heen te kijken en er trok geen enkele rilling door haar heen zoals vroeger, wanneer ze mijn aanwezigheid voelde. Als ik niet beter wist, zou ik gedacht hebben dat ze totaal iemand anders was geworden.

Nan verscheen op de avond voordat Margot naar Sydney zou vliegen. Ik zat met gekruiste benen op het dak van het appartement onder een ongewoon schitterende hemel en voelde me van alles en iedereen verlaten, van God, mijn familie en mijzelf. Ik ging naar de rand van het dak en stapte er pardoes overheen. Dat zal wel theatraal overkomen, hoewel het als zelfmoordpoging weinig voorstelde. Ik wilde weten of ik mezelf werkelijk had geïsoleerd, of de regels veranderd waren nu ik een deal had gesloten met Grogor. Ik viel ongeveer een halve seconde en toen… niets meer. Ik bleef in de lucht hangen als een duiker in een zwemvijver. Voor de verandering stelde dat me gerust.

Nan hoorde mijn jammerklachten met haar bekende stoïcijnse kalmte aan. Toen ik klaar was, zei ze dat ik om me heen moest kijken. Waar even daarvoor niets dan maanverlichte duisternis lag, keek ik nu uit over een landschap met lichtgevende daken, waarop rijen en rijen aartsengelen zaten, allemaal even vastberaden en doelbewust, als blinkende robijnen van drie meter hoog, met sterke, menselijke gezichten. Er schoten vurige lichtbundels door hun lichaam, fel als kometen van talloze afmetingen en sterkten. Sommigen waren gewapend met zwaarden en schilden, anderen met pijl-en-boog. Zij hielden de wacht over me. Ze lieten me weten dat ze me steunden. Dat ze op me pasten.

Nan had al die tijd dat ik over Toby, Theo en Margot doorratelde geen woord gezegd. Toen ik mijn gebruikelijke vraag stelde – wat moet ik nou doen? – stond ze op om aandachtig naar een wolk te kijken, die als een zwart schaap door de met pailletten bezaaide hemel gleed. 'Wat is dat?' vroeg ik ongerust. 'Kijk eens goed,' zei ze.

Ik tuurde naar de wolk. Hij dreef traag in de richting van de maan, tot die witte sikkel in de hemel er geheel achter verdween. Dan opeens… een visioen.

Stel je de trailer van een film voor: het visioen bestond uit korte stukjes van verschillende gebeurtenissen, als scènes die door een dronken filmregisseur achter elkaar zijn gezet. Er klopte niets van de timing. Margot achter het stuur van haar auto, meezingend met de radio. Dan een vooruitblik in slow motion: rondvliegende stukken metaal. Door de klap vliegt Margots hoofd naar voren. Een andere auto raast rondtollend over de weg. Een close-up van een verfrommelde wieldop die naar de kant rolt. Het geluid van een brekende voorruit. Een andere auto die moet uitwijken en in volle vaart op een vrouw met een kinderwagen op het trottoir afstevent. Margot schiet door de voorruit, haar bloedende, opzwellende gezicht in slow motion; ze slaat tegen het asfalt in de warme ochtendzon, haar arm in een vreemde hoek langs haar rug; ze buitelt over zichzelf heen en komt neer op haar linkerheup, breekt haar bekken en glijdt dan, niet langer in slow motion, in de richting van het kromgetrokken wiel van een andere auto, die rook uitbraakt uit de motorkap.

'Wat is dit?' vroeg ik met een blik op Nan.

'Iets wat je moet voorkomen,' zei ze. 'Een van de gevolgen van de veranderingen die je hebt veroorzaakt, is wat je hier ziet. Tenzij je het voorkomt.'

Mijn hart bonsde. 'Stel dat het me niet lukt?'

'Het lukt je wel.'

'Maar stel...'

'Wil je dat echt weten?'

Nu was het mijn beurt om Nan een veelbetekenende blik toe te werpen.

Ze hield mijn blik vast. 'Margot raakt verlamd vanaf haar nek tot aan haar voeten en is de rest van haar leven aan een rolstoel gekluisterd, overgeleverd aan de zorg van anderen. Toch heeft zij nog geluk gehad. Vier mensen komen om bij dat ongeval, onder wie een baby, een man die op het punt staat om te gaan trouwen en een vrouw die in de toekomst een cruciale rol speelt bij het verijdelen van een terroristische aanval.'

Ik boog me naar voren en haalde diep adem.

'Hoe kan ik het tegenhouden?'

'Goed opletten,' zei Nan heel streng. 'Dit is jouw training en tegelijkertijd een geval van dringende nood. Zo is het mij verteld.'

'Goed opletten?' schreeuwde ik bijna. 'Is dat alle instructie die ik krijg?'

Terwijl het visioen langzaam wegtrok, kwam ze nog iets dichter bij me staan. 'Kijk om je heen,' zei ze kalm. 'Denk je nu werkelijk dat je iets te vrezen hebt? Zelfs nu je een engel bent, nu je weet dat God bestaat en ziet wat je kunt zien... Waarom maakt angst nog steeds zo'n wezenlijk deel van je uit?'

Ik zweeg. Daar wist ik geen antwoord op.

'Je krijgt de opdracht er iets aan te doen, niet om er bang voor te zijn. Doe het dan ook.' Ze stapte naar de dakrand.

Ik draaide me om. 'Wat voor training bedoel je eigenlijk?'

Maar ze was al weg.

Op eieren lopen? Schrikken van elk geluidje, elke beweging? Paranoia is zwak uitgedrukt voor mijn geestesgesteldheid van de volgende dag. Ik zag de zon opkomen en kreunde. Ik bad: 'Alstublieft, laat de berichten weer doorkomen. Ik luister, echt waar. Het spijt me dat ik er zo'n puinhoop van heb gemaakt. Zeg alstublieft wat ik moet doen.'

Mijn vleugels druppelden lusteloos langs mijn rug, zo krachteloos als rioolwater.

Margot had over Sonya gedroomd. Ze droomde dat ze bij haar aanbelde en haar confronteerde met de affaire met Toby. Ze trok al haar kleren uit – de jurk met luipaarddessin en de rode schoenen die ze die avond had geleend voordat ze naar Vegas vertrok om te trouwen – en smeet ze Sonya voor de voeten. En daarop bood Sonya haar excuses aan. Margot voelde zich ellendig, omdat Sonya er al die jaren spijt van had gehad. Ze besefte dat ze het al die tijd mis had gehad.

Toen ze wakker werd, voelde ze zich uitgehold. Ik zag dat flarden van de droom als gemorste koffie in haar aura bleven hangen, de beelden uitwaaierend in de zachtroze glans die als de ochtendnevel om haar huid hing, totdat er even later, toen de scherpe kantjes van de dag haar gevoel voor realiteit opdreven, niets anders restte dan wat druppels, elk met het glinsterende beeld van Sonya's oprecht berouwvolle gezicht.

Margot moest nog een aantal dingen regelen voor haar vertrek naar Sydney, waaronder het opslaan van de grotere meubelstukken en haar visum ophalen in het centrum. Ze trok dezelfde spijkerbroek en het zwarte shirt aan die ik een aantal weken geleden had gedragen, vroeg zich kortstondig af waarom ze netjes opgevouwen op het houten bankje aan het voeteneinde van haar bed lagen, pakte haar sleutels en liep de trap af.

Ik dacht eerst dat er een plasje olie onder de auto lag, maar bij nadere inspectie bleek het een kleine schaduwvlek te zijn die zich onder de auto verscholen hield. Ik bleef bij de auto staan en zocht de parkeerplaats af naar demonen – ik verwachtte min of meer dat ik Ram, Luciana, Pui of Grogor tegen het lijf zou lopen en deels hoopte ik dat zelfs, om hen op gepaste wijze te belonen voor hun gastvrijheid – en concentreerde me vervolgens weer op Margots oude, zilverkleurige Buick. Ze reed achteruit en toen ze op het nippertje een vuilnisbak miste, zag ik de schaduw trillen alsof hij door de zwaartekracht naar de onderkant werd gezogen. Later pas, toen ze de straat uit reed, zag ik wat het was: een schacht, zwart als een verduisterde regenboog, die in de schaduwvlek begon en langs de vuilnisbakken liep, helemaal tot over de toppen van de heuvels.

Ik haalde me het visioen voor de geest. Ik had niemand anders gezien, in elk geval niet langer dan een paar seconden. Er had een vrouw op het trottoir gelopen, met een kinderwagen. Haar gezicht had ik niet gezien. Was het de keuze van iemand die deze ochtend had willen uitslapen en op het punt stond een ongeval te veroorzaken omdat hij zich naar zijn werk moest haasten? Of had iemand troost gezocht in een fles Jack Daniels voordat hij Lexington Avenue op reed? Was er iets mis met de auto?

En dan… een detail uit het visioen. Vlak voordat Margot naar voren schoot en dwars door de voorruit werd gelanceerd, had ze opzij gekeken en iets gezegd. Ik geloof dat ik dacht dat ze iets tegen mij zei. Maar nu begreep ik het. Ze had het tegen iemand die naast haar zat. In de passagiersstoel.

Ik ging achterin zitten en boog me naar voren om in haar oor te schreeuwen: *Margot, nergens stoppen. Niemand oppikken, hoor je me? Niemand, al stort de hele wereld in. Hoor je me, Margot?*

Ze hoorde me niet. Mijn vleugels klopten. Ik huilde van opluchting. Ja, dacht ik. Geef me instructies. Geef me instinct. Geef me het-kan-me-niet-schelen-wat, als je me maar vertelt wat er gaande is. Maar het kloppen hield abrupt op. Ik keek paniekerig om me heen.

En daar, pal naast me, zat Grogor.

'Geniet je van de rit?' vroeg hij. Hij was er jonger op geworden. Eind dertig. Hij zag eruit als een knappe jonge advocaat of blitse zakenman. Gladgeschoren, gebruind. Een nieuw zwart pak. Hij ging met zijn tijd mee. Ik keek hem aan, klaar voor de strijd.

'Eruit,' zei ik.

Hij sputterde tegen. 'Nou nou,' zei hij. 'Ik kwam alleen maar even langs om te zien hoe het met je gaat. Ik hoorde dat je een akkefietje hebt gehad met Ram en co.' Hij fronste zijn voorhoofd. 'Daar was ik niet blij mee. Ik kan je verzekeren dat ze hun gerechte straf niet zijn ontgaan.'

Berichten in mijn vleugels. *Hij probeert je af te leiden.*

Ik negeerde hem en tuurde uit het raam, nam de omgeving in me op en probeerde uit alle macht de beelden uit het visioen te vergelijken met wat ik zag in het hier en nu.

'Ik wil je een nieuw voorstel doen,' vervolgde hij. 'Ik denk dat je beter even naar me kunt luisteren.'

Ik keerde hem de rug toe en hield mijn ogen strak op de straat gevestigd. Ik schrok op toen ik een vrouw met een kinderwagen zag lopen. Even daarna sprong het verkeerslicht op groen en reden we door. Nans visioen kon toch geen vergissing zijn geweest?

'Je weet dat je naar de hel gaat,' zei Grogor behoedzaam. 'En je weet dat je daar met heel wat meer demonen te maken krijgt dan die drie die het op jou begrepen hebben. Het zijn er miljoenen.' Hij stak zijn hand uit en doopte zijn vinger in mijn vleugel, één seconde maar. En in die lange, afschuwelijke seconde schoten de beelden van de hel door me heen. Geen vuur en zwavel. Niets dan ondraaglijke, tastbare bitterheid. Een donkere kamer zonder tapijt of deuren en ramen, alleen een ruimte zonder licht. Vervolgens, als een zoeklicht, een flikkerend rood schijnsel waardoor het beeld duidelijker wordt: een jonge man die door een menigte schimmige gedaanten uiteengereten wordt. Vervolgens naaien ze hem weer kalmpjes aan elkaar, alsof hij een lappenpop is, zonder acht te slaan op zijn noodkreten. Ik zag andere ruimten, waar mensen dwars door driedimensionale projecties van hun eigen leven liepen, en aanvullingen van die levens, krijsend als ze zichzelf zagen toesteken met een mes dat nooit teruggetrokken kon worden, verwoed pogend om alle stukjes op te vangen van de bomexplosie die door de ruimte trok als brekend glas in slow motion. Het behoefde geen betoog dat de virtuele projecties voor eeuwig op replay stonden.

Ik zag dingen die ik met geen pen kan beschrijven. Ik leek boven die plek van waaruit geen ontsnapping mogelijk was uit te stijgen, en ik zag enorme, zwarte gebouwen vol ruimten als die ik zojuist had gezien, waaruit niets dan gegil opsteeg. En ik zag mezelf aankomen bij de ingang van dat gebouw. Net zoals ik had gedaan bij het St. Antonius, klopte ik op de deur. Alle hoofden draaiden zich naar me toe. Ze kwamen eraan.

'Blijf van me af,' siste ik hem toe. Hij zoog op zijn vinger, die ernstig verbrand was door mijn vleugel, en keek me afwachtend aan. 'Dat was nog maar een glimp,' zei hij. 'Stel je de eeuwigheid zo voor, Ruth. Gelukkig voor jou is er een alternatief.'

Ik weifelde. 'En dat is?'

Hij keek verbaasd. 'Ruth... weet je niet wie ik ben?'

Ik keek hem wezenloos aan. Hij schudde ongelovig zijn hoofd. 'Kijk,' zei hij, 'als je nu met me meegaat, zal ik ervoor zorgen dat je hooguit wat koeltjes bejegend wordt door die miljoenen demonen die je komst afwachten. Immuniteit, zeg maar.'

Ik dacht erover na, veel langer dan ik had moeten doen. En ik moet bekennen dat een deel van me wilde toehappen. Veel van wat hij zei, was volkomen waar. Ik had het wapenfeit verricht en daarom gleed ik nu langzaamaan af naar de hel. Als een politieagent in de gevangenis belandt, komt hij oog in oog te staan met talloze criminelen die zijn bloed wel kunnen drinken. Mij stond een soortgelijke situatie te wachten, met dit verschil dat deze criminelen niet geïnteresseerd waren in mijn bloed. Ze wilden mijn ziel.

Plotseling hoorde ik de woorden van Nan: *Denk je nu werkelijk dat je iets te vrezen hebt?*

Ik ging verzitten en forceerde een glimlach. Hij glimlachte terug en boog zich naar me toe. Als ik me niet vergis, lag er een zweem van lust in zijn ogen. 'En?'

'Je moet me wel een enorme klungel vinden, Grogor,' zei ik. 'Ik zal het voor je uitspellen: ik neem het liever op tegen alle inwoners van de hel, dan dat ik nog één seconde in jouw gezelschap verkeer.'

Hij vertrok geen spier. 'Daar meen je geen woord van,' zei hij glimlachend, maar in de donkere spiegels van zijn ogen zag ik iemand in de achterruit.

Op dat moment werd het portier opengerukt. Grogor verdween. Er stapte iemand in en de deur werd met een klap dichtgegooid. 'Wat zullen we… ' schreeuwde Margot tegen de vrouw die naast haar kwam zitten.

'Doorrijden.' Het was Sonya. Een veel dikkere, zwaar opgemaakte Sonya, met oranjerood haar in dreadlocks en haar borsten in een strakke, gothic bustier geperst. De tijd was haar niet goedgezind geweest.

Margot keek haar aan. Ze schakelde haastig naar de eerste versnelling en reed weg.

'Waar gaan we heen?'

'Kop dicht en rijden.'

'Leuk je te zien, Son.'

Stilte. Zo gebeurt het dus, dacht ik. Ze krijgt een ongeluk door Sonya. Tot ik me het visioen nogmaals voor de geest haalde. Sonya was nergens te bekennen tijdens het ongeval. Of wel?

Ezekiel, Sonya's beschermengel, zat op de motorkap, buitengesloten achter de ruit. Ik dacht diep na en bad nog harder. 'Zeg me wat ik moet doen...'

'Wat wil je van me, Son? Ik heb het nogal druk...' Margot nam de bocht zo scherp dat Sonya tegen het raampje sloeg.

Sonya herstelde zich snel. Ze wendde zich tot Margot. 'Hoi. Ik dacht, we hebben elkaar zo lang niet gezien, we moesten maar weer eens afspreken om te kijken hoe belabberd onze levens zijn uitgepakt. Misschien kunnen we een wedstrijdje doen.'

'Daar heb je een goed moment voor uitgezocht, Son. Je bent altijd al zo'n planner geweest.'

'Weet je, ik dacht vroeger altijd dat ik degene was die jou excuses verschuldigd was. Maar de laatste tijd geloof ik dat het eerder andersom is.'

Margot trapte op de rem voor een rood verkeerslicht, waardoor Sonya tegen het dashboard schoof. 'Zoals ik het me herinner, verdiende jij olympisch goud voor het verwoesten van huwelijken.'

Sonya zette haar handen tegen de ruit en duwde zichzelf terug in haar stoel. 'Dat bedoel ik, daar heb ik het over. Ik heb je huwelijk niet verwoest.' Haar stem trilde. 'Weet je hoe erg het is om al die tijd met die gedachte te hebben moeten leven?'

Margot viel haar in de rede. 'O, heb ik soms een "wie is het zieligste"-feestje gemist?' Ze schakelde naar de eerste versnelling en drukte het gaspedaal stevig in.

Sonya tilde haar hoofd op om Margot aan te kijken. Dikke, zwarte tranen drupten uit haar ogen en stroomden over haar gezicht. 'Je wilt het nog steeds niet zien, Margie,' zei ze. 'Ik heb je vele, vele malen mijn verontschuldigingen aangeboden. Ik heb telkens opnieuw geprobeerd om die avond goed te maken. Ik heb honderden uren in therapie doorgebracht. Maar jij wilt het niet aannemen. Voor jou is het nooit genoeg. Dus nu...' Ze haalde een klein vuurwapen uit haar zak. Ze stopte het in haar mond.

'Nee!' Margot zwenkte uit en botste bijna op de taxi die voor haar reed. Overal klonk getoeter. Ze worstelde om de macht over het stuur te behouden en tegelijkertijd het pistool af te pakken en het voorzichtig uit Sonya's mond te trekken. Er was een moment waarop ze vreesde dat Sonya de trekker zou overhalen. Ik leunde naar buiten en duwde me stevig af tegen de taxi die naast ons reed, om de auto binnen de lijnen te houden.

Eindelijk wist ze het pistool omlaag te brengen.

'Ik ga naar de kant,' zei Margot trillend.

'Doorrijden,' zei Sonya; ze pakte het vuurwapen beet en zette de loop tegen Margots slaap. Margot hield zichtbaar haar adem in en ik verstijfde van schrik. *Wat moet ik doen? Wat moet ik doen?*

Sonya zette haar tanden op elkaar. 'En nu luister je naar me, schattebout. Ik heb al je arrogante beschuldigingen geslikt, ik heb het gepikt dat je de hoorn op de haak gooide, mijn e-mails wegklikte, en nu flik je Toby dit weer. Jíj bent degene die je huwelijk kapotmaakt, niet ik...'

'Heb je al die jaren gewacht om dit tegen me te zeggen?'

Sonya zette zoveel kracht op het vuurwapen dat Margots hoofd bijna op haar schouder rustte. 'Jij bent met de leukste vent van de wereld getrouwd. En verdomme, ja, ik wilde hem ook. Want jij behandelde hem zo belabberd dat ik vond dat je hem niet verdiende. Maar weet je wat er gebeurde? Toen ik hem wilde versieren, zelfs toen je hem zo ver uit dat huwelijk had geduwd dat hij rijp was voor de pluk, zei hij nee. Hij zei nee, Margot. En toch ben je bij hem weggegaan. En nu kom ik je vertellen dat het me spijt. En ik kom je vertellen dat Toby niets heeft gedaan, helemaal niets. Maar ik wil het jou horen zeggen. Zeg het, Margot. Zeg dat je me gelooft. Zeg dat je me vergeeft.'

Haar vingers krulden zich rond het pistool.

'Ik geloof je,' zei Margot hees. 'Ik vergeef je.'

'Meen je dat?'

Margot draaide langzaam haar gezicht naar haar toe, waardoor de loop van het vuurwapen langs haar voorhoofd gleed. Ze keek Sonya recht in de ogen.

'Ik meen het.'

Een lange, akelige stilte. Sonya slaakte een diepe zucht van verlichting en toen zakten haar schouders naar voren en liet ze het vuurwapen in haar schoot vallen. Ik zag dat haar aura alle kleur verloor en veranderde in vaalgeel, tot het overging in fel turkoois.

De auto zwenkte abrupt naar rechts.

'Wat gebeurt er?' gilde Sonya. Margot probeerde uit alle macht om de auto op de weg te houden en miste op een haar na een tegenligger.

Ik was weer helemaal bij de les. Ik zag de vrouw met de kinderwagen rechts van me en ik sprong naar buiten. Plotseling stroomde er luid en duidelijk een bericht door mijn vleugels: *Vertrouwen.*

En toen, ongeveer drie meter voor ons uit, de man in de zwarte Lincoln die uit een zijstraat kwam. Ik hoef alleen mijn hand maar uit te steken, dacht ik. Dan kan ik dit voorkomen.

Vertrouwen.

De zwarte auto was zo dichtbij dat ik mezelf weerspiegeld zag in de achterruit. 'Wat bedoel je met "vertrouwen"?' schreeuwde ik. 'Wat wil je dat ik doe? Gewoon afwachten en toekijken?'

Alle geluiden van het verkeer, het geroezemoes uit het café op het trottoir, de verkeersagressie, politiesirenes, metrotreinen en druipende dakgoten… alles kwam tot stilstand. Slechts één geluid drong tot me door, als een fluistering:

Vertrouwen.

Dus sloot ik mijn ogen en gaf me over aan het vertrouwen

dat alles zou gaan zoals het moest gaan: de auto zou tot stilstand komen, voorbij de vrouw met de kinderwagen, voorbij de zwarte auto met de man die op het punt stond om te gaan trouwen. Ik stond midden in het verkeer en sloot mijn ogen.

Op hetzelfde moment schoot er vanuit mijn diepste wezen een lichtflits op die alles om me heen in vuur en vlam zette. Het was alsof ik was uitgegroeid tot een geslepen diamant waarin een felle zonnestraal werd weerkaatst, want plotseling stroomden alle denkbare kleuren uit mijn lichaam, naar alle hoeken en gaten van de straat waarin ik stond. En in die bundels licht sprongen de aartsengelen voor de vrouw, hielpen ze de zwarte Lincoln naar de juiste weghelft en zorgden ze dat het wiel op zijn plek bleef zitten toen Margot naar de stoeprand reed, vlak voor het kruispunt dat ik herkende uit het visioen.

Ik stond naast de auto en keek naar de aartsengelen die de moeder en haar krijsende kind troostten, de man in de zwarte auto in zijn oor fluisterden dat hij zijn weg kon vervolgen, de voorbijgangers begeleidden op hun pad en overleg pleegden met hun engelen. Ze verdwenen even snel als ze gekomen waren, opgaande in de zonnestralen en de heldere glinstering van de laatste regendruppels.

Geleidelijk aan nam het licht om me heen af. Ik raakte mijn armen en gezicht aan en besefte dat ik droop van het zweet.

Ik liep naar Margots auto en kroop achterin, zonder te begrijpen wat me zojuist was overkomen. Ik verlangde hevig naar Nan om het me uit te leggen, maar ze liet zich niet zien.

Margot keek schuins naar Sonya.

'Weet je, als je nog eens wat hebt, laat dat vuurwapen dan thuis.'

Sonya keek terug. 'Het werkt anders wel.'

Stilte. 'Het spijt me, oké?'

'Ja. Mij ook.'

'Hier, m'n kaartje.' Sonya wierp een zwart visitekaartje op het dashboard. 'Hou me op de hoogte, Margie.'

Ze stapte uit en liet het vuurwapen in haar tas glijden. Toen leek ze zich te bedenken en boog ze zich door het raampje naar binnen. 'Doe me een lol, Marge,' zei ze. 'Maak het weer goed met Tobber.'

En met die woorden wandelde ze weg.

24

DE KAARTEN WORDEN OPNIEUW GESCHUD

De volgende dag zocht ik het beste plaatsje in de engelenklasse van de Qantas-vlucht van New York naar Sydney, met onder me de lichtjes van de aarde, en boven me de beschermengelen van de sterren en planeten. Ik dacht aan Nans woorden – dit is jouw training – en piekerde me suf om te bedenken wat ze daar nou mee kon bedoelen. Waarom zou ik een training moeten krijgen? Was het daar niet wat te laat voor? Of was het een training voor iets anders?

En ik dacht na over het bericht dat ik op dat cruciale moment in mijn vleugels had gevoeld. Vertrouwen. Ik was blij dat ik verkozen had om ernaar te luisteren, maar ik begreep niet waarom ik de opdracht had gekregen om simpelweg te vertrouwen. Ik was toch die auto in gestuurd om iets te dóén, om het ongeval te voorkomen? Het enige wat ik had gedaan was mezelf dwingen om te geloven dat alles op de een of andere manier goed zou komen. Ik had geen idee hoe het werkte. Toch was er iets gebeurd toen ik dat deed, iets wat van levensbelang was. Ik was heel even veranderd in iets anders, iemand anders. Ik nam me voor om het zo snel mogelijk nogmaals te proberen.

Tegelijkertijd oefende ik me in de edele kunst der hoop.

IJdele hoop, wellicht, maar toch hoop. Hoop dat ik misschien een paar bonuspunten kon halen bij God, genoeg om mijn verraad naar de achtergrond te dringen. Hoop, ondanks het visioen dat Nan me had laten zien van Theo die voor de rest van zijn leven achter de tralies verdween, dat ik misschien nog net iets kon doen om hem dat lot te besparen. Hoop dat ik de weg terug naar

Toby zou kunnen vinden. Dat wilde ik zielsgraag proberen. Al had ik mijn ziel dan al verkocht.

Zoals Nan had voorspeld, waren er signalen dat sommige dingen ten goede waren veranderd. Toen ik naar Sydney verhuisde, had het me weken gekost om woonruimte te vinden, met als gevolg dat ik langdurig in een jeugdherberg bivakkeerde in Coogee, een buitenwijk van Sydney, waar ik een slaapzaal deelde met een aantal Thaise studentes en een vrouw uit Moskou die dag en nacht binnen zat, grote, dikke sigaren rookte en wodka dronk. Mijn terugval was praktisch onvermijdelijk geweest; het duurde niet lang voordat ik haar gezelschap hield en mijn zoektocht naar woonruimte, een baan en een leven verdronk in de ene na de andere fles met Russische teksten erin gegraveerd.

Margot landde op een vroege maandagochtend in september op het vliegveld van Sydney. Ik wilde haar die naargeestige slaapzaal in Coogee besparen en fluisterde haar in om regelrecht naar Manly te gaan en daar een appartementje te huren met uitzicht op de oceaan. De kans was groot dat het nog een beetje te vroeg was om haar op dat appartement te wijzen, want ik vond het pas in december van dat jaar, maar het Manly-idee sloeg aan en ze ging de weg vragen. Een bus en een ferryboot later sleepte ze haar koffer over de promenade en keek ze bewonderend naar de Norfolk-dennen die voor haar opdoemden als gigantische kerstbomen, naar de ivoorkleurige strook zand en de indigoblauwe kuiven van de oceaan die onervaren surfers van hun board sloegen.

Terwijl ik haar uitlegde hoe ze bij het appartement moest komen, voelde ik een bericht opkomen in mijn vleugels. Niet alleen een bericht, maar een complete stroom die door mijn lichaam trok, en op die stroom een beeld van Margot: ze liep met lange, blonde haren zoals vroeger door de velden langs een meer, sloeg een pad in en trok de heuvels in. Ik keek om me heen of ik ergens zo'n plek zag en zocht vervolgens in mijn geheugen. Ik zag niets wat ook maar enigszins leek op het landschap dat ik zojuist had gezien; het was in elk geval niet in de buurt van Sydney. En toen drong het tot me door: de vrouw in dat visioen was Margot niet. Ik was het zelf.

Waken. Behoeden. Vastleggen. Liefhebben. Het was in al die dertig jaar niet tot me doorgedrongen dat het woord 'veranderen' niet in dit rijtje voorkwam, evenmin als de woorden 'beïnvloeden' en 'sturen'. En terwijl Margot door de straten van Manly liep, moe van de reis en het tijdsverschil en overdonderd door de schoonheid van deze stad, de nieuwigheid van elke winkel en elke straathoek, neuriede ik die vier woorden als een mantra. Ik weerstond de neiging om haar in de richting van dat geweldige appartement te sturen, met die ruime woonkamer met de open keuken en het balkon dat uitstak boven het strand, het hemelbed, het koperen bad, het bijzettafeltje waarin tropische vissen zwommen, en ik hield me afzijdig toen ze onwennig door deze straten liep, door de tíjd liep, alsof het voor het eerst was. Alsof het allemaal werkelijk op dit moment gebeurde.

En ik denk dat ik eindelijk besefte dat ik haar de afgelopen vijftien jaar vooral had behandeld als een ouder die helemaal vergeten is hoe het is om te dromen van Kerstmis, hoe het voelt om een speelgoedwinkel in te lopen als je vijf, zes of zeven jaar oud bent, of waarom oorden als Disneyland zo'n onweerstaanbare aantrekkingskracht uitoefenen op iedereen die jong van geest is. Het privilege om in het heden te leven was dat je overal enthousiast en verrast op kon reageren. Dat gold voor mij niet. En daarom had ik Margot bejegend met hetzelfde gebrek aan begrip dat zij voor Theo had. Ik had haar geen greintje speling gegund.

Het werd tijd voor een nieuwe tactiek. Ik zou haar laten aanrommelen. Ik zou haar rustig laten struikelen en als ze te hard viel, zou ik haar oprapen en weer op weg helpen. Daar kon ik diezelfde avond al mee beginnen, nadat de eerste opwinding en euforie over Australië plaats had gemaakt voor eenzaamheid en verdriet. Ze had een hotelkamer genomen aan de promenade en stond zeker twintig minuten naar de minibar te staren. *Niet doen,* waarschuwde ik. Ze aarzelde, zwaaide haar benen over de rand van het bed en trok het deurtje open. *Doe dat nou niet*, zei ik. *Je bent verslaafd, lieverd. Je lever kan het niet aan.* Ze maakte drie miniflesjes Bailey's en een halve gin-tonic soldaat, voordat ze naar haar trillende handen keek en bedacht dat ze misschien maar beter kon ophouden.

Precies zoals ik het me herinnerde, besloot ze een plan op te stellen. Misschien kun je het beter een serie doelen noemen. Lijstjes maken is nooit mijn sterkste punt geweest. Ik ben veel beter met plaatjes. Ze installeerde zich met een stapel kranten en tijdschriften op de vloer van de hotelkamer en knipte plaatjes uit van alles wat ze graag zou willen in dit leven, en terwijl ze plaatjes koos van een huis met een wit hek eromheen, jonge katjes, een groot fornuis, een duif, Harrison Ford, stroomden vrijwel dezelfde beelden door mijn hoofd. Ik moest lachen toen ze de foto van Harrison Ford verknipte en alleen zijn ogen behield, de kaak en neus van Ralph Fiennes uitknipte en vervolgens de kruin van een roodharig model. Ze plakte alles aan elkaar tot er een collage verscheen van Toby.

Daarna knipte ze een plaatje van een totaal ander kaliber uit: een foto van een boekomslag met een plaatje van Ayers Rock en een walvis. De titel van het boek luidde *Jona's opsluiting* en de schrijver heette K.P. Lanes. *Dat boek moet je lezen*, drukte ik haar op het hart.

Een belletje naar de receptie.

'Goedenavond, mevrouw Delacroix. Kan ik u helpen?'

'Is er ergens in de buurt een bibliotheek open?'

'Eh, nee, dat denk ik niet, mevrouw. Het is halfelf. Morgenochtend gaan ze weer open.'

'O.'

'Kan ik u ergens mee helpen?'

'Misschien. Hebt u weleens van de schrijver K.P. Lanes gehoord?'

'Ja, dat kun je wel stellen. Hij is mijn oom.'

'Dat meent u niet. Ik heb net een foto van zijn boek gezien in de *Sydney Morning Herald*.'

'Ja, het is prachtig. Hebt u het al gelezen?'

'Nee, ik ben net vanmorgen aangekomen...'

'Wilt u het misschien lezen?'

'Ja, eerlijk gezegd...'

'Ik heb hier een exemplaar liggen, zal ik dat naar boven laten brengen?'

'Dat zou echt fantastisch zijn.'

'Met alle plezier.'

Nadat ze het in één ruk had uitgelezen, sliep ze twaalf uur achter elkaar.

Nogmaals, zo had ik Sydney niet beleefd. Het was alsof de kaarten die me toebedeeld waren in het leven opnieuw waren geschud. Ik was K.P. Lanes tegen het lijf gelopen in de hal van een van de vele uitgeverijen waar ik om een baan kwam bedelen. Margot ontmoette hem in de lobby van haar hotel.

Dat was het eerste van de vele verschillen met mijn eigen leven. Ik begon me af te vragen in hoeverre je op je geheugen kunt vertrouwen, tot ik bedacht dat we werkelijk twee verschillende personen waren geworden. Wat zij doet, wat ik doe... Het is niet meer hetzelfde. Net zoals Toby's voorliefde voor oude, verbleekte manuscripten en zijn bijna perverse belangstelling voor de vage geesten van de woorden die achter zijn eigen schrijfsels schemerden, besloot ik ter plekke, daar in de lobby, toen Margot de enorme Aboriginalhand schudde van Kit: laat het los, laat het los.

Toch verschilde het scenario in mijn geheugen niet in alle opzichten van de huidige versie. Kit, oftewel K.P. Lanes, zoals hij bekendstond in de literaire wereld, was een gepensioneerde rechercheur die al zijn hele leven van alles en nog wat schreef. Hij was lang, vriendelijk en verlegen en had er tien jaar over gedaan om *Jona's opsluiting* te schrijven en twintig om het uit te geven.

Omdat hij enkele inheemse tradities had onthuld die door zijn clan als heilig werden beschouwd, hadden veel van zijn vrienden en familieleden hem de rug toegekeerd. Ooit had hij het mij uitgelegd, net zoals hij dat nu deed aan een betraande, geschokte Margot: hij had de geheimen van zijn volk onthuld juist omdát ze met uitsterven werden bedreigd. Hij wilde dat de tradities zouden voortleven.

Jona's opsluiting was uitgegeven door een onafhankelijke uitgever en er waren slechts honderd exemplaren van gedrukt. Er had geen presentatie plaatsgevonden. Kits dromen om de wereld in te lichten over de overtuigingen en waarden waren in duigen gevallen. Verbitterd was hij echter niet. Hij vertrouwde erop dat zijn voorvaderen hem zouden helpen. Margot vertrouwde op twee dingen:

1. Het was op meerdere niveaus een bewonderenswaardig boek.

2. Zij was de enige die hem kon helpen.

En zo werd het restant van de cheque die Hugo Benet zo vriendelijk had uitgeschreven om zijn geweten te sussen geïnvesteerd in een herdruk van tweeduizend exemplaren, een bescheiden promotiecampagne en de presentatie van Kits boek in de bibliotheek van Surry Hills. Daar kwam ik weer van pas, want tijdens de presentatie herkende ik de journalist Jimmy Farrell, die een belangrijke rol had gespeeld in het succes. Hij pakte Kits relaas op, over de lange weg die hij had afgelegd en de culturele offers die hij zich had getroost om zijn verhaal wereldkundig te maken, en hij legde de nadruk op het onthutsende feit dat er een inheemse Australiër was opgestaan om over kwesties als territorium en identiteit te schrijven, nog geen halfjaar nadat het Australische Hooggerechtshof het idee van *terra nullius* of 'leeg land' had verworpen, een controversiële wet over het recht om het land van de oorspronkelijke bewoners terug te vorderen.

Ga met hem praten, spoorde ik Margot aan, en ik gaf haar een duwtje Jimmy's kant uit.

In december waren er meer dan tienduizend exemplaren van Kits boek verkocht en hadden Margot en hij een affaire. Terwijl Kit vier maanden op tournee ging om zijn boek te promoten, huurde Margot een klein, bescheiden kantoor aan Pitt Street, met een redelijk uitzicht – als je op een stapel boeken ging staan en je nek uitstrekte, kon je net de witte rugvinnen van het Opera House zien – en schreef zich in bij de Kamer van Koophandel: Margot Delacroix, literair agent.

Kort daarna belde Toby.

'Hallo, Margot? Met mij… Toby.'

Het was zes uur 's ochtends. Geheel tegen haar gewoonte in was ze al op, struinde ze in haar ochtendjas over de warme vloer van haar keuken en nipte ze van haar nieuwe favoriete drankje: heet water met honing en citroen.

'Hoi Toby, hoe is het met Theo?'

'Grappig dat je over onze zoon begint. Hij is de reden waarom ik bel.'

Ze bedacht dat ze Theo al ruim een week niet had gebeld. Ze stootte haar teen tegen de ijskast. Voor straf.

'Het spijt me, Tobber, het is een gekkenhuis hier…'

'We hebben een probleem.' Hij zuchtte. Een lange stilte. Ze besefte dat hij huilde.

'Toby? Is alles in orde met Theo?'

'Ja… nou, ja. Ik bedoel, hij is niet gewond of zo. Maar hij ligt in het ziekenhuis. Hij bleef gisteren bij Harry slapen en ze vonden het wel gaaf om een drankwedstrijdje te houden. Theo is opgenomen met een alcoholvergiftiging…'

Ze hield de hoorn tegen haar borst en sloot haar ogen. Dit is mijn schuld, dacht ze.

'Margot? Ben je er nog?

'Ja, ik ben er nog.'

'Hoor eens, ik vraag je niet… Ik wilde alleen dat je het wist, snap je?'

'Zal ik naar huis komen?'

'Nee, ik… Hoezo? Kom je terug? Hoe gaat het daar allemaal?'

Ze aarzelde. Ze popelde om hem alles te vertellen over Kit en het boek. Tot ze bedacht dat ze een relatie had met Kit. Toby was sinds ze uit elkaar waren nooit meer verliefd op iemand geweest. Zij had een stuk of wat vriendjes gehad. Ze waren al zeven jaar uit elkaar. Zeven jaren, vervlogen als bladeren in de wind.

'Ja, het gaat goed, prima zelfs. Toby, vind je het een goed idee als ik overkom met kerst? Misschien kunnen we dan een potje kaarten.'

'Ik denk dat Theo dat geweldig zou vinden.'

'Denk je?' Ze glimlachte. 'En jij?'

'Ik zou het ook fijn vinden.'

Ze vloog een week later met een koffer vol shorts en sandalen terug naar een ijskoude kerst in New York. Ze was niet langer dan een paar maanden weggeweest, maar ze kon het tempo van de stad al niet meer bijbenen, alsof ze in wandelpas meedeed aan de marathon. Haar plaats in New York was vergaan. Je had nu eenmaal bepaalde vaardigheden nodig voor deze stad en de hare waren afgestompt door Sydneys zonnige, zorgeloze levensstijl. Het kostte haar een halfuur om een taxi aan te houden. Ik stond te springen, popelend om Gaia en James weer te zien.

'Hoi mam,' zei de magere, slungelachtige skinhead in de deuropening.

Margot wist niet wat ze zag. 'Theo?'

Hij liet met een norse grijns een mondvol zilveren slotjes zien en boog zich toen onwillig naar haar toe om zich te laten omhelzen.

'Fijn je te zien, jongen,' zei ze zachtjes.

Hij draaide zich om en banjerde geeuwend weer naar binnen. Margot volgde hem en sleepte haar bagage achter zich aan.

'Pap, mam is er.'

De gedaante bij het raam kwam traag overeind. 'Ik zat te wachten tot je zou bellen dat ik je moest komen halen,' zei hij bezorgd. 'Je gaat toch niet zeggen dat je een taxi hebt genomen, helemaal van JFK?'

Margot negeerde hem en nam Theo aandachtig op.

'Heb je je haar aan een goed doel geschonken of zo?'

'Ik heb kanker. Fijn dat je daar zo fijngevoelig over doet.'

Toby glimlachte verontschuldigend en stak zijn handen in zijn zakken. 'Zo te horen is het gelijkspel in de kampioenschappen sarcasme.' Hij boog zich naar Margot toe om haar vluchtig en onhandig op de wang te kussen. 'Blij je weer te zien, Margot.'

Ze glimlachte en keek nog eens goed naar Theo. Ze voelde aan dat zijn vroegrijpe humor en fysieke volwassenheid het gevolg waren van de noodzaak om te snel volwassen te moeten worden. Ze vroeg zich af of dat haar schuld was.

Theo stond er nog steeds, alsof hij ergens op wachtte. Toby keek hem vragend aan.

'Wat... O, ja. Sorry, Theo.' Hij haalde zijn portefeuille uit zijn zak en gaf Theo een briefje van twintig.

'Je weet het, hè, voor tienen thuis en geen seconde later.' Hij wierp Margot een blik toe waarmee hij wilde zeggen: ik laat de teugels iets vieren.

Theo salueerde. 'Komt goed. Later, pa.' Een hartslag. 'Mam.'

Hij maakte zich uit de voeten, richting voordeur.

'Ik hou van je, jongen,' riep Toby hem na.

'Ik ook van jou.'

De deur sloeg met een klap dicht.

Nu Theo verdwenen was, stak de opgelaten sfeer tussen Margot en Toby in de woonkamer schril af tegen het weerzien van James, Gaia en mij in de eetkamer. Margot en Toby zaten stijfjes tegenover elkaar, zo ver mogelijk van elkaar af, en zochten naarstig naar veilige gespreksonderwerpen, terwijl wij over elkaars woorden vielen. Nadat we een hele tijd door elkaar heen hadden gepraat, vielen we stil, keken elkaar aan en barstten in lachen uit. Zij waren als familie voor me en ik miste hen nog elke dag. Ik heb mezelf zelfs vervloekt om Margot aan te moedigen om zo ver weg te gaan wonen, hoewel het duidelijk was dat de afstand tussen haar en Toby hun goeddeed. De oude strijdwonden waren gereduceerd tot deukjes in hun relatie. Ze waren beleefd tegen elkaar, blij met het gezelschap van iemand die zo vertrouwd was, iemand van wie ze ooit hadden gehouden.

Ik had vooral veel vragen voor James. Gaia vertelde me wat Toby zoal deed, vooral omdat ik als een jaloerse ex-vrouw maar bleef doorvragen over de romantiek in zijn leven, die tot mijn vreugde nul komma nul was. Ten slotte wendde ik me tot James.

'Ik wil graag dat je het eerlijk zegt,' zei ik. 'Is er iets veranderd voor Theo door wat ik heb gedaan? Hij ziet er slechter uit dan voordat Margot vertrok.'

James bestudeerde de vloer. 'Ik denk dat we een lange adem nodig hebben voor dit soort dingen.'

Ik keek Gaia vragend aan.

'Toby is een goede vader,' zei ze iets te troostend. 'Hij houdt de jongen aardig in toom. En James is de beste engel die een kind zich kan wensen.' Ze gaf hem een klopje op zijn knie. 'Theo reageert zo nu en dan op James' aanwezigheid, wat een goed teken is. En soms, als James tegen hem praat terwijl hij slaapt, geeft Theo antwoord.'

Ik keek James verheugd aan. 'Wat fantastisch! Wat zegt hij dan?'

James haalde zijn schouders op. 'Een zinnetje uit een songtekst van Megadeth, de tafel van twaalf, een paar woorden uit een aflevering van Batman...'

Gaia en James schoten opnieuw in de lach. Ik lachte mee als een boer die kiespijn heeft. Het was nog steeds niet bewezen dat wie dan ook profijt had bij wat ik had gedaan, terwijl ik er een hoge prijs voor moest betalen.

De dingen werden er niet beter op. Theo kwam pas na middernacht thuis, sliep op kerstochtend lang uit, kwam toen met de smoes dat hij zijn Sega-spelletje bij Harry had laten liggen en verdween voor de rest van de middag. Zes dagen later, toen Margot op het punt stond om terug te vliegen naar Sydney, had ze Theo hooguit viermaal gesproken, ongeveer als volgt: Margot: 'Hé, Theo, de Knicks spelen overmorgen. Zullen we erheen gaan?'

Theo: 'Uh.'

Margot: 'Lieverd, is dat een plakplaatje of een echte tatoeage?'

Theo: 'Muh.'

Margot: 'Theo, het is één uur 's nachts. Je vader zei dat je om acht uur thuis moest zijn. Hoe zit dat?'

Theo: 'Nuh.'

Margot: 'Tot kijk, Theo. Ik stuur je het ticket toe en dan spreken we elkaar weer, oké?' Stilte.

Gaia en James verzekerden me dat ze zouden doen wat ze konden om Theo te beschermen tegen het lot dat ik had voorzien. Maar toen Margot de zomer daarop terugkwam, was Theo vijfmaal in het ziekenhuis beland wegens drankmisbruik. Hij was ook gearresteerd. Hij was pas dertien.

Ik vertelde haar steeds opnieuw het verhaal van de jeugdgevangenis.

'Weet je nog, Margot?' zei ik dan. 'Weet je nog wat ik je heb verteld toen je in Riverstone zat?' En weer vertelde ik haar de hartverscheurende dingen die Theo had meegemaakt, en meestal begon ik dan te huilen en kwam James naar me toe om me te troosten. Op een keer vertelde hij me dat hij een bericht in zijn vleugels had gekregen dat alles wat Theo had meegemaakt hem uiteindelijk zou maken tot de man die hij moest worden, dat het allemaal ergens goed voor was.

Ik kon het niet over mijn hart verkrijgen om hem te vertellen dat ik precies wist wat er van Theo terecht zou komen. Grogor had erop toegezien dat ik een volledig, schrijnend beeld te zien had gekregen van Theo als volwassene.

Maar dan, een doorbraak. Ik herhaalde voor de honderdste keer wat er was gebeurd, toen Margot me midden in mijn verhaal onderbrak. Ze zat samen met Theo aan de keukentafel een eitje te eten en toast te smeren.

'Hoor eens, Theo,' zei ze bedachtzaam. 'Heb ik je ooit verteld dat ik als kind acht jaar in een weeshuis heb gezeten?'

Hij keek haar vragend aan. 'Nee?'

'O.'

Ze nam een hap toast. Hij bleef haar aankijken. 'Waarom zat je in een weeshuis?'

Langzaam kauwend dacht ze daarover na. 'Ik weet het niet precies. Volgens mij zijn mijn ouders omgekomen bij een bomexplosie.'

'Een bomexplosie?'

'Ja, ik geloof van wel. Ik weet het niet meer zo goed. Ik was nog maar heel klein. En ik was net zo oud als jij toen ik eindelijk wegliep uit het weeshuis.'

Dat wekte Theo's nieuwsgierigheid. Hij tuurde naar de tafel en sprak gehaast. 'Waarom ben je weggelopen? Hebben ze je niet te pakken gekregen?'

En ze vertelde hem, zonder ook maar iets achter te houden, dat haar eerste vluchtpoging was geëindigd in een pak slaag dat bijna haar dood was geworden, dat ze in de graftombe was opgesloten – op dit punt liet hij haar tot in de kleinste details vertellen over de verschrikkingen van dat hok – dat ze bij haar tweede ontsnappingspoging opnieuw was gepakt en toen Hilda had geconfronteerd met haar betoog over Marnie.

Theo staarde zijn moeder met grote ogen aan.

Stel vragen over de jeugdgevangenis, drong ik aan.

Ze keek hem aan. 'Dat was niet de eerste keer dat ik geslagen werd, Theo. En ook niet de laatste.' Er welde een herinnering aan Seth bij haar op en haar ogen vulden zich met tranen. Ze dacht aan de baby die ze verloren had. James ging achter Theo staan en legde zijn arm om zijn schouder.

'Goed,' besloot ze ernstig, en ze bracht haar gezicht dichter bij dat van Theo. 'Ik weet dat jou afschuwelijke dingen zijn overkomen in die gevangenis. En ik zou heel graag willen dat je me vertelde wat er is gebeurd, Theo. Dan kan ik uitzoeken wie daar verantwoordelijk voor zijn geweest en dat ze gestraft worden, al moet de onderste steen boven.'

Theo liep vuurrood aan. Hij staarde naar zijn handen, die plat op tafel lagen, boven op elkaar. Hij liet ze langzaam van de tafel glijden en stopte ze onder zijn benen.

Toen stond hij op en liep de keuken uit. De dingen die ze hem hadden aangedaan waren zo verschrikkelijk dat er wel iets ernstig aan hem moest mankeren. Een stomp in je gezicht of een trap tegen je kont kun je uitleggen, die hadden een naam. Maar dat andere? Daar waren geen woorden voor.

Er ging een jaar voorbij. Theo bracht minder tijd door in het ziekenhuis en meer in de kelder van zijn beste vriend om whisky te drinken, vervolgens lijm te snuiven en daarna wiet te roken.

Margot zat met haar handen in het haar en ijsbeerde door het huis. Het leek pas gisteren dat hij nog een baby was en – in theorie – weinig meer nodig had dan voedsel en een bedje om in te slapen. En nu, slechts een fractie van een seconde later, vormden Theo's behoeften een probleem waar ze met de beste wil van de wereld geen oplossing voor wist.

Toen ze voor het eerst sinds lange tijd een gin-tonic voor zichzelf had ingeschonken en op het balkon ging zitten, schoof Kit een stoel aan. Ik knikte naar Kits engel, Adoni, een verre voorouder van hem die nogal op zichzelf was.

Ik keek Kit aandachtig aan. Hij was veel langer in beeld gebleven dan ik had verwacht. Ja, ik had wat zaken kunnen veranderen, maar was ik blij met alles wat ik had veranderd? Niet helemaal. In mijn versie waren Kit en ik een paar maanden minnaars geweest, waarna we besloten dat we het liever bij een werkrelatie wilden houden. In die versie was de kans op een hereniging tussen Toby en Margot veel groter. Nu ik echter zag hoe Kit haar zorgen met haar besprak, haar kalm aanhoorde en op de juiste momenten knikte, was ik er niet meer zo zeker van of ik dat nog wel wilde. Misschien moet ze wel bij Kit blijven. Misschien is hij het beste voor haar.

'Kan ik misschien iets doen?' vroeg hij, terwijl hij een van haar bleke, smalle handen in de zijne nam.

Ze trok haar hand terug. 'Ik weet gewoon niet hoe ik dit moet aanpakken,' zei ze. 'Theo doet eigenlijk hetzelfde wat ik altijd heb gedaan. Het zou hypocriet zijn om hem te vertellen dat hij het moet laten.'

'Absoluut niet,' vond Kit. 'Je bent zijn moeder. Juist omdat je dat ook allemaal hebt gedaan heb je het recht om hem op zijn donder te geven.'

Ze beet op een nagel. 'Misschien moet ik ernaartoe...'

Kit leunde achterover in zijn stoel. Hij dacht even na en zei toen: 'Laat hem hiernaartoe komen. Ik wil hem ook weleens leren kennen.'

Er verstreek een minuut. Ze dacht diep na. Was ze hier klaar voor?

Niet lang daarna werd Theo van het vliegveld gehaald door een boomlange Aboriginal met ingevlochten, zilverkleurig haar en tribale littekens in zijn gezicht, die zich voorstelde als Kit.

Theo had nog nooit een Aboriginal gezien, dus je kunt je zijn reactie wel voorstellen. Kit nam hem mee naar zijn aftandse jeep op de parkeerplaats en liet hem instappen.

'Waar gaan we heen?' Theo gooide geeuwend zijn rugzak op de stoel. Kit riep hem over het geluid van de motor toe: 'Ga maar liggen, jongen. Rust lekker uit. We zijn er zo.'

Ze reden urenlang. Theo viel op de achterbank in slaap, met zijn rugzak als hoofdkussen. Toen hij wakker werd, bevonden ze zich diep in de outback, onder een blinkende sterrenhemel, omringd door krekelgeluiden. Kit had zijn jeep onder een boom geparkeerd. Theo keek verdwaasd om zich heen, bedacht toen dat hij in Australië was en vroeg zich af waar zijn moeder was.

Kit dook op naast de auto, niet langer gekleed in een poloshirt en spijkerbroek. Hij was op een rode lendendoek na naakt en had zijn torso en gezicht beschilderd met dikke, witte cirkels. In zijn rechterhand hield hij een lange stok.

Theo schrok zich wild.

Kit stak zijn hand uit. 'Kom mee,' zei hij. 'Spring eruit. Tegen de tijd dat we klaar zijn, ben je een echte Aboriginal.'

Theo deinsde achteruit en negeerde de uitgestoken hand. 'Hoe lang gaat dit duren?'

Kit haalde zijn schouders op. 'Hoe lang is een stuk touw?'

Drie weken later vloog Theo terug. Hij was maar kort bij Margot geweest en had de meeste nachten doorgebracht onder de weidse sterrenhemel, waar hij zo nu en dan wakker was geworden van een slang die langs zijn kussen gleed, om dan de stem te horen van Kit, die hem op zachte toon uitlegde hoe hij het beestje aan zijn speer moest prikken, en hem vervolgens leerde hem te villen. De dagen vlogen om met vuur aanleggen met behulp van twee takjes droog hout of het maken van een pasta van steen en water, die hij aanbracht op zijn eigen blote huid of op een groot, zwart blad.

'Waar droom je van?' vroeg Kit telkens en telkens opnieuw. Theo schudde zijn hoofd en zei iets in de trant van 'ik wil bij de Knicks' of 'ik wil een motor voor kerst' en dan tekende Kit hoofdschuddend een haai of een pelikaan in het zand. 'Waar droom je van?' vroeg hij keer op keer, tot Theo op een dag de stok en de pasta van hem overnam en een krokodil tekende.

Kit knikte en wees op de tekening. 'De krokodil doodt zijn prooi door hem onder water te houden tot hij verdrinkt. De basis om te overleven wordt hem daardoor afgenomen.' Hij richtte de stok op Theo. 'Geef je eigen overlevingskracht niet zo snel op.'

'Goed, zei hij, en hij stond op. 'We zijn klaar.'

Theo keek naar zijn tekening op de grond, naar de witte tekens op zijn zongebruinde huid, naar de rode aarde die zich koppig onder zijn vingernagels had genesteld. Hij dacht aan de krokodil. Niet te vernietigen. Een vleesgeworden wapen. Zo wilde hij worden.

En dat deed hij, tot op zekere hoogte. Eenmaal terug in New York, probeerde hij de verschrikkingen uit zijn jeugd te verdoven met alles wat hij te pakken kon krijgen, met elk gevecht waaraan hij kon deelnemen. En wanneer Margot thuiskwam voor kerst vertelde ze Theo wat meer over het kindertehuis, en elk jaar vroeg ze hem om haar iets te vertellen over de jeugdgevangenis en telkens als ze het vroeg, ging hij ervandoor.

Toen deed Margot iets wat ik nooit had gedaan en waar ik dolenthousiast over was: ze vroeg Toby of ze zijn agent mocht zijn. Hij zei ja. *Wat een geweldig idee*, riep ik uit. *Hoe bestaat het dat ik daar zelf nooit op ben gekomen? Het ligt zo voor de hand.* En ik begon te dromen over hun verzoening, over dat het de tweede keer veel beter zou gaan, dat het nu om echte liefde ging en niet meer om twee kwetsbare ego's, hoe gelukkig Theo zou worden, hoe gelukkig we allemaal zou worden, misschien, in de hemel…

En toen, net toen Margot de telefoon weer op de haak legde, voetstappen in de hal.

Een man in de deuropening.

'Kit?'

Hij kwam met zijn handen in zijn zakken binnen en schonk haar zijn brede, witte lach.

'Had jij niet in Maleisië moeten zitten?'

Hij haalde zijn schouders op. 'Ik heb een hekel aan interviews.'

Ze sloeg haar armen om zijn hals en kuste hem. Hij tilde haar op, droeg haar gillend en wel naar het balkon en zei: 'Margot, mijn lief. Wil je met me trouwen?'

Ik keek met bonzend hart toe hoe Margot haar ogen afwendde naar de oceaan. De golven verborgen hun gezicht in de open handpalm van het strand.

Op dat moment zag ik het.

Ze keek glimlachend op naar Kit, maar haar aura had dezelfde gouden glans als die van Toby en golfde op dit moment als een brede, bruisende rivier waarvan de stroming haar hart meevoerde naar de andere kant van de Stille Zuidzee, naar Toby.

Toch knikte ze.

Nee, niet doen! gilde ik, zonder op het stemmetje in mijn hoofd te letten dat me er vermanend aan herinnerde dat ik had beloofd om me nergens meer mee te bemoeien en me te houden aan de vier richtlijnen: waken, behoeden, vastleggen en liefhebben. Ik wenste het stemmetje naar de hel en riep tegen Margot: *Niet met hem trouwen, Margot*! Maar ze keek hem diep in de ogen en zei met een miniem rimpeltje boven haar neus: 'Ik ben helemaal de jouwe, Kit.'

25

HET LIJNTJE ZONDER HANDTEKENING

Tot mijn grote vreugde kleefde er echter een probleempje aan dit plan.

Margot had de scheidingspapieren nooit ondertekend. Sterker nog, Toby en zij hadden allebei geen idee waar die papieren gebleven waren. Ze waren al zo lang uit elkaar, dat ze gewend waren geraakt aan het gemak van een relatie die nooit het akelige stigma 'gescheiden' had gekregen, maar tegelijkertijd net zoveel op een huwelijk leek als een muis op een mango.

Ze vloog naar New York voor overleg. Het moment viel samen met Theo's achttiende verjaardag, dus zei ze tegen Toby en Theo dat dat de reden was van haar onaangekondigde bezoek. Toby wist wel beter. Hij kende zijn toekomstige ex-vrouw als de straten van Manhattan. Margot ging zoals gebruikelijk ook niet echt tactisch te werk. Ze droeg een ring met een steen zo groot als een kastanje.

'Mooie ring,' klonk Toby's begroeting op JFK.

'Dank je, ik heb een goede reis gehad, ja. Ik kreeg een upgrade.'

Ze liepen zonder iets te zeggen naar de parkeerplaats. Toby deed het portier van zijn oude Chevy van het slot. Ze stapten in. Na vier pogingen sloeg de motor aan.

'Jeetjemina, Tobber, moet je die ouwe bak niet eens wegdoen? Hoe lang heb je hem al?'

'Ik doe hem nooit weg. Ik word erin begraven, wist je dat niet?'

'Zijn we hier niet mee naar Vegas gereden?'

'Ja, om te trouwen.'
'Om te trouwen, ja.'

Eenmaal thuis ging Toby druk in de weer met koffiezetten. Het was plotseling van groot belang dat iedereen iets warms te drinken kreeg en dat de kopjes flink schoongeboend werden. Daar hield hij zich een tijdlang mee bezig om zichzelf en Margot af te leiden van de gruwelkwestie die tussen hen in stond. Scheiden.

Margot begreep het. Het stemde haar verdrietig. Ze had gehoopt dat hij flinker zou zijn. Maar zowaar ik hier sta, ik kan je wel vertellen dat ze alles bij elkaar gejankt had als hij heel nonchalant had gereageerd met 'Nou en?' Ze hadden zich nu eenmaal jaren tegen elkaar afgezet. Nu was het moment gekomen om rustig te blijven, om te doen alsof het niets uitmaakte. Dat zou een hele klus worden.

'Ik ga trouwen,' zei ze uiteindelijk.

'Dat zie ik,' zei Toby in zijn koffie. 'Wanneer?'

'Zodra jij en ik… je weet wel.'

'Wat?'

'Gedaan hebben wat begint met een hoofdletter S.'

'Je hebt die papieren nooit getekend, hè?'

'Nee.'

'O? Waarom eigenlijk niet?'

'Toby…'

'Nou ja, het maakt me toch nieuwsgierig…'

'Ik weet het niet, nou goed?'

Stilte. 'Wie is het?'

'Wie?'

Toby lachte, ook in zijn koffie. 'Jouw man. Meneer Delacroix.'

'Kit. Ook bekend onder de naam K.P. Lanes.'

'Ach, de cliënt. Is dat niet verboden?'

'Nee, Toby. En anders zouden jij en ik ook de gevangenis in draaien.'

'Ja, dat is waar. Omdat we nog getrouwd zijn.'
'Ja. We zijn nog steeds getrouwd.'

Ze had Theo acht maanden niet gezien. Acht maanden in de puberteit is vergelijkbaar met de ontwikkelingssprongen die plaatsvinden in de peutertijd, want Theo was uit zijn kinderlijke, magere lijf gegroeid en veranderd in een vervaarlijke rugbyspeler met brede schouders. Hij leek in zo weinig meer op Toby dat niemand het vreemd gevonden zou hebben als hij zijn vaderschap had aangevochten. Stel je die twee maar eens naast elkaar voor: Toby, met zijn tengere gestalte en zachte kaaklijn, zijn rossige piekhaar, zijn slanke, vrouwelijke handen, de vierkante metalen bril op zijn smalle, Romeinse neus. En dan Theo, die moest bukken om zijn hoofd niet te stoten aan de deurpost, met zijn brede, forse neus. Zijn stem was twee bassen diep – dankzij zijn voorliefde voor wiet, uiteraard – en zijn kin stak hoekig uit zijn kaken, wat nog extra geaccentueerd werd door het kuiltje onder zijn mond. Zijn haar was lang en stond rechtovereind op zijn hoofd in een indolente, knalrode hanenkam. Zijn kleren – zonder uitzondering zwart – zakten van zijn lijf of hingen wijd om hem heen. Tot zijn schoenen aan toe.

'Hoi, mam,' zei hij toen Margot na een klop op de deur zijn kamer in kwam en constateerde dat hij, om drie uur 's middags, nog in bed lag. Het kostte even tijd voor ze alle veranderingen in zich opgenomen had, hoe hij was gegroeid, hoe zijn halfnaakte lijf plotseling een landschap van biceps en triceps was geworden. Ze zag dat er een hefbank in zijn kamer stond. Hij kwam overeind en haalde een fles wodka onder de matras vandaan. Voordat hij een slok nam, keek hij haar aan en legde een vinger tegen zijn lippen. 'Ssst, niet tegen papa zeggen.'

Ze stond op het punt hem eens flink de les te lezen en zag er vervolgens vanaf. Wat kon ze zeggen?

En dus zei ze alleen 'Hoi, Theo,' en hield ze verder haar mond.

Het kostte de advocaat een week om de scheidingspapieren in orde te maken. Door het raam van het appartement zag ik Toby aankomen met de envelop onder zijn arm, zijn aura vaal en grauw, zijn altijd al kwetsbare beendergestel zwakker dan ooit. Vanaf deze afstand zag hij er een stuk ouder uit dan drieënveertig. Van dichtbij had hij echter nog steeds dezelfde ogen.

Hij ging tegenover Margot zitten om alles met haar door te nemen. Margot zat aan haar verlovingsring te draaien.

'Eens even zien,' zei Toby, op zoek naar de plek waar hij zijn handtekening moest zetten, al had de advocaat het lijntje gemarkeerd met een grote X. 'O ja, hier.'

Margot keek toe. Ze zei niets, bang om het nog moeilijker voor hem te maken dan het al was. Ze schreef Toby's aarzeling voor een groot deel toe aan zijn onvermogen om het verleden af te sluiten. De Chevy, zijn oude schoenen, zelfs het soort boeken dat hij schreef... Ze hielden hem allemaal stevig verankerd in de gelukkigste jaren van zijn leven. Terwijl ze hierover zat te peinzen, bracht ik haar in herinnering: *Margot, lieverd, jij bent precies hetzelfde. Jij hebt het verleden ook niet achter je gelaten. Nog niet.*

Toby zette zijn pen op het daarvoor bestemde lijntje. Hij klakte met zijn tong. 'Zullen we het anders een ander keertje doen?' vroeg Margot.

Hij staarde naar de wand. 'Ik wil één ding heel duidelijk stellen,' zei hij. Het bleef lang stil. We wisten allemaal dat hij het over Sonya had, maar zelfs nu nog vond hij het de genoegdoening waar hij naar hunkerde niet waard om het allemaal weer op te rakelen.

Margot besloot hem een eindje op weg te helpen.

'Ik weet dat je niet met Sonya naar bed bent geweest.'

Hij liet de pen uit zijn vingers glippen. 'Wat?'

'Ze is me komen opzoeken,' zei Margot zacht.

'Maar, waarom...'

'Ik weet het niet, Toby. Vraag het maar niet.'

Hij stond op, stak zijn handen in zijn zakken en begon door

de kamer te lopen. Tot slot sprak hij met schorre stem de onmiskenbare waarheid: 'We hadden dit jaren geleden moeten doen.'

'Ja. Dat was beter geweest.'

Hij wierp nogmaals een blik op de papieren. 'Teken jij maar eerst. Dan teken ik daarna en breng ik ze naar de advocaat. Dan hebben we het achter de rug.'

'Oké.' Nu was Margot aan de beurt. Ze pakte de pen en staarde naar het lijntje, dat schreeuwde om haar handtekening. *Had je soms gedacht dat het makkelijk zou zijn?* vroeg ik.

Ze legde de pen neer. 'Dit loopt niet weg,' zei ze. 'Kom, we gaan lunchen.'

Ze gingen naar 'hun' tentje in de East Village en kozen een tafeltje buiten, naast een groepje luidruchtige toeristen. Een prima afleiding. Een kans om te kletsen over het warme weer, de seizoenen die van slag waren en of ze die documentaire over de opwarming van de aarde had gezien waarin werd aangetoond dat de wereld in de tweeëntwintigste eeuw helemaal onder water komt te staan. Over en weer, babbel de babbel en koetjes en kalfjes en laten-we-vooral-geen-spijt-voelen. Ze bespraken Toby's nieuwe boek. Haar wortelkanaalbehandeling. Punten van overeenstemming. Vertrouwd terrein.

De scheidingspapieren waren vergeten.

James kwam me halen. Het was donker. Ik had de politiewagens met gillende sirenes langs horen razen. James snakte naar adem, zijn ogen groot van schrik. 'Wat is er?' vroeg ik, waarop hij begon te huilen.

Theo had iemand vermoord.

De jongen was in de nek gestoken en daarna zo hard geslagen dat hij verdronken was in zijn eigen bloed. Ergens tijdens dat pak slaag had Theo twee kogels in zijn been geschoten.

'Waarom?' riep ik uit. Voordat James ook maar iets kon zeggen, stormde Theo de voordeur binnen. Op het kabaal schoten Toby en Margot hun slaapkamers uit. Toen ze Theo zagen, dachten ze allebei dat het bloed dat van zijn handen en kleren en uit zijn haar droop, van hem was. Een deel daarvan was dat ook. Hij had een gebroken neus en een diepe wond van een messteek in zijn heup. Maar het meeste bloed was van de dode jongen.

Margot haastte zich om handdoeken en verband te halen. 'Bel een ambulance.'

Toby zocht om zich heen naar de draadloze huistelefoon, zag zijn mobieltje liggen en belde het alarmnummer.

En net toen Toby iemand aan de lijn kreeg en zijn adres opgaf, klonk er een stem achter de gesloten deur: 'Politie. Opendoen.'

Toby trok de deur open en voor hij het wist, werd hij tegen de wand gedrukt en evenals Theo en Margot in de boeien geslagen, terwijl Theo steeds bleef roepen: 'Hij was haar aan het verkrachten. Hij was haar aan het verkrachten.'

26

BLIND VERTROUWEN

In mijn versie van dit verhaal was ik indertijd in Sydney. Ik had Theo op zijn achttiende verjaardag plichtsgetrouw gebeld en een geldbedrag overgemaakt, en vervolgens had ik de hele dag Kits nieuwe manuscript zitten lezen. Ik zat midden in een vergadering met een cliënt toen Toby belde met het bericht dat Theo gearresteerd was. Om de een of andere reden had ik dat in mijn hoofd gebagatelliseerd. Toen ik een paar dagen later in New York aankwam, schrok ik me kapot van de krantenberichten over de moord, voorzien van een politiefoto van Theo. En zoals gewoonlijk vond ik dat het allemaal Toby's schuld was.

Gaia en ik smeekten James om ons precies te vertellen wat er was gebeurd. In plaats van het ons te vertellen, hief hij zijn vleugels boven zijn hoofd tot er een medaillon van water in de lucht hing, met daarin de volgende beelden:

Theo, op weg naar huis na zijn verjaardagsfeestje in een kroeg in de stad, stoned en dronken. Hij draagt een vuile spijkerbroek en een met bloed bevlekt T-shirt, en heeft een vers blauw oog van een vechtpartijtje in de kroeg om een meisje. Hij blijft bij een steegje staan om een sigaret op te steken. Hij hoort stemmen. Geruzie. Een huilend meisje. Een man, sissend en vloekend. Dan een klap. Een kreet. Weer een klap, een bedreiging. Theo recht zijn rug en wordt zichtbaar nuchterder. Hij loopt de steeg in. Hij ziet heel duidelijk een vent die zich over een meisje heen buigt en zijn heupen tegen de hare ramt. Een fractie van een seconde gaat het door Theo heen om weg te lopen. Hij wil zich niet met andermans zaken bemoeien. Dan, een gil. Als Theo opkijkt, ziet hij dat de man uithaalt en het meisje een stomp in haar gezicht geeft. 'Hé!' roept Theo. De man kijkt op. Hij doet een stapje achteruit. Het meisje valt op de grond en trekt jammerend haar knieën tegen haar borst.

'Waar ben je mee bezig, man?' roept Theo, en hij loopt de steeg in.

De jongen, blond, iets ouder dan Theo, gekleed in een stonewashed spijkerbroek en een wit NYU-jack, ritst zijn broek dicht en wacht tot Theo een paar meter van hem af is voor hij een vuurwapen uit zijn zak trekt. Theo steekt zijn handen omhoog en deinst terug.

'Ho, ho… Rustig aan, man!'

De ander richt het vuurwapen op Theo's gezicht. 'Wegwezen of ik schiet je kop eraf.'

Theo kijkt naar het meisje op de grond. Haar gezicht is gezwollen en bebloed. Rond haar voeten vormt zich een plasje bloed.

'Wat flik je nou met dat meisje?'

'Gaat je niets aan,' zegt de jongen. 'En nu omdraaien en wegwezen, of ik schiet je door je kop.'

Theo zet zijn tanden op elkaar en kijkt naar het meisje. 'Dat gaat niet, jongen. Sorry.'

'Hoezo, sorry?'

Theo kijkt hem aan. In zijn hoofd verschijnen beelden van zijn tijd in de jeugdgevangenis. Herinneringen aan een verkrachting.

'Dit is niet oké,' zegt hij zachtjes, met zijn ogen op het bloedende, trillende meisje. 'Dit is niet oké,' herhaalt hij. Voordat de jongen doorheeft wat er gebeurt, haalt Theo uit en wringt hem het vuurwapen uit handen. Hij richt het op de jongen.

'Tegen de muur,' schreeuwt hij. 'Draai je om, zet je neus tegen die muur of ik vermoord je.'

De jongen grijnst alleen maar.

'Tegen de muur.'

De jongen buigt zich naar voren, zijn gezicht verwrongen van woede. Hij trekt een mes uit zijn achterzak en haalt uit naar Theo.

Theo richt het vuurwapen wat lager en schiet twee kogels af in de heup van de jongen. Hij zakt krijsend door zijn knieën. Theo kijkt naar het meisje. 'Vooruit, wegwezen,' zegt hij. Ze staat op en rent weg.

Theo laat het vuurwapen uit zijn handen vallen. Hij beeft. Hij buigt zich over de jongen heen, die jammerend op de grond ligt. 'Hé, het spijt me, jongen, maar ik moest wel...'

Voordat hij nog iets kan zeggen, stoot de jongen zijn mes in Theo's heup. Hij schreeuwt het uit en trekt instinctief het mes uit zijn lijf, waarop de jongen hem in zijn gezicht ramt. Theo haalt uit en steekt het mes in de nek van de jongen. Dan begint hij op hem in te slaan. Hij houdt pas op als iemand de politie belt.

Dat heeft Theo allemaal uitgebreid aan de politie verteld. Ze nemen een urinetest af. Marihuana, alcohol. De andere jongen was clean. Welk meisje? Niemand heeft een meisje gezien. De dode jongen was een veelbelovende student aan Columbia. Theo heeft een strafblad dat dikker is dan de Bijbel.

Hoe voelde ik me intussen? De woede die me voortgestuwd had toen ik hoorde wat Theo had doorgemaakt in de jeugdgevangenis was verdwenen. Ik miste James. Ik miste Theo. Ik zag Margot de hele nacht jammerend en huilend door het appartement dwalen, terwijl Toby haar probeerde te troosten en zijn best deed om haar vragen te beantwoorden: Hebben wij dit op ons geweten? Is het onze schuld? Toby zei: 'Wacht nou maar af. Wacht de rechtszaak af. Het recht zal zegevieren. Je zult het zien.'

Een paar weken later arriveerde Kit. Toby en hij voelden zich er allebei ongemakkelijk onder. Ze besloten stilzwijgend dat het voor iedereen beter was als Margot en Kit een hotelkamer namen. Ze checkten in in het Ritz-Carlton, met de belofte om die avond samen te gaan eten en te bespreken wat er moest gebeuren.

Toby wist heel goed dat Kit vegetariër was en boekte een tafeltje bij de Gourmet Burger in NoHo.

'Sorry,' fluisterde Margot vanachter haar menukaart. Hij gaf met een handgebaar te kennen dat het niet uitmaakte.

Toen ik die drie bij elkaar zag zitten, kreeg ik het zo benauwd als een veldmuisje dat de snelweg oversteekt. Dit was het gevolg van de veranderingen die ik teweeg had gebracht en ik voelde me compleet machteloos, alsof ik een losgeraakte treinwagon de heuvel af zag denderen met al mijn dierbaren erin.

Margot was ook nerveus. Ze was zo stil alsof ze in de kerk zat en kreeg van de zenuwen geen hap naar binnen. Kit voelde haar nervositeit aan en hield het roer stevig in handen, glimlachend over zijn broodje sla zonder hamburger en overdreven, belachelijk vriendelijk tegen Toby. Hij complimenteerde hem zelfs met zijn boek, waar Margot zichtbaar van ineenkromp. Ze besefte niet dat Kit medelijden had met Toby. Een vader in Toby's positie had wat Kit betrof recht op zijn volledige medeleven.

'Oké, Kit, ik zal ter zake komen,' zei Toby toen de wijn zijn jaloezie ietwat had bekoeld. Hij pakte het koffertje dat aan zijn voeten stond en haalde er een bundel papier uit.

Kit vlocht zijn vingers in elkaar en keek Toby afwachtend aan.

'Margot heeft me verteld dat je vroeger bij de recherche zat.' Hij legde de papieren op tafel en trommelde erop met zijn vingers. 'Ik kan niet geloven dat mijn zoon... onze zoon dat joch in koelen bloede heeft vermoord. Ik denk dat er inderdaad sprake is geweest van een verkrachting; er moet hier ergens een meisje rondlopen dat mijn zoon kan redden van de guillotine.'

Kit knikte, glimlachte, en zweeg. Toby's ogen waren opgezet. Hij kon aan niets anders meer denken dan aan Theo en zijn beroerde situatie. Hij had in geen dagen geslapen. Margot greep in.

'Wat Toby probeert te zeggen, Kit, is dat we je hard nodig hebben. De politie van New York staat niet achter ons. We moeten onze eigen inlichtingen inwinnen om Theo te kunnen helpen.'

Kit vulde zwijgend zijn glas bij. Zonder hen aan te kijken, zei hij: 'Ik stel voor dat jullie allebei naar huis gaan om te slapen, dan kan ik dit intussen rustig bekijken.' Hij stak zijn hand uit naar de papieren. Om de een of andere reden hield Toby ze echter stevig vast, terwijl hij Kit strak in de ogen keek.

'Toby?' Margot smeekte hem zowel boven de tafel als eronder, met vakkundig voetenwerk, om zijn woede over Theo's hachelijke toestand niet af te reageren op haar relatie met Kit.

Kit, gevoelig voor de sfeer, glimlachte en hief zijn handen. 'Nog even wachten, dan?'

Meer getrommel. Toby ziedde van woede. Tot slot keek hij Kit weer aan. 'Ik wil je dit zeggen,' zei hij, en hij hield een waarschuwende wijsvinger op. 'Jaren geleden heb ik beloofd dat ik haar nooit zou laten vallen. En nu word ik er door jou toe gedwongen. Ik vond dat je dat moest weten.' Hij dronk zijn glas leeg, zette het met een klap op tafel en schoof de stapel papieren naar Kit toe.

Ik sloeg mijn armen om hem heen. Hij dacht dat het gevoel dat hij omhelsd werd een projectie was van zijn diepste verlangens en begon hoorbaar te snikken. Ik liet hem los.

Alsof er niets aan de hand was, haalde Kit zijn leesbril uit zijn binnenzak en begon de papieren aandachtig door te nemen. Even later keek hij verrast op.

'Zitten jullie hier nu nog steeds?'

Ze stonden op en liepen naar de uitgang. Een seconde later kwam Margot terug en kuste hem op zijn hoofd voordat ze het eettentje verliet en de avondlucht in liep.

Toen er een Aboriginal van één meter vijfentachtig met tribale littekens in zijn gezicht aan de deuren klopte, besloten veel van de eerder weinig mededeelzame bewoners van de huizen in de steeg om het een en ander los te laten.

'Ik heb een naam,' zei hij een paar avonden later tegen Margot en Toby. Hij smeet zijn aantekenblok op tafel en ging zitten. Margot en Toby schoven haastig een stoel bij. Gaia, Adoni en ik bleven in de buurt.

'Vertel,' zei Margot ongeduldig.

'Valita. Meer weet ik niet. Geen gezinsleden of andere familie, voor zover we weten. Tiener. Illegale immigrante. Prostituee. Iemand heeft haar in de vroege ochtenduurtjes in de buurt gezien van de moord.'

'Heb je haar adres? Of haar achternaam?' Toby stond te trillen van de adrenaline.

Kit schudde van nee. 'Nog niet, maar er wordt aan gewerkt.'

Adoni keek Gaia en mij aan, met de eeuwige stuurse uitdrukking op zijn gezicht. 'Het meisje is er nog niet klaar voor om met dit verhaal naar de politie te gaan,' zei hij. 'Ik heb met haar engel gesproken.'

'Echt?' Ik sprong zowat over de tafel heen om hem te omhelzen. Op precies hetzelfde moment stond Margot op en begon door de kamer te ijsberen.

'Hoe kunnen we haar adres achterhalen? Ik bedoel... is er niet ergens een database of zo waarin we haar kunnen opzoeken? Kunnen we er niet mee naar de politie gaan?'

Kit schudde zijn hoofd.

'Waarom niet?' vroeg ik aan Adoni, en wederom klonk ik als de echo van Margot, die Kit dezelfde vraag stelde.

Kit nam als eerste het woord. 'Dit blijft onder ons tot we meer weten. Als ze erachter komen dat we op eigen houtje aan het rondsnuffelen zijn, houden ze ons voortaan zo nauwlettend in de gaten dat er niets meer van ons onderzoek terechtkomt. Geloof me.'

Het duurde even voordat Toby reageerde. 'Ik ben het met Margot eens,' zei hij. 'Ik zou het ook liever via de politie willen spelen.'

Kit keek Margot aan. Ze sloeg haar armen over elkaar en keek stuurs voor zich uit.

'Hij heeft gelijk,' zei Adoni tegen James, Gaia en mij. 'Een machtige demon werkt nauw samen met het team dat op Theo's zaak is gezet. We moeten dit voorlopig stilhouden.'

Ik wendde me tot Margot. Aarzelend vertelde ik haar dat ze Kit moest vertrouwen. Toen ik tot haar doordrong, barstte ze in tranen uit. Toby schoot instinctief naar haar toe en stond op het punt zijn armen om haar heen te slaan, maar wist zich net op tijd in te houden. Kit stond op, wierp Toby een blik toe en stapte op Margot af. Hij trok haar hoofd tegen zijn schouder en streelde haar over haar rug. Ze keek vanuit haar ooghoeken naar Toby. Hij stak zijn handen in zijn zakken en staarde uit het raam naar de ondergaande zon.

En toen... deus ex machina.

Toby, Kit en Margot zaten op het terras van een cafetaria, niet ver van Washington Park. Plotseling stak Adoni de straat over, sprak een engel in een rood gewaad aan en gebaarde toen druk naar Gaia en mij om hem te volgen. De engel, een oudere vrouw uit Ecuador, was zowel geagiteerd als opgelucht toen ze ons zag.

'Dit is Tygren,' zei Adoni.

Tygren wendde zich tot ons. 'Ik was erbij toen het allemaal gebeurde. Geloof me, ik doe mijn best om Valita over te halen naar de politie te gaan, maar het kan even duren voordat het me lukt. Ik hoop niet dat het dan al te laat is.'

'Waar is ze?' vroeg ik.

'Kijk, daar,' wees ze naar een klein figuurtje op een bank in het park, half verscholen achter een haag. 'Dat is Valita,' zei ze. Ik kneep mijn ogen tot spleetjes en tuurde naar het meisje, dat diep weggedoken zat onder haar capuchon. Ze zat te roken. Haar hand trilde bij elk trekje dat ze nam.

'Waarom wil ze niet naar de politie?' vroeg Gaia snel.

'Kun je haar niet overhalen?' kwam ik tussenbeide. 'De tijd dringt.'

Tygren hief haar handen. 'Ik doe mijn best,' zei ze. 'Maar ze heeft iets gehad met die jongen die dood is en daar moet ze eerst mee in het reine komen. Haar familie staat op het punt om het land uitgezet te worden. Bovendien is ze zwanger.'

Ik liet mijn ogen over Valita dwalen. Toen ik beter keek, zag ik schaduwen om haar heen wervelen, die zo nu en dan met elkaar in botsing kwamen en dan weer bij haar binnendrongen. En toen, diep in haar buik, het kleine lichtje van het kind. Ze had haar sigaret opgerookt en trapte de peuk uit, waarop ze haar armen om zich heen sloeg en nog dieper wegkroop in haar jack. Ze zag eruit alsof ze het liefst wilde verdwijnen.

Adoni nam Tygrens handen in de zijne en zei iets in het Quechua. Tygren knikte met een glimlach.

Valita stond abrupt op en begon de andere kant op te lopen.

'Ik moet gaan,' zei Tygren. 'We zien elkaar weer, dat beloof ik.'

'Hoe kunnen we je bereiken?' riep ik haar na.

Een seconde later was ze verdwenen.

Vanaf dat moment, terwijl alle inspanningen van Toby, Kit en Margot dag na dag op niets uitliepen, keken Gaia, Adoni en ik uit naar Tygren.

Kerst kwam en ging ongemerkt voorbij. Ten slotte, ondanks alles wat we deden om het te voorkomen, wisten Margot en Toby Kit ervan te overtuigen de naam Valita door te spelen aan de rechercheur die belast was met het onderzoek. Zoals Kit al had voorspeld, was hij niet geïnteresseerd. Geen bewijs, geen getuigenverklaring. Tijdens de eerste verhoren werd veel waarde gehecht aan Theo's aanvankelijke verklaring, dat hij niet zeker wist van wie het mes was. Er waren soortgelijke messen aangetroffen onder zijn bed. De rechercheurs verwierpen de mogelijkheid dat er een meisje bij betrokken was geweest toen het forensisch rapport melding maakte van slechts twee soorten bloed op de plaats delict, zonder rekening te houden met de zware regenval die avond. Het was aan Grogor te wijten dat de beschuldigingen tijdens de hoorzitting Theo's woede wekten, zodat hij meer overkwam als een agressieve pummel dan als een onschuldig slachtoffer.

Gaia, Adoni en ik bleven uitkijken naar Tygren, maar we zagen haar nergens. We vermoedden dat Valita naar een andere staat was verhuisd of zelfs het land het verlaten. Aan een kant kon ik het haar niet kwalijk nemen. Voorts verlangde ik er hevig naar om Theo en James te zien, al was het maar één keertje, al was het maar om hun te vertellen dat ik van hen hield.

Op een avond ben ik helemaal naar het gevangeniscomplex op Rikers Island gegaan. Ik moest me een weg banen door een zee van demonen, tot ik Theo had gevonden in een krap bemeten, smerige ruimte. Gebukt onder het gewicht van zijn omgeving zag hij er plotseling kleintjes uit. Een paar cellen verderop schreeuwde een gevangene de naam van een vrouw en dreigde hij zijn polsen door te snijden. De misdaden van al die mannen doemden voor me op als parallelle werelden, spirituele merktekens van hun zonden, en ik zag hun demonen, die er allemaal precies zo uitzagen als Grogor toen ik hem voor het eerst zag: monsterlijk, beestachtig, vastbesloten om me te vernietigen. Toch waren er ook engelen. De meesten waren mannen, hoewel er enkele zachtaardige, moederlijke vrouwen tussen zaten, die toezicht hielden op mannen wier misdaden me deden kokhalzen. Ondanks alle verschrikkingen waren de engelen liefhebbend en teder.

Ik realiseerde me plotseling dat ik geen idee had wat of wie James bij leven was geweest, maar toen ik hem zag, samen met Theo, wist ik één ding heel zeker: deze jongen, die ik toen ik hem pas leerde kennen zo achteloos opzijgeschoven had, was uit het juiste hout gesneden. Theo had vier demonen in zijn cel, die allemaal iets weg hadden van Tongaanse rugbyspelers en dreigend boven James uittorenden. Maar ze verscholen zich in de verste hoek en waagden het hooguit om af en toe een smalende opmerking tegen Theo te maken. Zo te zien had James de overhand.

'Wat doe jij hier?' vroeg James toen ik verscheen. Theo's demonen schoten overeind om me uit te schelden. Op één blik van hem bonden ze in.

Ik omhelsde hem stevig en keek naar Theo, die om zich heen blikte. 'Is er iemand?'

Ik keek James aan. 'Kan hij voelen dat ik er ben?'

James knikte. 'Die kans is vrij groot,' zei hij. 'Ik zal er niet om liegen, hij heeft het zwaar. Ik geloof echter wel dat ik hem tot dusver het ergste heb kunnen besparen. Het goede nieuws is dat hij begint in te zien hoe goed hij het had. Hij vond zichzelf nogal een stoere vent, tot ze hem opsloten. Nu maakt hij een hele lijst plannen voor wanneer hij vrijkomt.'

'Dus hij heeft de hoop nog niet opgegeven?'

James schudde zijn hoofd. 'Dat kan hij zich niet veroorloven. Nu hij gezien heeft hoe die kerels er hier aan toe zijn… Nou ja, hij is vastbesloten om vrij te komen, dat is zeker.'

En zo liet ik hen achter, terwijl ze vochten om zich staande te houden op een van de somberste plekken ter wereld, als twee kaarsen in de wind, en ik durfde erop te vertrouwen dat het hun op de een of andere manier zou lukken om te ontsnappen.

Niet lang daarna vertrok Kit, op Margots aandringen. Hij moest zijn promotietournee afmaken, ze raakten door hun geld heen. Tot mijn vreugde werd er niet meer over trouwen gesproken. Kit keek lijdzaam toe hoe Margot haar leventje in New York weer oppakte, een leven waarin voor hem geen plaats was. In hun suite in het Ritz-Carlton sliep hij op de bank. Margot deed koppig alsof dat heel gewoon was.

Na een van de avonden die ze bij Toby had doorgebracht, zat hij haar op te wachten. Ik wist dat ze het nergens anders over hadden gehad dan over Theo en of het misschien beter zou zijn als hij schuld bekende. De avond was niet romantischer geweest dan een etentje in het mortuarium, hoewel Kit zich er iets heel anders bij voorstelde. Hij was jaloers. Het tastte zijn gevoel voor eigenwaarde aan.

'Het wordt steeds gezelliger met Toby, hè?' klonk Kits stem toen ze de kamer in kwam. Ze schrok er een beetje van.

'Schei uit, Kit,' zei ze. 'Toby is Theo's vader, wat wil je dan? Hem laten stikken terwijl onze zoon vastzit voor moord?'

Kit haalde zijn schouders op. 'Misschien helpt het als je met hem naar bed gaat.'

Ze wierp hem een woedende blik toe.

Kit beschouwde haar zwijgen als een blijk van schuld. Ik zuchtte. 'Zeg hem dat er niets is gebeurd,' zei ik tegen Adoni. Hij knikte en fluisterde Kit iets in het oor.

Kit stond op en ging langzaam naar haar toe.

'Hou je niet meer van me?' vroeg hij. Het verdriet in zijn stem ging me door merg en been.

'Hoor eens,' zei ze na een stilte. 'Dit is geen beste tijd, voor niemand van ons. Het is beter als jij teruggaat naar Sydney en je tournee afmaakt, dan kom ik je over een paar weken achterna.'

Hij stond heel dicht bij haar, met zijn armen langs zijn lichaam. 'Hou je niet meer van me?' herhaalde hij. Ditmaal klonk het niet als een vraag.

Ik zag dat haar hoofd tolde van de vragen en de antwoorden. Hou ik nog van hem? Nee. Ja. Ik weet het niet meer. Ik wil Toby. Nee, dat is niet zo. Jawel. Ik wil niet alleen zijn. Ik ben zo bang.

Ze barstte in tranen uit. Dikke, lang ingehouden tranen spatten op in de palm van haar hand en even later tegen Kits borst, die haar dicht tegen zich aan trok.

Uiteindelijk deed ze een stapje achteruit en droogde ze haar tranen.

'Beloof me dat je thuiskomt,' zei Kit zacht.

Ze keek naar hem op. 'Ik beloof je dat ik thuiskom,' zei ze. Hij boog zich naar haar toe en kuste haar op haar voorhoofd. Een paar minuten later was hij weg.

Ik had blij moeten zijn. Maar terwijl ik keek hoe Margot de drankkast plunderde en opnieuw een slapeloze nacht drenkte in tranen en wijn, twijfelde ik aan alles. Ik wist niet meer wat het beste voor haar was. Daarom begon ik te bidden.

De volgende dag liep ik met haar mee naar Toby en keek ik intussen uit naar Tygren. Ze klopte op Toby's deur, die al open kierde. Hij verwachtte haar.

Hij stond bij het raam over de straat uit te kijken, klaar om naar buiten te rennen zodra hij een jonge vrouw zag die enigszins leek op Theo's beschrijving van Valita. Hij had dagen zo gezeten, weggedoken in zijn oude, Schots gebreide trui, zonder eraan te denken om iets te eten of te drinken, zijn blik steeds meer naar binnen gericht. En toen ze hem zo zag zitten, ging er een herinnering door haar heen aan die avond op de Hudson, aan de paar seconden dat ze alleen in de boot had gezeten, wachtend tot Toby weer bovenkwam. Nu deed ze hetzelfde. En ze constateerde geschrokken dat ze even bezorgd was als toen, en net zo verliefd.

'Ik ga terug naar Sydney,' zei ze.

Hij draaide zich om en keek haar met brandende ogen van het slaapgebrek aan. Hij zocht verbijsterd naar een passende reactie. Uiteindelijk vroeg hij zacht: 'Waarom?'

Ze zuchtte. 'Ik heb van alles te doen, Toby. Ik kom zo snel mogelijk weer terug. Maar ik moet... Ik heb hier niets, snap je?'

Hij knikte.

Ze glimlachte witjes en maakte aanstalten om te vertrekken.

'Ga je die papieren nog tekenen?'

Ze bleef roerloos staan. 'Dat was ik vergeten. Ik zal het meteen doen.'

Ze ging aan tafel zitten. Toby haalde de papieren uit een van de keukenladen en legde ze voor haar neer.

'Heb je een pen?'

Hij reikte haar een pen aan. 'Dank je.'

Ze staarde naar de papieren.

Langzaam, heel langzaam, legde Toby zijn hand op de hare. Ze keek op. 'Toby?'

Hij liet haar niet los. Hij trok haar zachtjes overeind en sloeg zijn arm om haar middel. Ze keek in zijn ogen, die herfstachtige bladeren. Het was lang, lang geleden sinds ze zo dicht bij elkaar waren geweest. Hij boog zich nog verder naar haar toe en kuste haar. De zachtste, meest oprechte kus van haar leven.

Ze duwde hem weg. Hij trok haar dichter tegen zich aan.

En ditmaal liet ze hem begaan.

27

DE BLAUWE EDELSTEEN

Ik wil erbij vertellen dat mijn snode plannen om Margot en Toby weer bij elkaar te brengen intussen nagenoeg gestrand waren in de verwarring en het schuldgevoel waardoor ik werd overstelpt toen ik zag dat haar relatie met Kit zo veelbelovend glansde, om vervolgens stuk te lopen. Ik heb me er niet mee bemoeid, ik zweer je dat ik er niets mee te maken had. Ik had gezworen dat ik me erbuiten zou houden en haar haar eigen keuzes zou laten maken.

Op dit cruciale moment kostte het me echter de grootste moeite om mijn invloed niet te laten gelden.

Ze legde haar hand tegen Toby's borst en trok zich los.

'Waar ben je mee bezig, Toby?'

Hij keek haar aandachtig aan en glimlachte. 'Ik neem afscheid.' Hij zette een stapje achteruit, pakte de pen van de tafel en gaf hem aan haar. 'Je stond op het punt om te tekenen.'

Ze keek naar de pen. Daarna wierp ze een vluchtige blik op Toby. En toen ze weer keek, zag ze niet de Toby die de zware beproeving van hun huwelijk en de veroordeling van hun zoon had doorstaan. Ze zag de Toby die twintig jaar geleden boven water kwam in de Hudson. De Toby die tot haar vrees misschien verdronken was, maar die ze nooit van haar leven wilde verliezen.

'Ik moet erover nadenken,' zei ze, en ze legde de pen weer neer.

'Doe me dit niet aan, Margot,' riep hij uit. 'Laat me niet in onzekerheid, terwijl jij naar de andere kant van de wereld vertrekt.'

Ze stond al in de gang en riep over haar schouder: 'Mijn vlucht vertrekt morgen. Nu ga ik terug naar mijn hotel.'

'Dus... dat is het dan?' vroeg Toby boos. 'Ga je de scheidingsformulieren niet tekenen?'

Stilte. Toen liep ze naar hem toe, pakte de papieren en de pen uit zijn handen en zette haar naam op het lijntje.

Ze overhandigde hem de papieren zonder een woord.

Eenmaal terug in het hotel nam ze een lang bad. Ze beleefde de kus steeds opnieuw en in eerste instantie zweefde de scène boven haar hoofd als een horrorfilm, daarna als een komedie, tot ze zich dieper in het water liet zakken en hem voor zich zag zoals hij werkelijk was geweest. Zoals het had gevoeld. Als thuiskomen. Rust.

Toen de telefoon ging, haastte ze zich uit bad. De receptie meldde dat er iemand voor haar aan de balie stond. Meneer Toby Poslusny. Of hij boven mocht komen. Ze weifelde. *Ja*, zei ik tegen haar, met bonzend hart. Oké, zei ze.

Het was alsof ik in de verwijderde scènes van een film zat. Ik dacht terug aan dit moment in mijn leven, toen ik tijdens de voorverhoren moederziel alleen in een hotel zat en als het nodig was bittere besprekingen voerde met Toby over bezoekjes aan Theo of de datum van de volgende zitting. Alles was nu zo anders, dat ik geen idee had wat er ging gebeuren.

Totdat de gedachte aan mijn dood bij me opkwam. Ik heb er nooit een duidelijk beeld van gekregen, zo plotseling is het gegaan. Zet een vuurwapen tegen mijn hoofd, vraag me hoe het was om dood te gaan en ik zou je zeggen dat je de trekker over moest halen. Ik had geen idee. Ik was sneller dan een zakkenroller in Manhattan uit deze wereld vertrokken. Het ene moment bevond ik me in een hotelkamer, het andere stond ik van bovenaf naar mijn lichaam te kijken, en nog geen fractie van een seconde later zat ik in het hiernamaals met Nan.

Margot schoot een witte badjas aan en deed de deur open.

Toby bleef besluiteloos en met een vragend gezicht bij de deur staan tot ze hem binnenliet.

'Wat kom je doen, Toby?'

'Je was iets vergeten.'

'O?'

'Ja.'

Ze keek hem onderzoekend aan en maakte een geërgerd gebaar met haar hand. 'Wat ben ik dan vergeten?'

Hij staarde terug. 'Je was vergeten dat je een man hebt. En een thuis. O, en een zoon.'

'Toby...' Ze liet zich op het bed vallen.

Hij knielde voor haar neer en nam haar gezicht in zijn handen. 'Als je zegt dat ik moet ophouden, doe ik dat. Echt.'

Hij kuste haar. Ze vroeg hem niet om op te houden.

Het was niet omdat hij zei 'Ik hou van je' dat ik danste van vreugde, noch haar 'Ik ook van jou' of hun minnespel. Het was omdat ze, na urenlang kletsen in bed over het verleden en daarna over de toekomst, met op de achtergrond de geluiden uit het park en de aangloeiende lichtjes voor de viering van Chinees Nieuwjaar, besloten om het opnieuw te proberen.

En terwijl door de hele stad muziek en geweerschoten opklonken, toen Margots aura goud opgloeide en het licht om haar hart pulseerde, omhelsden Gaia en ik elkaar en smeekte ik haar huilend om me te zeggen dat ik niet droomde. Dat dit echt gebeurde.

Ze bleven heel lang in bed liggen en hielden elkaar stevig vast, vlochten zwijgend hun vingers in elkaar en weer los, zoals ze jaren geleden hadden gedaan in Toby's armoedige zolderappartement in de West Village.

'Hoe laat is het?' Toby leunde over Margot heen om op zijn horloge te kijken.

'Elf uur. Hoezo?'

Hij sprong uit bed en reikte naar zijn overhemd.

'Waar ga je heen?' vroeg ze, terwijl ze overeind kwam. 'Je gaat toch niet weg?'

'Ik moet naar huis,' zei hij. Hij kwam haastig naar haar toe en plantte een kus op haar voorhoofd. 'Maar ik kom zo weer terug.'

'Waarom moet je dan naar huis?'

'Ik heb mijn mobieltje niet bij me,' zei hij. 'Stel dat de recherche belt met nieuws over Theo? Ze kunnen me hier niet bereiken.'

Toby keek naar haar in bed, lui tegen het kussen. Hij glimlachte. 'Ik ben zo terug.' Toen aarzelde hij en keek haar ernstig aan. En ik zag, voor het eerst in vele, vele jaren, het ijs opzetten rond zijn hart. Zijn angst.

'Je blijft toch wel op me wachten, hè?'

Margot lachte. 'Tobber, waar wil je dat ik heen ga?' Hij bleef haar aankijken. 'Ja,' zei ze toen, 'ik blijf op je wachten.'

Met die belofte ging hij weg.

Ik bedacht dat dit de reden was waarom ik niet wist hoe ik gestorven was. Omdat ergens aan het einde van mijn leven onze wegen zich gesplitst hadden. Terwijl ik de ene richting was op gegaan, koos Margot de andere. Op de een of andere manier bestond er een verband tussen deze twee paden dat ik niet kon zien. Ze kwamen op een bepaald punt samen om me naar het einde te voeren. En nu ik kon zien waar dat pad naartoe leidde, naar een nieuw leven met Toby, een huwelijk dat ditmaal werkelijk zou kunnen werken, wilde ik niet dat het ten einde liep.

En daarom, toen de berichten doorkwamen via mijn vleugels om het te laten rusten, *laat het los,* kon ik dat niet.

Een klop op de deur. Ik schrok ervan. 'Roomservice, mevrouw,' zei een stem achter de deur. Toen Margot de deur opendeed, zat ik op het puntje van mijn stoel. De jongeman die voor haar stond met een blad eten keek haar aan, zette het blad op het bed en vertrok zonder een fooi te verwachten.

Ik keek toe hoe Margot ging douchen en liep de gang in om

te zien of er demonen rondhingen. Grogor sloop ergens rond. Ik kon zijn aanwezigheid voelen.

Toen Toby thuiskwam, lag er een briefje onder de deur. Hij had het bijna over het hoofd gezien. Nadat hij zijn mobieltje en de oplader uit de keukenla had gevist, zijn wangen met aftershave had gedept en zijn tanden had gepoetst, pakte hij wat schone kleren in en haastte zich om terug te gaan naar Margot. Op dat moment zag hij het.

Een witte envelop. Blanco, zonder naam of adres. Hij scheurde hem open. Een wit, verkreukeld briefje met een kinderlijk handschrift. Er stond:

Meneer,

Ik schrijf u om te zeggen ik erg vinden van uw zoon. Ik ben het meisje waar hij over praten in de krant. Ik kan niet zeggen waarom, maar ik wil niet mijn naam bekent worden. Ik kom de volgende keer langs met u praten. Uw zoon is onschuldig, ik niet willen hij naar de gevangenis.

Alles wat uw zoon zegt is waarheid.

V

Toby rende de gang in. De oude mevrouw O'Connor van het appartement aan de overkant van de gang kwam juist terug van haar avondwandelingetje. Toby vloog als een bezetene op haar af.

'Mevrouw O'Connor, hebt u iemand bij mij aan de deur gezien?'

Ze keek hem aan. 'Eh, nee, jongen, ik geloof het niet...'

Hij vloog naar een andere deur en bonsde erop. Even later ging de deur open. Harde muziek. Een dronken, Chinees joch in de deuropening. 'Gelukkig nieuwjaar, man.'

Het had geen zin hem iets te vragen. Hij greep het briefje met trillende handen beet en las het een paar maal door. Toen belde hij het alarmnummer en bad dat Margot zich aan haar woord zou houden. Dat ze op hem zou wachten.

Dat deed ze. Ze at de eend met abrikozen en gemberrijst en dronk een half flesje huiswijn. Ze vroeg zich af hoe het verder zou gaan. Ze vroeg zich af hoe ze wílde dat het verder zou gaan. En ze keerde terug naar de droom van al die jaren geleden: het huis met het hek eromheen. Toby achter de schrijfmachine. Theo, een vrij man.

Wie weet lag het binnen handbereik.

Intussen was ik ten einde raad, want ik zag haar dromen en verliefd worden, ik zag haar lichaam oplichten met de gloed van de hoop, het licht rond haar hart dat jarenlang had gesluimerd, gloeide op en begon te stralen als een verblindend witte eclips, terwijl de berichten bleven binnenstromen: *Laat het los, laat het los.* Ik werd er hoorndol van, want plotseling wist ik weer wat ik vlak na mijn dood had gezien: mijn eigen lichaam, in dit bed, op deze lakens, op mijn buik in mijn eigen bloed.

Niemand binnenlaten, zei ik tegen haar. Heeft Toby me vermoord, dacht ik. Was het Toby? Was het Kit? Valita? Ik zong het Lied der Zielen. *Ga hier weg, ga hier weg,* riep ik tegen haar. Wie het ook was die de kamer binnenkwam zou haar vermoorden, ik wist het zeker. Tot slot zei ik tegen haar: *Ga bij het raam staan, ga naar de feestvierende mensen kijken. Het is Chinees Nieuwjaar. Het Jaar van de Slang. Kijk, ze hebben zelfs praalwagens in de vorm van een slang. En vuurwerk. Waarom ga je niet naar beneden om te kijken? Ga kijken.*

Ze schonk het laatste restje wijn in haar glas en liep ermee naar het raam, dat uitkeek over het park. Het was een drukte van belang op straat. De optocht slingerde zich door het park. Het vuurwerk knetterde in de lucht en overstemde het geluid van de feestelijke geweerschoten die zo nu en dan opklonken. Ze rukte het raam open en wierp een blik op de klok naast het bed. Bijna middernacht. O, Toby, dacht ze. Wat jammer dat je nu niet hier bent. Ik drong nogmaals aan: *Doe de deur op slot.* Een gedachte die ze schouderophalend van zich afschudde.

En dan is het middernacht.

Klokgelui weerklinkt door de geluidsboxen beneden. Eén... Margot zet haar handen op de vensterbank en leunt uit het raam. Twee... aan de andere kant van de stad heeft Toby de hoop op een taxi opgegeven en besluit hij joggend terug te gaan naar het hotel. Drie... ik kijk naar de blauwe edelsteen om mijn hals. Wat hadden ze gezegd dat ik om mijn hals droeg toen ze mijn lichaam aantroffen? Een saffier uit Kasjmir? Vier... Margot pakt Toby's jasje op en slaat het om haar schouders tegen de kou. Vijf... in het park vuurt iemand met luid gejuich een geweer af in de lucht. Zes. Ik zie het. Ik zie de kogel door de donkere lucht suizen. Ik zie hem zoals je ziet dat iemand een munt opwerpt, zoals je een bal in de richting van het racket ziet gaan. Ik zie waar hij naartoe gaat, regelrecht op het raam af. Op dat moment weet ik het: ik kan er op tijd bij zijn. Ik kan hem tegenhouden. En dan het bericht in mijn vleugels. *Laat het los.* Zeven... 'Waarom?' roep ik vertwijfeld uit. Acht... *laat het los.* Negen... Toby staat in de lobby van het hotel. Tien... hij drukt op de knop van de lift. Elf... de kogel raakt zijn doel, pal naast Margots hart. Twaalf... ze valt achterover, hapt naar adem en kijkt me recht in de ogen als ik me over haar heen buig, haar huilend in mijn armen neem en zeg dat het goed is, dat het goed is, dat het allemaal voorbij is. *Het is voorbij.* En dan steekt ze haar hand naar me uit. Ik grijp hem stevig vast.

We zijn één.

28

DE WEG DOOR DE HEUVELS

Er ligt een intimiteit besloten in de rol van engelen die voorbehouden is aan de uitverkorenen. In mijn menselijke gedaante had ik mijn hemelse verantwoordelijkheden nooit kunnen uitvoeren zonder me te generen over de voyeuristische aspecten ervan, de enorme inbreuk op de privacy. Alleen als engel kon ik bevatten met hoeveel mededogen dit soort bescherming in feite gepaard gaat, hoe liefdevol de relatie is. Alleen als engel kon ik begrijpen wat de dood wezenlijk is.

Ik stond op, keek neer op Margots lichaam, en beleefde opnieuw alles wat ik de eerste keer ook had ervaren, direct na mijn dood. De shock om mezelf daar te zien liggen, zonder hartslag. De afschuw over de betekenis daarvan. Met dit verschil dat ik het ditmaal accepteerde. Ik stak mijn hand niet uit om haar wang te strelen, want we waren één; ik kwam tot het besef dat ik aan het einde van mijn mens-zijn was gekomen. Ik zou Margot achterlaten.

Nan arriveerde net iets eerder dan Toby. Dat was barmhartig, vond ik. Ik had het niet aangekund om hem hijgend, met een rood aangelopen gezicht en bonzend hart die hotelkamer in te zien wankelen om haar dood aan te treffen. Het was al erg genoeg om het me voor te stellen. Nan zei dat ik haar snel moest volgen. In een waas van tranen boog ik me naar Toby's jasje op de stoel om voor het laatst zijn geur in te ademen. Ik had sterk het gevoel dat ik iets voor hem achter wilde laten, een briefje, een teken dat ik altijd van hem zou blijven houden, al zou ik hem waarschijnlijk nooit weerzien. Ik had echter geen andere keus dan Nan schoorvoetend te volgen, de duisternis in.

Ik belandde naast Theo op de vloer in de donkere, vochtige eenzaamheid van zijn gevangeniscel, waar hij met gekruiste benen zat te tekenen. Hij neuriede zachtjes in zichzelf, een melodietje dat verrassend veel weg had van het Lied der Zielen. James stond bij het raam, zijn silhouet afgetekend in het maanlicht. Hij beende op me af en sloeg zijn armen om me heen.

'Ik heb nieuws,' zei hij, terwijl hij in mijn handen kneep. 'Tygren is me komen opzoeken. Ze is ervan overtuigd dat ze Valita kan overhalen om te getuigen.'

Ik sloot mijn ogen en slaakte een zucht van verlichting. 'Wat fantastisch,' zei ik. En toen begon ik te huilen.

'Wat is er?' vroeg James. Ik keek naar Theo. Ik wist niet wanneer ik hem weer zou zien, óf ik hem ooit zou weerzien. Ik probeerde het uit te leggen, maar ik kon slechts snotteren en James keek verbijsterd naar Nan. Ze schudde simpelweg haar hoofd, alsof ze wilde zeggen: het is niet aan mij om dit uit te leggen. Ik zakte op mijn hurken en sloeg mijn armen om Theo heen. Hij keek heel even op, alsof hij voelde dat de atmosfeer om hem heen was veranderd. Daarna ging hij verder met tekenen. Hij kalkte de betonnen vloer vol met krokodillen.

'We moeten gaan,' waarschuwde Nan. James keek afwisselend van Nan naar mij en terug.

'Waar moeten jullie naartoe?'

'Margot is dood,' zei ik. Ik droogde mijn tranen en probeerde diep door te ademen. 'Ik kwam afscheid nemen van jou en Theo.' Ik wilde zoveel meer zeggen. 'Ik wil je zeggen dat er absoluut niemand in de wereld is die ik hem liever toevertrouw dan jou.' Ik glimlachte en maakte aanstalten om te vertrekken.

'Momentje.' James stapte met een ernstig gezicht op me af. 'Wacht even, Ruth.' Hij wierp een blik op Nan. 'Dit is belangrijk. Het duurt maar even.' Hij nam mijn handen in de zijne en keek me aandachtig aan. 'Je hebt me nooit gevraagd wie ik was voordat ik Theo's engel werd.'

Ik knipperde met mijn ogen. 'Wie was je dan?'

Hij hield mijn blik vast. 'Ik was de diamant die je niet kon redden,' zei hij. 'Ik ben je zoon.'

Ik deed een stapje terug en keek van hem naar Theo. Plotseling zag ik de gelijkenissen als diepe waarheden op me afkomen: de vastberaden kaaklijn, de vierkante, sterke handen. Ik dacht terug aan de baby die ik had gezien in Margots buik, het kind van Seth, het gevoel van verlies, de verwarring, niet wetende wat ik had verloren. Aan al die verjaardagen die nooit hadden plaatsgevonden en waarop ik me afvroeg hoe mijn leven verlopen zou zijn als dat kind was blijven leven.

En nu maakte ik kennis met hem.

'We hebben niet veel tijd,' waarschuwde Nan achter mijn rug.

Ik liep naar James toe en trok hem stevig tegen me aan. 'Waarom heb je dat niet eerder gezegd?'

'Zou dat iets aan de zaak veranderd hebben? We zijn toch familie van elkaar.'

Hij wendde zich tot Theo. 'Er komt een dag dat we broers zullen zijn.'

Ik keek naar mijn zoons, naar de jongen en zijn engel.

Ik kuste James en voor ik iets kon zeggen, was hij verdwenen.

Nan en ik arriveerden in de vallei bij het meer, waar we elkaar voor het eerst hadden ontmoet. Ik had een eigenaardig gevoel van déjà vu. Ik verwachtte min of meer dat ze me weer het meer in zou duwen om me voor de derde keer naar de aarde te zenden. Ik sloot mijn ogen en voelde het hoge gras langs mijn vingers strijken, de vochtige aarde onder mijn voeten. Ik zette me schrap voor wat er komen ging. Voor me lag de weg, slingerend door de groene heuvels, en de moed zonk me in de schoenen. Ik meende te weten waar die weg heen leidde.

'Ga ik nu naar de hel?' vroeg ik met trillende stem.

Ze bleef staan om me aan te kijken.

Er verstreken enkele minuten.

'Nan?'

Uiteindelijk zei ze: 'Het is tijd om je dagboek aan God te overhandigen, Ruth.'

Ze pakte mijn hand en leidde me naar het meer. 'Nee,' zei ik toen we bij de waterkant kwamen. 'Ik ga er niet weer in. Echt niet.'

Ze negeerde me. 'Steek je dagboek in het water. Geef het aan God. Het is nu van hem.'

'Hoe moet dat dan?'

'Ik weet dat je het niet leuk vindt, maar je moet in het water stappen. Ik beloof je dat je niet zult verdrinken.'

Ik stapte het meer in en hield haar handen stevig vast. Het water dat langs mijn rug stroomde begon zich af te wikkelen, als twee linten die mijn huid loslieten en de groene deining in sijpelden. En in die rimpelingen beelden van Margot, beelden van Toby en Theo, beelden van alles wat ik had gezien en gehoord, had aangeraakt en gevoeld. Alles wat ik vreesde, alles wat ik liefhad, alles waarin ik geloofde, werd meegevoerd door het water, als een soort boek op weg naar de troon van God.

'En nu?' vroeg ik. 'Ligt de hel aan het einde van die weg?'

We stonden nog steeds in het meer. 'Herinner je je die dag dat je het auto-ongeluk voorkwam?' vroeg ze.

'Ja, dat kon ik tegenhouden.'

'Hoe deed je dat?'

'Ik denk dat het iets te maken had met vertrouwen.'

'En wat gebeurde er toen?'

'Mijn lichaam veranderde.'

Ze kwam dichterbij staan, haar gewaad uitwaaierend over het water. 'Je veranderde in een serafijn. De hoogste rang onder de engelen, het leger van licht dat tussen hemel en hel in staat, als een zwaard in de hand van God.'

'Wat zeg je?'

'Als een zwaard in de hand van God,' zei ze nadrukkelijk. 'Een levend zwaard dat het licht scheidt van de duisternis. Dat is de reden waarom jij zoveel hebt moeten doormaken. Je kunt alleen

een serafijn worden als je door het vuur der zuivering gaat. Door te lijden, zoals alleen iemand die terugkeert als zijn eigen beschermengel kan lijden.'

Ik voelde dat de knopen van verwarring zich ergens in mijn diepste wezen losrukten, en dat gevoel was zo heftig dat ik dubbelsloeg. De spanning viel van me af als een vlieger die door een stevige windvlaag omhoog wordt gejaagd. Nan gaf me de tijd om bij te komen en vervolgde: 'Bij jouw terugkeer als engel was jouw heden tevens je verleden en als zodanig had je het vermogen om keuzes te maken, waarmee je zowel je sterfelijke als je onsterfelijke lot kon veranderen. Alles wat je hebt doorstaan leidde naar dit moment.'

'Hoe zit het dan met Grogor?' vroeg ik zachtjes. 'En de deal die ik heb gesloten? Ik dacht dat ik naar de hel ging.'

'Dat was wellicht het geval geweest als je het om puur egoïstische redenen had gedaan. Je verkoos echter om je eigen geluk op te geven voor dat van Theo. God wist dat jij tot de beste engelen van zijn schare behoorde. Je moest echter eerst leren om te vertrouwen.'

Hoewel ik haar stevig vasthield, viel ik alsnog in het water en net als al die jaren geleden hapte ik naar lucht. Ditmaal van opluchting, niet van schrik. Ik keek naar de weg door de heuvels.

'Is dat dan niet de weg naar de hel?'

'Integendeel.'

Toen ik enigszins bekomen was, keek ik haar in de ogen en stelde ik de vraag die me al die jaren niet had losgelaten, de vraag die al mijn belevenissen en elke dimensie van mijn spijt had onderstreept.

'Waarom moest ik dit allemaal doormaken?' vroeg ik zachtjes. 'Waarom kon ik niet terugkeren als de beschermengel van een lieve, oude weduwe, of een beroemdheid of iemand met een rustig, leuk leven… Waarom kwam ik terug als de engel van Margot? Was dat een vergissing?'

'Absoluut niet,' zei Nan behoedzaam. 'Je was uitverkoren als je eigen beschermengel omdat dat de enige manier was om je spirituele weg te voltooien. Het was de enige manier om uit te groeien tot wie je nu bent.' Ze boog achterover en zei glimlachend: 'Zwaarden worden niet in water gesmeed, Ruth. Er is vuur voor nodig.'

Ik keek naar de weg die voor me lag, naar het landschap om me heen. Ik dacht aan Toby. Zou ik hem ooit weerzien?

Nan kneep in mijn schouders. Vertrouwen, zei ze. Vertrouwen.

Ik knikte.

Oké, zei ik. Vooruit dan maar.

Ze liep met me mee de weg op en bleef bij me, helemaal tot het einde.

Een zwaard in de hand van God.

EEN HEMELS ZWAARD

Het is inmiddels jaren geleden dat ik mijn dagboek in het water liet glijden om het weg te laten stromen naar... waar dan ook. Ik hoop dat het een goed boek was. Ik hoop dat het ergens goed voor is geweest.

Sindsdien heb ik het reuze druk gekregen. Mijn activiteiten zijn een stuk internationaler geworden dan in mijn eerste bestaan als engel, kan ik wel stellen. Ik heb tientallen wereldoorlogen voorkomen. Ik was een van de serafijnen die in de saffierblauwe, ijskoude diepten van Antarctica zijn gedoken om het smeltwater tegen te houden en het te veranderen in wolken, om het ver weg de stratosfeer in te brengen en zelfs de aarde open te breken om het oceaanwater erin weg te laten stromen, regelrecht naar de brandende kern. Ik ben het oog van tornado's binnengegaan – ja, net als Dorothy – en heb ze langs huizen vol kinderen geleid, ik heb dieren vastgehouden die erin meegezogen dreigden te worden en ze bewaakt tot het voorbij was, opdat ze verder konden leven. Ik heb tsunami's als loodrechte muren weggehouden van oorden vol hotels, huizen en kleine figuurtjes die zandkastelen bouwden op het strand, zonder zich ergens van bewust te zijn.

Zo nu en dan krijg ik de opdracht om iets los te laten. Dan moet ik toekijken hoe de tornado de huizen meeneemt, laat ik de aardschok zijn werk doen en geef ik de tsunami de vrije teugel om achteraf de stukken bijeen te rapen. Ik heb geen idee waarom.

Maar ik laat het los.

Toby zie ik nog regelmatig. Ik heb hem door zijn appartement zien scharrelen in zijn tot op de draad versleten vest en schoenen met meer gaten dan een Zwitserse kaas. Ik heb gezien dat hij zijn bril verving door een andere met dikkere glazen en dat steeds meer tanden vervangen moesten worden door porselein. Ik heb gehoord dat hij mij noemde in zijn toespraak op Theo's bruiloft en hoopte vurig dat hij niets zou zeggen over mijn drugsmisbruik; ik zag hem met onze kleindochters in zijn armen staan, een tweeling, en hoorde dat hij erop stond dat een van hen Margot werd genoemd.

Ik praat met hem. Ik vertel hem hoe het hier is. Ik zeg dat hij naar de dokter moet en gauw ook, om iets aan die hand te laten doen, die hoest te laten onderzoeken of medicijnen te vragen voor de pijn in zijn maag. Ik lees zijn manuscripten door en vertel hem waar een komma ontbreekt, waar het net iets beter kan. Ik zeg hem dat ik van hem hou.

En ik vertel hem dat ik er ben, altijd.

Dat ik op hem wacht.

CAROLYN JESS-COOKE

Dagboek van een beschermengel

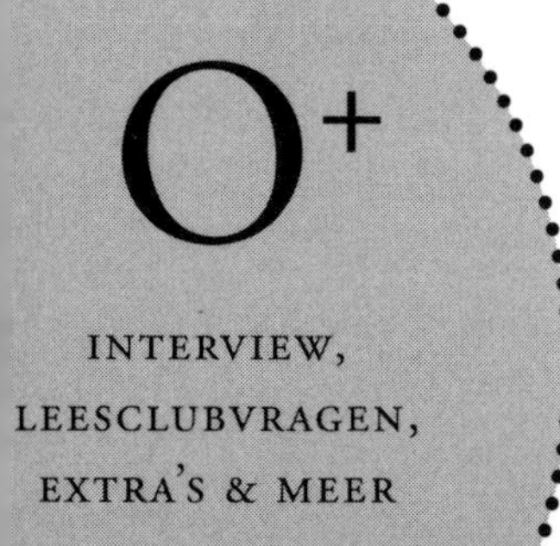

Zie ook:
www.orlandouitgevers.nl

OVER DE AUTEUR

© Jared Jess-Cooke

Carolyn Jess-Cooke (1978) is geboren in Belfast, Noord-Ierland, vlak bij het geboortehuis van C.S. Lewis. Ze schrijft al verhalen en gedichten vanaf haar zevende.

Na haar studie aan Queen's University in Belfast gaf Jess-Cooke les in filmwetenschappen aan de Universiteit van Sunderland. Ze trouwde, kreeg drie kinderen, verhuisde meerdere malen, publiceerde vier non-fictie boeken over film en Shakespeare en gaf colleges creatief schrijven aan Northumbria University. Ze werd bekroond met enkele belangrijke poëzieprijzen voor haar poëziebundel *Inroads*. Haar debuutroman *Dagboek van een beschermengel* verschijnt in meer dan tien landen in vertaling.

Voor meer informatie zie www.carolynjesscooke.co.uk.

ENKELE VRAGEN AAN CAROLYN JESS-COOKE

Wanneer wist je dat je schrijfster wilde worden?

Ik geloof niet dat ik ooit bewust heb besloten dat ik schrijfster wilde worden, ik weet alleen dat ik gewoon móést schrijven. Ik herinner me een logeerpartij bij mijn opa en oma toen ik tien was en ik de hele vakantie op een oude schrijfmachine zat te rammelen, vastbesloten om mijn roman te voltooien voordat school weer zou beginnen. Ik groeide op in een gevaarlijke wijk in Belfast, in een roerige tijd en een gewelddadig gezin, en dit was mijn manier om me staande te houden onder die omstandigheden.

Je hebt al jong een gezin. Hoe combineer je het moederschap met het schrijverschap?

Dat is een kwestie van jongleren. Ik probeer op de allereerste plaats moeder te zijn en daarna pas de rest, maar er is nogal veel wat onder 'de rest' valt en dat maakt het lastig om tijd te vinden om te schrijven, vooral omdat mijn kinderen nog zo klein zijn. Ik moet vaak kiezen tussen schrijven en slapen... Aan de andere kant schrijf ik al jaren, en ook voordat ik kinderen had was er van alles te doen. Tijdens mijn studie had ik diverse baantjes, dus ik weet niet beter of het kost moeite om tijd vrij te maken om te schrijven. Ik schrijf meestal als de kinderen slapen, wat betekent dat ik nooit weet waar mensen het over hebben als het over tv-programma's gaat, bijvoorbeeld. Er slingeren aantekenboekjes door het hele huis, in de auto en in mijn tas, en ik heb de gewoonte om complete gesprekken uit te bannen en intussen op personages en plots te broeden...

Hoe is je carrière precies verlopen, vanaf het schrijven van je debuut tot het zoeken naar een agent en het vinden van een uitgever?

Dat is allemaal razendsnel gegaan. Nadat ik het jarenlang had geprobeerd en zo vaak ben afgewezen dat ik er bijna niet meer in geloofde, werd ik plotseling benaderd door een belangrijke agent en kreeg ik een contract voor een roman die ik nog maar net had voltooid. Het ene moment zei ik tegen mijn moeder dat ik een idee in mijn hoofd had voor een boek en het volgende moment werd het wereldwijd uitgegeven... Ze dacht dat ik haar in de maling nam.

In een hectische periode in mijn leven werd ik 's morgens wakker met een idee in mijn hoofd voor een boek over een vrouw die haar eigen beschermengel wordt. Engelen boeien me mateloos, ik geloof in engelen en ben nieuwsgierig naar ze, en ik vroeg me af wat er zou gebeuren als je plotseling getuige zou zijn van je keuzes in het leven, als je je gedrag zou kunnen bezien vanuit het oogpunt van een engel: zou je dan proberen om alles te veranderen? Wat zou ik zelf doen in dat geval?

Toen we het bericht kregen dat mijn stiefbroer tijdens de missie in Afghanistan was omgekomen, met alle verdriet en aandacht van de media die deze tragedie met zich meebracht, kwamen mijn prioriteiten anders te liggen. Hoewel ik geen idee had of het boek ooit uitgegeven zou worden en of zoveel werk ooit de moeite waard zou zijn, móést ik al die ideeën waardoor ik werd gekweld op papier zetten. Ik nam het eerste hoofdstuk mee naar een bijeenkomst van New Writing North in Londen, in juli 2009, waar een groep gelauwerde schrijvers uit het noordoosten van Engeland in contact werd gebracht met agenten, redacteuren en uitgevers. Daar maakte ik kennis met Madeleine Buston van het Darley Anderson Agency. Zij las de eerste vijftig bladzijden van de roman en vroeg diezelfde avond nog om de rest. Twee weken later nam ze me onder haar hoede. Een maand later had ik een contract van een uitgever.

Dagboek van een beschermengel *is gebaseerd op een stevige thematiek. Hoe kwam je bij deze sterke thema's en waarom heb je ervoor gekozen om ze op deze manier naar voren te brengen?*

Ik geloof dat het thema 'spijt' sterk te maken heeft met de periode waarin ik het idee voor het boek kreeg. Dat was kort na de dood van mijn stiefbroer, waardoor ook het gemis van mijn overleden oma en de zelfmoord van mijn vader weer boven kwamen. Ik besefte dat er veel waarheid schuilt in het aloude cliché 'het leven is maar kort'. Ik wilde niet dat ik overal spijt van zou hebben als ik oud ben en terugkijk op mijn leven. Daarbij wilde ik graag onderzoeken hoe je spijt kunt overwinnen, hoe er ook uit slechte keuzes iets goeds kan voortkomen.

Het is een verhaal vol verdriet en somberheid, vooral wat betreft de jeugd van Margot en Theo. Hoe ben je erin geslaagd om de somberheid te verlichten met aspecten van hoop en licht?

Dat was een van de doelen van mijn onderzoek naar het overwinnen van spijt. Ik wilde uitzoeken hoe mensen met een moeilijke start in hun leven, wier eigen keuzes vaak in het teken staan van hun duistere ervaringen, de zaken ten goede kunnen keren door hun eigen lot in handen te nemen. Het was noodzakelijk om de tocht van de duisternis naar het licht helemaal uit te werken om de hoop te kunnen belichten.

Waar komen je personages vandaan en hoe ontwikkelen ze zich?

Ik heb ooit ergens gelezen dat Harry Potter pardoes het hoofd van J.K. Rowling binnenwandelde, kant en klaar en met naam en al. Zo is Margot Delacroix in het mijne opgedoken. Eerst dacht ik dat ze Helacroix heette, maar ik begreep al gauw dat ik niet goed had geluisterd. Het was Delacroix. Zo ging het met alle personages in dit boek. Ik zou ze meteen herkennen als ik ze op straat tegenkwam.

Je verhaal speelt zich deels in de spirituele wereld en deels in de mensenwereld af. Hoe ben je erin geslaagd om de twee te combineren?

Het was niet mijn bedoeling om een spiritueel verhaal te schrijven, maar achteraf bekeken bezat alles wat ik vroeger schreef, zelfs als kind al, een bovennatuurlijke, spirituele gevoeligheid. De spirituele wereld fascineert me en dat geldt vooral voor alles wat we niet kunnen zien. Ik vind het een wonderlijk idee dat de wetenschap slechts enkele generaties geleden nog meende dat er slechts één sterrenstelsel was in plaats van miljarden. Ik ben vooral geïnteresseerd in de waarheid van het mens-zijn, de betekenis daarvan, en volgens mij wordt deze waarheid toegankelijker als we ernaar kijken door een niet-menselijke, ietwat ongebruikelijke lens.

Had je een bepaald publiek in gedachten tijdens het schrijven van dit boek?

Ik vind het heel belangrijk om rekening te houden met mensen die de dingen waarover ik schrijf aan den lijve hebben ondervonden, zoals het verlies van een dierbare, kindermishandeling en verwaarlozing en zoals in het geval van Margot en Toby de ervaring van een kind dat beschuldigd wordt van moord. Vooral voor deze situaties zorgde ik ervoor dat ik nooit iets schreef dat niet goed voelde, om te voorkomen dat ik iemand met dergelijke ervaringen zou kwetsen of afstoten.

Wat wordt je volgende project?

Ik werk momenteel aan mijn tweede boek, *A Very Human Thing*, waarin ik opnieuw een blik werp op het mens-zijn door dieper in te gaan op de relatie tussen de spirituele en de stoffelijke wereld.

Door wie of wat ben je als schrijfster beïnvloed? Daarmee bedoel ik eigentijdse schrijvers, klassieke schrijvers of dichters, bepaalde boeken die je hebt gelezen, mensen die je hebt ontmoet of die je inspireren...

Ik word altijd geïnspireerd door schrijvers, met name door Sharon Olds, Sylvia Plath en Mary Oliver, wier gedichten verder reiken dan de bladzijde zelf en die een bijzonder gevoel van de betekenis van het leven bij me opwekken. Ik heb Grieks en Latijn gehad op school en mijn liefde voor het schrijven is voor een belangrijk deel bepaald door Vergilius, Homerus en Catullus. Mark Haddon en zijn humor, evenals de dichter Luke Kennard zijn recentere voorbeelden van mensen die me inspireren, net als Audrey Niffenegger, Jodi Picoult, Liz Jensen en Alice Sebold. Van alle schrijfcursussen die ik heb gevolgd en de boeken die ik erover heb gelezen, zijn Stephen Kings *On Writing* en Julia Camerons *The Artists Way* essentieel geweest voor mijn manier en aanpak van het schrijven. Daarnaast word ik zeer geïnspireerd door uiteenlopende musici en componisten, onder wie Rachmaninoff, Debussy, Karl Jenkins, Coldplay, Tori Amos, Philip Glass en Michael Nymann.

OVER HET BOEK
LOVENDE WOORDEN

‘Een verhaal over liefde, rouw en hoop met als centrale vraag: wat zouden we anders doen in ons leven als we het opnieuw mochten doen. Net zo gecompliceerd en intelligent als meeslepend (…) Vrouwen lezen boeken over engelen, nu de vraag naar *misery memoires* afneemt.’ – *The Bookseller*

‘Vampieren aan de kant, we houden meer van engelen.’
– *The Irish Independent*

‘Een veelbelovend boek van een auteur die we in de gaten moeten houden.’ – *Newcastle Tyne Journal*

‘De nieuwe Audrey Niffenegger (…) Hou de tissues maar in de aanslag!’ – *Company*

‘Dit wordt een boek om in de gaten te houden.’
– *Culture*

LEESCLUB

LEESCLUBVRAGEN VOOR *DAGBOEK VAN EEN BESCHERMENGEL*

1. Bespreek het thema verandering. Denk daarbij bijvoorbeeld aan de invloed van een beschermengel op de levensloop van zijn of haar beschermeling en hoe het zou zijn om je eigen levenspad te kunnen veranderen.

2. In welk opzicht zijn Ruth en Margot hetzelfde en in welk opzicht verschillen ze van elkaar?

3. Welke weg moeten Ruth en Margot afleggen en welke lessen leren ze onderweg?

4. Welke rol spelen de demonen in het verhaal als krachten die de engelen tegenwerken? Vind je dat Ruth op de juiste manier reageert op de demonen om haar heen?

5. Vind je dat Ruth de juiste keuze maakt als ze een deal sluit met Grogor en haar privileges als engel opgeeft?

6. Ruth geeft toe dat het feit dat Margot geen betere moeder is geweest haar het meest van alles dwarszit het. Wanneer gaat Margot in dat opzicht volgens jou echt te ver en in hoeverre kan dit gedrag haar aangerekend worden?

7. Bespreek de thema's ouderschap, relaties en huwelijk aan de hand van deze roman.